文學叢刊之三十一

逍遙到處思鄉無

夏美馴著

文史哲出版社印行

文學叢刊 ㉛

消遙到處思鄉無

著者：夏 美 馴
出版者：文史哲出版社
登記證字號：行政院新聞局局版臺業字〇七五五號
發行所：文史哲出版社
印刷者：文史哲出版社
台北市羅斯福路一段七十二巷四號
郵撥〇五一二八八一二彭正雄帳戶
電話：三五一一〇二八
實價新台幣五〇〇元
中華民國七十九年八月初版

ISBN 957-547-006-0

序

夏鐵肩

夏美馴先生，筆名翟羽，他是一位老記者，也是一位老作家。抗戰初期，他一直主辦軍中報紙，在敵前敵後，帶領一支筆部隊與敵人作戰。在魯蘇戰區爲時最久，出死入生，被譽爲最勇敢的報人。來臺後，初服務於空軍總部，曾經督編過中國空軍月刊。退役後，轉任國立歷史博物館編輯、研究組組主任等職，同時兼任多所大專院校教授。由於他的閱歷豐富，文采煥然，公餘經常應邀爲各報副刊及文藝雜誌寫稿，七十五年十二月，曾又出版過散文集「爲愛白雲盡日閒」，深獲讀者好評。

最近又綜輯在各報刊發表過的文章一〇〇篇，編爲一集。書名「逍遙到處思鄉無」。囑我寫篇序文。我與美馴兄忝屬同宗，又是抗戰初期接受新聞專業教育時的同學，儘管年來多病多憂，久不提筆，仍覺不敢堅辭。

我把全書一〇〇篇文章細讀一遍，其中五分之一屬於報導文學，五分之二屬於旅遊采風，五分之二屬於抒寫天倫生活、鄉土情懷及憶事懷人的優美散文。第一部分以報導軍中生活居多，充分表現作者的愛國情操。第二部分寫述的範圍甚廣，包括昔年大陸的遊踪，寶島風光的描繪，日本初旅等，而對各地風土人情和飲食特色，都有極細膩的記述，使讀者得到「臥遊」的享受。第三部分抒寫天倫之樂，時間貫穿了「四代」，那種溫馨、幸福、和諧的情境，令讀者羨慕不已。從作者好幾篇關於懷念故鄉的文章中，可以看出他多年浪跡萍踪，究竟是無時不在懷念「祖宗廬墓之鄉，兒時釣遊之地」。因此，他把這本集子用「逍遙到處思鄉無」作爲書名，實在飽含著許多憂患和無奈的哀傷情緒，誰叫我們生逢這個曠古所無的悲劇時代呢？

爲了作者用的「消遙」不是我們習慣寫的「逍遙」，我打電話給他，貿然問他是否筆誤？翟羽兄回答我說，消字和逍字是相通的。我一查辭源，果然不錯，自覺很慚愧，但是也很高興，想不到無意中了解這個消字的用法。似乎應該在此附帶說明一下。翟羽兄又說：「我四十多年來，自己到處消遙，到底也思不思念故鄉呢？講老實話，我實在很難得到一個肯定的答案！儘管現在政府開放探親，我不知道究竟該不該回去一趟。」

翟羽兄的語音中，多少帶有一些無可奈何的感傷，讀完這本書的初稿後，引起了我太多的同感，我想凡是讀這本書的朋友們，恐怕或多或少都會引起共鳴罷。謹序。

（民國七十八年六月二十五日於天母）

懷鄉吟（序）

袁睽九

同窗又是摯友的夏美馴兄將他即將出版的「逍遙到處思鄉無」一書原稿寄給我，囑為之序，所不敢辭。

多年以來，美馴兄是友好中寫作最多的一位，無論在他擔任公職或執教鞭期間，別無嗜好的他，業餘就是不停的寫作。已結集出版的書，有「歷史文物與藝術」、「為愛白雲盡日閒」，即將出版的有「陋室談藝錄」等。這本書名為「逍遙到處思鄉無」，所收入的文章已逾百篇，多屬念國懷鄉之作。「四十年來家國，八千里地山河」，其間著者遊踪處處，遍歷國內海外，生活美好，自由自在，但垂老思鄉，每一念及國破家亡，天涯飄泊，故土鄉情，兒時歡樂，輒為泫然。這種刻骨銘心的情懷，歷久難忘的感受，不僅為同一時代，相仿年齡的人所共有；而且也是歷經變亂、憂患餘生的人所身經，但絕大多數的人都不曾發為文章，抒其胸臆。美馴兄所做的正是如我輩者所不曾做或做得太少，宜其足以引起共鳴，激發同感。書末所附的兒女們的習作，尤可見青出於藍，繼起有人，著者感懷家國之餘，當可引以自慰。

詩人卡萊爾談過：「不曾哭過長夜的人，不足以語人生」。「逍遙到處思鄉無」的每一篇文章，都是著者哭過長夜的人生閱歷。國家的苦難，時代的挫折，遭際的坎坷，無時無刻不在捶擊我們的心胸，刺痛我們的情感，鞭撻我們的靈魂，儘管現實的生浩還算美好，可以讓我們自由自在遨遊於天地之間，但誰能看到那長夜的哭泣，背地的淚痕呢？也許，有一天我們能拾起行囊，回歸故土，然而瘡痍滿目，人事全非，又何能重溫已逝的舊愛，撫平身受的創痛？言念及此，感慨萬端，著者文章中的觸景生情，寄託深遠，豈僅不難理解，而且也值得深思，除非痲木不仁，除非渾忘一切。

草草寫此，不足言序，對美馴兄的大著、陳丹誠先生題簽，林鈴蘭女士的封面而言，我亦深深有感榮幸。

（民國七十八年元月，臺北未眠樓）

消遙到處思鄉無　目次

歷史偉人德行證例

際此總統　蔣公百年誕辰紀念將臨，相信國人為追懷此一代偉人救世救人偉績，必多在文字上有所敍述，藉申孺慕之思。筆者謹就歷史資料所載，略加錄記，俾我國人洞悉　蔣公忠誠德行的史例，知有所效法篤行，進德修業，定有裨益，庶不致有失紀念蔣公百年誕辰的眞實意義。

民國十一年六月十六日，陳炯明叛變，砲轟觀音山總統府，　國父穿越叛軍防哨脫險登永豐艦避難。　蔣公時因丁母憂在家，聞變立即冒險南下，隨侍　國父於永豐艦上，朝夕追隨　國父指揮海軍沿著省河進攻叛軍，　國父語人：「蔣君一人來此，不啻增我兩萬援軍」。由於　蔣公冒險犯難，給予　國父在精神上獲得無限的憑藉。證諸民國九年　國父在滬給　蔣公的信裡就曾提到：「惟兄之勇敢誠篤與執信比，而知兵則又過之。」加之，吾人嘗讀　國父祭王太夫人文有言：「文與郎君介石遊十餘年，共歷艱險，出入生死。如身之臂，如驂之靳，朝夕未嘗離失……。」從這些話裡，當不難看出　國父對　蔣公為人的瞭解，自然是，　蔣公對革命領袖　國父的忠誠，堅如磐石，躬行　國父的訓誨，無一不力求實踐的。

蔣公於民國十三年三月十四日致廖仲愷先生的信中，談及訪俄而妄想勸誘加入共黨諸事。蔣公對於俄共的陰謀與野心，早有警覺，認爲蘇俄是「凱撒的帝國主義」，「對於中國的政策，在滿蒙回藏諸部，皆爲其蘇維埃之一」，「而對中國本部，未始無染指之意」，更是了然蘇俄的企謀。其中的話：「因强入共黨問題，而弟以須請命孫先生一語，卽以弟爲個人忠臣相譏刺。弟自知個性如此，殊不能免他人之非笑。然而忠臣事君，不失其報國愛民之心。至於漢奸漢奴，則賣國害民而已。吾寧願負忠臣卑鄙之名，而不願帶洋奴光明之銜，願與兄共勉之。」於此得見蔣公忠於領袖、忠於主義、忠於國家、忠於國民，也就是忠於中國國民黨的堅決意志。所以，在民國十五年初，蔣公不畏共黨分子的誣衊與中傷，毅然在黨的第二次全國代表大會期間，反對將「西山會議」案提出於大會，且向汪兆銘痛陳：「革命實權非可落於外人之手，卽與第三國際聯絡，亦應定一限度，要當不失自主地位。」詎料汪竟洩露蔣公忠言，幾陷蔣公於危殆的境地，不得不有「國共協定事項」的提出於黨的二屆二中全會，表明只知爲實現三民主義而奮鬪的決心。

民國二十年十二月間，蔣公憂念國家前途，促成黨內粵寧同志雙方團結，乃再度隱退於奉化故里。陳銘樞代理行政院長，調其曾經統率的十九路軍衞戍京滬。在民國二十一年一月二十八日，日軍發動淞滬事變，中央政治會議決議推蔣公爲軍事委員會委員長，主持全局，相與暴敵周旋。當十九路軍在淞滬抗敵之始，旋調第五軍抵滬增援。蔣公於二月十八日以巧酉電告張治中、兪濟時，言辭剴切，一視同仁，勉以團結奮鬪，共同生死榮辱爲念，電文如后：

「抗日爲民族存亡所關，決非個人或某一部隊之榮辱問題，凡我前方戰士，應徹底明瞭斯義，故十九路軍之榮譽，即爲我國民革命軍全體之榮譽，決無彼此榮辱之分。此次第五軍加入作戰，固爲敵人之所以畏忌，且必爲反動派之所誣衊，苟能始終以十九路軍名義抗戰，更足以表現我國民革命軍戰鬭力之强，生死且與共之，況於榮辱何！望以此意切實曉諭第五軍各將士，務與我十九路軍團結奮鬭，任何犧牲，均所不惜爲要。」

從致第五軍的電文內容來看，　蔣公忠體國的一片血忱，無私無我的開闊胸襟，崇仰之心，令人無時或已。

蔣公不念舊惡，對抗日英雄宋哲元、張自忠信任有加，愛護備至，從歷史記載裡，可資證明。也正如某一軍事評論家所說：「國民革命軍之父　蔣介石先生，無論練兵、帶兵、用兵的超人才華，拿歷史和世界標準來看，都是很少見的偉大軍事家。」其實，　蔣公的仁民愛物，慈悲爲懷的胸襟，歷史上的大政治家能有　蔣公寬厚的又有幾人？

當民國十九年多，中原底定，馮玉祥統率的「國民軍」殘部，敗退偪處山西一隅，乃由宋哲元出任二十九軍長，編組整訓，民國二十一年八月調往察哈爾，並兼任省府主席，用爲邊鄙屏障。此後日人迫脅，無所不至，宋哲元的忍辱撐持，倍益艱苦，本著忍小忿而就大謀本旨，柔而不屈，剛而不折，以期不至釀成大戰，予我國家作充實戰備的餘裕時間。部隊分駐冀、察兩省重鎮，舉凡外交內務各大政，均隨時呈報中央，悉皆禀承，其目的在瓦解日本欲師「九、一八」故技，遂其兵不血刃，造成侵佔華北的既成事實。蔣公於民國二十六年六月二十二日，復自廬山親筆作書，深致慰勵。玆錄原函如下：

「明軒吾兄勳鑒：戈參事來，接誦手書，感慰無涯。中夙信我兄公忠體國，必不負中央付託之重任。玆聞近狀，益信兄苦撐精神，久而彌篤，幸爲自慰。冀、察之事，盼兄酌情處理，此間只有爲兄負責，設法解除困難，決不使兄獨受羣謗，一切望沉著應付，努力前進，成敗毀譽，願與相共。外間挑撥離間之言，別有作用，以後必更加甚，惟在彼此心照，均不置信而已。總之，中央倚畀吾兄之重，有加無已，而中對吾兄公私俱切，更不待言，長城在望，吾無北顧憂矣。餘由卓超參事面達。耑此佈復，即頌近祉。中正手啟」

由於蔣公親筆覆信宋哲元，開誠佈公，榮辱一致，觸動宋哲元的內心感情，竟至涕泣哽咽，藏書衣袂矢誓：「寧爲戰死鬼，不作亡國奴。」

蘆溝橋戰火發生，蔣公電復宋哲元，以忍辱負重，任重道遠相勗。七月十六日復電告冷靜而嚴謹地面前現實，提高警覺，不要在對日交涉方面發生差錯，其中有言：「……今事決非如此易了，只要吾兄等能堅持到底，則成敗利鈍，中願獨負其責也。……」七月十八日，乃再電，內容是：「倭寇不重信義，一切條約皆不足爲憑。當上海『一、二八』之戰，本於開戰之前已簽和解條約，乃於簽字後八小時，仍向我滬軍進攻，此爲實際之經驗，特供參考，勿受其欺。」

蔣公在廬山談話會演說「對於日本的一貫方針與立場」的筆記，乃於七月十九日發表的「對於蘆溝橋事件之嚴正表示」，也就是「最後關頭」的演說。在日記上有如下的記述：

「政府對和戰表示決心，此其時矣！人以爲危，我以爲安。主意既定，無論安危成敗，在所不計。對倭最後之方劑，惟此一著耳。」「書告既發，只有一意應戰，不再作迴旋之想矣。」此對「和平未到絕望時期，絕不放棄和平；犧牲未到最後關頭，絕不輕言犧牲。」的國策，作了一個註脚。

第二十九軍的三十八師師長張自忠，其曾代理察哈爾省主席，又復兼天津市長。當民國二十六年七月二十七日，哲元遵命退據保定，手諭以張自代，脫敵稍晚，頗遭國人誤會。 蔣公爲之辯誣，且於民國二十七年十月間，升任張自忠爲第三十三集團軍總司令。二十九年五日，日寇進犯襄陽、樊城，張抱必死決心，預立遺囑，率部迎擊，鏖戰經旬，予敵重創。後因孤軍苦戰，勢窮力竭，終至自戕以身殉國。日軍清掃戰場，發現張將軍之忠骸，羅拜祭悼，尊爲軍神。其後靈櫬水運重慶， 蔣公親迎於岸邊，撫棺痛哭。試從悼念長文中，藉知 蔣公對爲國捐軀的張自忠志節勳猷的追懷。

蔣公親撰悼念的長文有言：「……忍痛含垢與敵周旋，衆謗羣疑無所搖奪，而未嘗以一語自明。惟中正自知其苦衷與枉曲，乃特加愛護矜全，而猶爲全國人士所不諒也。……當艱難之會，內斷諸心，苟利國家，曾不以當世之是非毀譽亂其慮，此古大臣謀國之用心，非尋常人之所及知，亦非尋常人之所能諒也。……」

抗日戰爭關係民族存亡至深且鉅， 蔣公和宋哲元將軍有著密切無間的關係， 蔣公對之有著深刻的瞭解和信任。最主要的，宋哲元絕對效忠中央，捍衞疆土，且能與日方相周旋，而且是具有實力的北方將領，所以，物色他出任艱鉅，支撐危局。民國二十六年七月，蔣公在廬山召集全國各界領袖會談，會場上有很多人對宋哲元的態度表示懷疑， 蔣公向他們大聲說：「宋哲元是愛國的，我相信他。」二十九年四月五日宋哲元將軍病逝四川綿陽， 蔣公親頒「古今完人」四字，足徵愛護部屬之誠。從民國二十六年到四十七年，曾在二十九軍服務，榮膺上將的就有宋哲元、佟凌閣、秦德純、石敬亭、趙登禹、張自忠、馮治安、劉汝明、吉星文。這九位既是軍人楷模，復爲國之干城，做 蔣公部屬，爲國家民族奮鬭犧牲是有價值的。

「七、七」是我國遏阻日本侵略的最後關頭，只有拚全民族的生命，以求國家民族的生存， 蔣公領導全國軍民歷經八年血戰，終於贏得最後勝利，使國土重光。我們從 蔣公忠誠的德行例證，對其偉大嵩高人格中，尤有效法之處。

嘉惠於我的人生

蔣公的形體，雖已日遠，而　蔣公的精神，却萬古常青。而嘉惠於我的人生至深，回憶。

蔣公幼年生活，就培養堅忍不拔，威武不屈的心性。當民國十五年六月五日，國民政府特任　蔣公為國民革命軍總司令，誓師北伐，十六年二月光復南京，那時我還是初級小學四年級的學生。記得端午節前夕，曾經和我堂兄也就是我的校長，率領一羣人，撐着青天白日滿地紅的國旗，歡迎國民革命軍途經家鄉向北進擊，我並獲贈一枚英俊年輕的　蔣總司令肖像，掛在我的學生裝小口袋上，覺得有無上的光榮。更從堂兄口裡，知道　蔣公九歲失怙，門祚單薄，留學日本，終償學習軍事革命報國的夙願，追隨　國父孫中山先生，發動浙江革命，以及在討袁戰爭裡，圍攻製造局和吳淞砲台，發動肇和兵艦起義，襲取江陰砲台，其後廣州赴難，親率校軍出師東征，穩定廣東的局面，不負　國父期望，邁向革命成功的大道。

我從崇拜一位愛國愛民的英雄人物，衷心漸漸加深三民主義的信仰，在二十五年八月，我已是中國國民黨的黨員。正當二十年至二十四年間，外患內憂，交相煎逼，青年們內心的苦悶，和思想意識的紛亂，固由這些因素所造成，而人爲的野心操縱，更使京滬間的青年學子難於安心讀書，政府主張先安內而後攘外，但竟有大唱反調的，却在有意無意間，倡導先攘外而後安內的邪說，因此，學生間壁壘分明，由辯論演成大打出手。二十五年西安事變發生之初，很多人惶惶然不知所措，以爲 蔣公若有不幸，中國卽將亡國，甚至燃香拜佛，祈求上蒼保佑平安，當 蔣公脫險回京，舉國若狂，恭讀西安半月記，其威武不屈，臨難不苟的高風亮節，益加增進我對 蔣公的信仰，深深感覺，沒有 蔣公，便不復有中國的存在。中國之命運，是與 蔣公分不開的，因此， 蔣公更是全國青年衆認的民族救星。

蘆溝橋的炮火，掀開八年抗戰的序幕。那眞是地無分南北，年無分老幼，俱置身於烽火之中，我也就拋棄家園，離開職業，考入軍校，接受革命洗禮，加入三民主義青年團， 蔣公的精神、人格、體魄，以及忠黨愛國的言行，使我更深深地信仰與擁戴。因此，參加保衞武漢大會戰，隨軍轉戰於湘、鄂、贛、桂諸省，備嘗艱苦，從無半點怨尤，愈在艱難困苦中，也就使我的雄心壯志益加振奮。所以，二十九年，由隨棗前線調往重慶，復經 蔣公諄諄善誘，以及召見垂詢，再經第三戰區進入敵後魯蘇戰區，在日寇、汪僞、中共、三重敵人形成危殆與複雜環境中，堅強苦鬬，從掙扎中獲致光明的到臨。

鬬志源於信心，這都是 蔣公訓示：「衝破難關，制服强敵，獲得最後勝利」，給我人生堅持理想的啓示。

金言的啓示

我畢生服膺以下三句話：人類是互助的，事業是共同的，生命是整個的。總統　蔣公的逝世，時間無情，瞬卽經年，老人家的金玉良言，猶常常縈繞耳際，我永遠難以忘記，也永遠永遠刻骨銘心，作爲我個人立身行事的圭臬；更期望我的子女、部屬、門生以及友好，和我一樣地實踐力行，來做一個堂堂正正的中國人。

蔣公曾經訓示吾人說：

「我少年的時候，家裡也還可算是小康之家；但是我每天照例要洗衣、掃地、煮飯、和做其他種種家庭勞務。我母親也督責我每天要這樣做，因爲這是我們做人最基本最緊要的道理。必須從小在家庭裏養成這種勞動服務的精神和習慣，長大的時候，然後可以做一個健全的國民。」

「我們受了社會的培養，應該要爲社會謀幸福，要爲社會謀幸福，首先就要能刻苦勞動。」

「凡百弊病，皆從懶生；一切敗德惡行，都從奢侈起頭。我們要戒除百病，要修養品德，就要拿勤字來醫懶惰，拿儉字來醫奢侈。勤勞者必不驕傲，節儉者必不淫佚。「勤勞則身健」、「勤則雖柔必强，雖愚必明」；「儉則寡欲」，「儉則聲色貨利嗜慾皆淡」。這就是我們要修養身心，改良個人的生活習慣，風動社會的唯一必由的道路。」

「助人不但可以使自己心安理得，天君泰然，精神上得到莫大的快樂；而且我們愈能夠幫助人，就愈能得到人家的幫助，愈容易成功我們的種種事業，實現我們的一切理想！」

「無論什麼事業，分工的辦法愈精細，則愈能進步，合作的精神愈充足，則愈易成功，這是一定的道理。」

「成功不必在我的精神，亦就是現代合作的精神。」

先總統 蔣公嘉言遺訓，無一不是我輩做人做事的準繩，現在我只摘錄一點有關勤儉、勞動、互助、合作的語句，這些也是我在生活細節裡堅持力行的常課。

蔣公遺訓給我的啟示，使我終身受益不淺。而我在生命歷程中，經過的是、抗戰、戡亂以及來台後的生聚教訓，在我生活上，由求學到從軍，由國防事業到公僕生涯，始終以勤儉傳家，「勤」雖未到披星戴月的程度，但勞碌難免，是註定我的命運。「儉」之一字，常常念及「從儉入奢易，從奢入儉難」，量入爲出，不吝嗇，也不浪費，恆念一粥一飯來處不易，半絲半縷俱是血汗結晶。勞動是做人的本務，不勞而獲，自幼視爲奇恥，憑一己之勞心勞力，立業守成，兢兢業業，向不稍懈。施人勿念，受施不忘，引爲莫大的安慰，能助人方有人助，自信是不移的眞理。世間一件事的完成，是靠若干人的智慧與精神灌漑而成，而個我在宇宙中是渺小不足道的，唯有衆志方可成城，團結才有力量。

因此，做人要克勤克儉，唯勞唯動，才使生活無虞匱乏，身體永保康健，處事講求互助，人人盡心，事半功倍，注意合作，彼此支援，無往不利。這是我實踐　領袖遺訓的一點心得，獻諸世人，作為永懷　領袖的心聲。（民國六十五年四月）

夜宿馬廻嶺車站

馬廻嶺是南潯鐵路線上一個小站，距離德安縣城不很遠，附近有丘陵、叢林、田園、村舍，只是荒無人煙，就連一隻狗也沒有見過。因爲，它是接近我敵殺戮戰場的前線。

我所看到的，是秋色的廬山，峯嶺巍然，可望而不可及，它是一片沉寂的大地。偶爾有著與原野同樣色彩衣裝的人們出現，那是我們「精忠部隊」的弟兄；另會接觸到眼簾的，便是昨晚或是今晨陣亡的同袍屍體，似乎還未來得及掩埋。日軍的火炮，從不遠處發出隆隆的巨響，天空不時有敵機低飛盤旋，似在尋找他的獵物，達達的機關鎗連發，也會使沉悶的氣氛，帶來一點緊張。甚至說，這是戰場上的雙方戰鬥，從昏夜到白天，向來是一無休止的展開。

躲避敵機轟炸，是戰地最令人頭痛的一件事。民房不能住，有時住不得。挖防空壕洞，在野戰的時候，限於條件，是不可能，那時，我只是一個軍校剛畢業，爲著保衞大武漢，奉派到這廣東部隊的少尉軍官。於是，山洞便成爲我的安身立命之所。誰知，悪性瘧疾纏綿在身，四肢軟弱無力，頭脹高燒，雖然自信頑强年輕，總是無可抗拒這種冷熱病魔的侵犯。自嘲未被敵人擊倒，反而先受自己的牽累。

病患後送，由於前方鐵道公路寸寸破壞，簡直是無路更無車，就連擔架也沒有福份，唯一的，就是撐持步行。第一天入晚，模模糊糊的睡在滿屋子稻草上，自備碗筷盛了一碗準備好的稀飯，杜塞又飢又渴的腸胃，這兒便是「野戰醫院」。萌明再行登程，翻越一座峻嶺，曲徑小道，闃無人跡，濃蔭密林，冷雨淒清。咬緊牙，喘著氣，四顧茫茫，一片昏暗，好不容易捱近馬廻嶺車站，那座西洋式的建築，依然別來無恙。等我摸進無門的屋內，抖抖我那僅有的一條灰色軍毯鋪放時，地板上散落著很多的瓦屑，眞是有點格人。在皮囊裏掏出火柴和半截蠟燭燃亮時，牆角正酣睡著兩位先到的客人，初看有些不對勁，等我持燭逼近再一看，原來是早經歸天的死屍。我在猶疑：同室共眠還是立卽搬遷？可是，別無避風遮雨的所在。

這一夜永遠難忘，也使我體會到生命與塵埃之間只是一隙之隔，我要愛惜人生。

鐵翼雄風衛領空

我轉役空軍，是陸軍中校改敍空軍上尉三級，首任有史以來的新聞官，從事新聞採訪與記者聯絡等工作，經常在定海、金門、台北各地。曾附乘T－6飛機，在舟山群島的上空巡航，並在穿山半島、桃花、六橫各島搜索敵情，給予共匪無情的火炮掃射與炸彈轟擊，也曾親自參與空技、空降、運兵、運輸等實兵演習與作戰，更曾用我的拙筆發佈過許多戰訊與空軍英勇作戰的專欄報導，其中如第一次我機在徐州上空遭到米格機的襲擊，以及我機偵照上海匪米格機羣，還有我機襲擊上海發電廠，杭州灣上空遭遇戰，空投大陸災糧……這些文字記載，是民國三十八年的事，那距離抗戰勝利已經第四個年頭。可是，由領袖 蔣公一手培育的中國空軍，在對日本帝國主義抗戰期間所表現的英勇史蹟與成長茁壯，在抗戰勝利三十週年的今天，我只能浮光掠影的追憶，來作片斷的敍述。

我在南京讀高中，那是民國二十年後，我由衷的羨慕海軍、羨慕陸軍。有一次我在明故宮機場附近看到戴皮帽穿着上衣連褲的飛行服裝的飛行軍官，使我更好奇的投以羨慕的眼光，這時，我的同學陳氏兄弟也已雙雙考入筧橋官校，使我得知要做一位飛行員，德智羣體四育皆須具備，而且當時考選嚴格是很難獲得錄取的。從報紙上，也曾知道石曼生帶飛陳駿夫在西湖上空機毀人亡，美國友人懷特駕機在蘇州上空與日寇接戰殞命，使我在心靈上，瞭解空軍不僅要有操縱機械的技術，還要勝過惡劣天候，更要具有報國犧牲的忠誠與英勇奮戰的雄心壯志。果然，民國二十六年七月七日在蘆溝橋正式燃起全面對日抗戰，接着八一三淞滬戰起，我雖親眼見到陸軍健兒冒着豪雨，踏着泥濘，慷慨赴義，朝向北方增援。而八一四的杭州空戰，空戰英雄高志航等，給予日寇驕橫的木更津聯隊致命打擊，還有董明德駐守揚州機場，曾在泰縣上空殺敵致果。這些足以鼓舞人心的新聞，傳遍全國每一角落，讓熱血沸騰的青年們，尤其興奮叫好。我這時剛從江蘇省立醫政學院畢業，奉派在宿遷鄉間從事醫藥工作，唯一的，也只能從報紙上，以及中央廣播電台的報導上獲知一麟半爪，但我對中國空軍的奮起抗敵，以寡擊衆以少勝多的大無畏精神，總算從無知中得到一點認識。其實，那時，對軍事活動非常保密，況且我國版圖遼濶，卽在軍中，若不是直接參與，亦難知其實況的，一個平民百姓的我，除關心時事知其大要，細節秘辛更難瞭解，而最使人熱血沸騰的，日本帝國主義者對我國欺侮凌辱，挾其優勢海陸空軍，毀我城市，殺戮同胞，其空軍對我後方的城鎮轟炸燃燒，威脅我國人民的生命財產，尤其令人切齒憤恨，益增我必殺敵的決心。

首都南京棄守，我所服務機構的財產全部移交地方政府接收清楚，隨同業師錢壽祺先生，還有同學好友陳釆明等遠去武漢。我們坐着帆船溯水北進，運河裡盡是運兵與載送難民的船隻，這時治安良好，民衆自衞組織也很嚴密，在運河車站擠上西去的火車，車廂早已毫無隙地，爬上車頂覓一容身之處，走走停停，好不容易到了徐州。再搭上隴海鐵路西行的車輛，總算與官兵們擠在一道，免受車頂日晒雨露之苦，可是經常得讓兵車先行，在鄭州休息二日，購得平漢車去漢口的快車票，經螺河、許昌、武勝關、孝感等地，到達當時抗戰中心的武漢。

在武漢每天的夜晚，聽到嗡嗡的機聲，還有閃閃的燈光，這是我空軍例行的巡邏，使我們獲致無懼日寇飛機偷襲的安全感，由於空軍健兒日夜辛勞，保衛領空，武漢人心安定，市面繁榮。不久，我考入軍事學校，先在武昌一所中學，後遷珞珈山武漢大學，再搬進左旗營房。日寇飛機的空襲，也就日益頻繁。我軍在台兒莊大捷後，隨着徐州的突圍轉進，蘭封血戰以後，日寇轟炸愈演愈烈，本來我們是在蛇山附近樹林裡疏散掩蔽，但是日寇轟炸機進入就開始投彈，使得大地不斷的震動，塵烟四起，火焰處處，接着哭聲哀嚎，每一次轟炸俱使許多人流離失所，家破人死，當然我們同學也迭有傷亡，其慘狀令人永難忘卻。許多同學爲了急切報仇，也有毅然轉入空軍官校的。爲着減少損害，我們疏散在洪山的松樹林裡，曾經不止一次，看到日寇的轟炸機姍姍編隊接近武漢，隱藏在上空雲層裡的我空軍健兒。駕機奇襲，打得日機紛紛搖曳冒煙下墜，也有焚得像條金魚似的墜在地面，更有兩機翻滾纏鬪，日機狼狽超低空企圖竄逃，終於免不了被擊落的厄運。一次一次的空戰，無不使日機挾着尾巴鎩羽而歸，而我「中國的空軍」雜誌和各大日報詳盡描述空戰的經過和我方所收的戰果，眞令人興奮讚佩，深覺中國空軍的英勇，表現了軍人不成功便成仁的志節。在愈演愈烈的空戰中，那是民國二十七年的春季，我空軍曾經創下兩大偉烈的史實。其一：徐煥昇在五月二十日駕馬丁機，載着紙彈遠征日本勝利歸來，那是抱著蕭蕭易水寒，壯士一去不復還的決心去的，藝高膽大，出其不意，攻其無備，在高度機密情況下，完成一項具有歷史意義的任務，這眞不亞於廣島投擲原子彈的功勞與效用。其二：第四大隊大隊長李桂丹，在武漢上空壯烈成仁。當第二天我們一位東北籍的王姓同學請假離隊，等他返隊時，紅腫的眼睛，哭喪的臉孔，不說也知道是遭遇大變的，他偷偷告訴我，他的表哥李桂丹犧牲了，並且出示李生前佩帶的一隻手錶，這是唯一值得珍藏的紀念。那隻手錶，假如不說，它倒像是一隻掛錶，也像是一隻馬錶，大小就似一隻最小的鬧鐘，是我平生第一次看見最大的手錶，據說是俄國製造的，迄今我還是記憶猶新。

撤出武漢，我隨軍在江西南潯前線作戰，陣地在廬山脚下，敵機不斷的肆虐，幾無日不掃射，不投彈的，我曾經有二次最大的危險。一是在綠竹林裡躲避空襲，由於友軍一匹白馬被發現，敵機在低空發射密如雨點的鐵彈，我僥倖涉水脫離目標，當時被擊斃的不知多少官兵和平民，我的一位河北省籍的女同學，就成仁在那竹林叢中。還有一次行軍，將近烏石門，那是兩山夾峙的一條小街，被炸得遍地瓦礫，一片火海，殘肢斷腿，血流處處，先我前進的安徽渦陽一位湯姓同學，就在這兒被敵機炸死的。當時，南潯沿線城鎮，如德安縣城，馬迴嶺。所能見到的，就是一些被敵機殘殺死亡所剩的腐屍白骨，白天要想找一條有生命的狗，都是難以發現的，所有的，只是我們這些捍衛國土，保護人民的軍人，堅持以生命來固守著我們的陣地。以後，我到長沙，移往易俗河鄉村駐防，當敵機襲襲，我們就避難在橘子園裡，講課、閒聊、吃甜橘，是我們的消遣，也是我們利用時間的方式。駐入廣西與北調豫鄂邊境的棗陽隨縣以及襄樊一帶，就從未遇到敵機的空襲，自由自在的，從事生聚教訓與阻敵西進的作戰任務，這種空中安全的獲得，應該感激我國空軍健兒護衞領空的辛勤。

二十九年我在重慶，敵機常常利用霧散天晴偷襲，我們預警系統運用非常靈活，敵機航程既遠，沿途又常遭遇我機的攔截，往往未過恩施就知難而退，那時，重慶防空洞在地下，更有濃密的防空炮火，偶爾倉皇投彈，瞬即落荒而逃，實在敵機是永遠得不償失的，我所說的「得」，相反的，也正是我國軍民同讎敵愾的心理更加堅强。

我奉派進入敵後，曾在浙贛鐵路的鷹潭，受到二架敵機的掃射，身上只蒙了一層泥灰，未傷分毫。及之，由上海經新港，又在自由天地裡活躍，在敵後地區，日寇空軍配合陸海軍的攻擊，對我游擊根據地的東台、興化、天平莊、曹甸等地施行轟炸。在這樣的情況下，我英勇空軍，依舊是每月飛臨一次，旅途迢迢，毫無掩護，仍將我們的餉款，投擲在車橋附近的空投場，讓我們過着溫飽的生活。

抗戰勝利的前夕，空軍飛行軍官中，有我一位鎮江師範同學又是小同鄉的萬鈺，是空軍第二大隊的轟炸能手，一次出任務中座機中彈起火，同乘均已安全跳傘，只有他是捐軀了，算是對日抗戰八年最後一位犧牲的空軍軍官。這在說明：神武空軍，鐵翼雄風，捍衞領空，愛我國家，是領袖 蔣公培育而成的三民主義的忠實信徒。我所敍述的抗戰空軍英雄，空軍英勇史蹟，只是千秋不朽的一點記錄，也是些微的片斷實證。（民國五十四年九月）

空軍抗戰的致勝因素

昔人有言：「歷史不滅，民族永生。亡史之痛，甚於亡國。以史為鑑，可知興替。」國父孫中山先生也曾經說過：「歷史的效用，在於鑑前事的得失，示來者的懲戒。」外國學者譏笑中國人不注重歷史，認為易於健忘。值此我國抵抗日本軍閥侵略五十年紀念之際，中國的空軍月刊發起徵稿，至具深遠而重大意義。筆者因抗戰而從戎，改變我的一生。惟在軍校畢業後服務陸軍，直至民國三十八年始投效空軍，濫竽二十載，偶從文獻史蹟裡，以及曾用血汗親歷戰陣的諸同仁口述中，略諳建軍點滴。是故不揣譾陋，揆諸歷史觀點，探究抗戰期間我中國空軍致勝創敵之道，編撰成文，藉以無忘抗戰艱辛。願我國人誓以壯志雄圖，反共復國，達成三民主義統一中國的願望。庶幾益使忠勇軍風發揚，以期重慶精神於此再行建立。

——作者識

軍事發展，在於順應世界趨勢與時代潮流，方足以抵禦外侮，符合國家需要。中國空軍的萌芽，遠在民國二年，國父孫中山先生在日本設立航空學校，培育飛行人才，這是基於先知先覺睿智的「

航空救國」理念所促成。民國九年， 國父復於廣州成立航空局，直屬大元帥府，創建初始轄有兩飛機隊，由此奠基，並逐步拓展，但就中國航空事業發展而言，距離理想尚稱遙遠。地方軍系為著擴張自身力量，相繼建立航空武力，有奉系張作霖、山東督辦張宗昌，以及直系、晉系、皖系、滇系等軍事首領，分別在東三省、山東省、河北省、山西省、浙江省、雲南省創辦空軍以自重，這些軍閥各懷野心，終於隨著自身的失敗，趨於烟消雲散，成為中國航空發展歷史上的陳跡。

我國民革命軍之父—領袖 蔣公秉承 國父遺志，繼續領導革命，救國救民，就 國父手創中國空軍的舊規，國民政府在廣州成立後，不僅存有航空局的編制，且改組為航空處，直隸國民革命軍總司令部，轄有飛機隊三隊。民國十七年，北伐成功，中國空軍的發展，步入一個新的里程。

全國統一之後， 蔣公認清：欲求因應現代國防上的需求，非擴充空軍力量不為功。隨著航空事業的開展，致力於全國性空軍的建立，誠是殫精竭慮，奮勵不懈。因此 蔣公在中央航空學校第一期同學錄序言中曾經提到，發展空軍更是「急切又遠逾於他國」的話。

民國二十一年，日寇在上海發動「淞滬戰役」，史稱「一二八」事變。日本空軍濫施轟炸，閘北地區、車站、商廠、民房俱成灰燼，人民死傷慘重。我中國空軍以弱勢參加滬戰，較著者有隊長丁紀徐、副隊長謝莽，曾與日本空軍作生死的搏鬪，飛行員趙晉明、黃毓全與美籍志願參戰的蕭特殉職，石邦藩作戰臏去右臂，他們奮戰長空，對激勵民心士氣產生了莫大的影響，證實空軍建設的價值。因此， 蔣公認為空軍之強弱，在未來國際大戰中，繫有存亡的關鍵，「一二八」事變後，建設大規模的空軍，是　蔣公建軍思想中，最關懷、最重要而所採取的迫切措施。

蔣公高瞻遠矚，洞悉日寇侵華之野心，爲著準備未來變局的中日戰爭，舉凡空軍行政組織順應變遷、訓練機構的建立與人才培育，地面設備與航空工業的發展，均躬親擘畫，殷殷指導，期能在抵禦外侮的民族聖戰中，爲國家開創勝利的先機。而中國空軍健兒，不負　蔣公期勉，在對日抗戰初期，京杭上空創造「八一四」、「八一五」的光榮記錄，接著又在武漢上空寫下「二一八」、「四二九」等佳績，以及遠征日本的人道壯舉。這些可歌可泣的成仁成功的事蹟，將永垂青史。就記憶所及的空中武士的英名，如：沈崇誨、高志航、李桂丹、劉粹剛、陳懷民、佟彥博、徐煥昇、周志開、萬鈺等英勇壯烈的事蹟，自必爲千秋萬世所傳誦，永爲空軍官兵效法學習的典型。

中國空軍在抗戰中，成爲維護國家民族生存的主要力量，固在　蔣公艱辛培育人才，我空軍健兒深懍　蔣公期盼之殷，無不奮勇殺敵，誓死報國，建立了「有我無敵」、「犧牲奮鬥」的忠勇軍風，這亦是「國家至上，民族至上，軍事第一，勝利第一」的重慶精神光大的表徵。值此抗戰五十周年的到來，緬懷往事，深以空軍在抗戰前的成長茁壯，與夫抗戰期間的克敵制勝，是種種因素累積形成，茲特歸納以下諸端，用爲策勵的參考：

一、建軍要旨的貫徹

民國十五年，國民革命軍誓師北伐，掃除建國的障礙，日本不願見到統一的中國，希望中國分裂而便於併吞。北伐期間，日本卽已多次出兵阻撓北伐軍之進展。民國二十年，日本在我東北發動「九一八」事變，强佔東北，復於民國二十一年製造「一二八」事變。蔣公深感外患日益加深，發展空軍成爲國防事業的重心，益趨積極。

我們稍一回顧當時國家的處境，工業落後，民生凋敝，建立科學的現代化空軍，實在是備嘗辛苦。蔣公早年留學日本，思以航空知識，灌輸於我國民的觀念，彼時曾經編撰「飛機常識」一書，已見對航空事業的重視。蔣公追隨 國父從事革命，當亦受其「航空救國」理念的影響，加之，杜黑空權理論的提出，以及情勢所趨，認定建設航空事業，是保障國防最佳的途徑，成爲建軍要旨，力行貫徹，積極準備肆應抗戰的到臨，於此，摘錄 蔣公所撰中央航空學校第一期同學錄序言的提示：「我國幅員遼闊，海岸延長，而交通設備之幼稚爲全世界冠，假使一朝有事，人以如蝗之空軍臨我，我專恃爲運輸力所限制之陸軍，與夫力量單薄之海軍，詎能有濟？無論其不足以語乎攻，卽單言防守，亦必捉襟見肘！」更說：「自航空機參入戰鬪序列，在國際主權之劃分言之，往昔所爭之領土、領水，今且有領空之劃分，造地球成形以來未有之異象。就其效力言之，已打破兵艦、潛艇、戰車等之偏枯性能，極控制三界之能事。方其 翔空際，鳥瞰所及之範圍，凡敵人之出動，陣地艦艇之分佈，已一覽無餘，且可藉攝影測量之助，而敵人陣地之險夷，皆可於圖形上得之。至若轟炸效力，更是驚人，凡戰術上所目爲不易攻拔之天塹，以及人工假設之蔭蔽物體，皆足以摧毀之而有餘。故欲因應現代國防上必要之需求，非擴充空軍力量不爲功。」

二、精神教育的著效

蔣公培植航空人才，特別注重精神教育的養成。因此，中央航空學校的教育方針，明訂：「第一是要造成學生為一個有德性、有精神之愛國革命健者，故須注重訓育，使其行動態度，皆能嚴守紀律，自重自敬，以養成其岳武穆、王陽明等之品性與精神，然後方能完成其為國犧牲，為黨效忠之決心，故全體教職員應以身作則，不可苟且自棄，須知革命以德性為本，而技術猶在其次也。」

在教育上為配合精神教育的實施，蔣公自兼校長，來作精神的融洽一致，特以畢業於中央軍校的蔣堅忍擔任政治訓練處處長，其所任用的人員，在素質上特別講求，無論體魄、學識、品德、表現，俱稱得上楷模，勤儉樸實，刻苦耐勞，不亞於其他空軍官士。試以空軍軍歌作詞的簡樸（若素）將軍與「西子姑娘」一歌寫詞的故傅清石將軍為例，兩人先後畢業於中央軍校四、六兩期，他們的道德文章俱足稱道，至於文藝創作，僅其一端而已。

航校學生所接受的精神教育，僅在環境教育上，就有其獨到之處。校址在浙江省的杭州筧橋，蔣公曾經特別解說筧橋設校的意義，表示：「浙江是勾踐臥薪嘗膽，雪恥復仇，十年生聚，十年教訓之地，而又是浙東學派王陽明、黃梨洲諸先賢革命創業之地；湖山岳墓，且在吾人目前，如此山河，豈能不思自勉而保守之？如此先哲，豈可不思奮興繼起，發揚而光大之乎？」且在筧橋航校入門建有精神堡壘，其塑像與警語，激勵學生慷慨為國犧牲的壯烈志行。空軍信條、空軍訓條的訂定，室內外樹立標語圖文，與日常的歌唱、口號，都在薰陶空軍人員愛國情操，成爲三民主義的鬪士。

至於服裝、儀容、品德、擧止，都是在有形與無形中，培養成一個健全的，堂堂正正的空軍軍人。航校校訓的「親愛精誠」，更是促進團結合一、生死與共、榮辱一致的行動指標。所以，空軍在抗戰期間的勇往直前、義無反顧的犧牲奮鬪的作爲，皆有其因果的關聯，從事實表現上，足證精神教育的神效。

三、精選精練的收穫

人的因素，往往決定事業的良窳與成敗。中國空軍能成爲一支堅强的空中勁旅，當然要歸功於教育和訓練有以致之。當民國十七年十月，中央陸軍軍官學校的航空隊創設，是爲中央航空教育的開端。其成員是招收軍校第五、六期及軍官團畢業生，於民國十八年二月一日在南京小營開課。旋改組爲航空班，至民國二十年三月畢業時，計有學員八十三人。七月一日改組爲軍政部航空學校，明訂「培養航空人才，俾學員生得受航空必要的學術，以期爲黨國效用。」分飛行、觀察、機械三科。機械科錄取的四十五名，是招收高中或舊制中學的畢業生，另有二十名飛行生。航校於二月間，由南京遷到杭州的筧橋。

淞滬「一二八」事變後，　蔣公有感於發展空軍必先由人才培育著手，飛行生特由軍校第八、九期學生中考選四十一名，並首度對外招收三十名普通高中的畢業生，　蔣公自兼校長。由於航校對外招收飛行生的反應踴躍，民國二十二年一月，分向北平、漢口、南京等地，大規模招生，入校學生先接受入伍軍事訓練六個月，飛行課程必須有二百小時的飛行成績方得畢業。以抗戰前的一至六期乙班飛行科學生而言，入學是一、一九二人，畢業只有六一四人，從上述數字探討，考入既經嚴格的篩選，教育訓練期間，培養一個飛行員更是不易。因此，能夠取得飛行員資格的，是要經過無數次的考驗，身心的健全，技能的熟練等等，談何容易。假使不合標準，遭到淘汰那是必然的結果。何況空中飛行，遭遇生命危險的機會又逾其他的訓練課程，所以，學習飛行者本身所具的信心、決心與毅力，揉合學校當局的精選精練，方足以擔當禦侮殺敵的艱鉅任務。當時大學生報考的不乏其人，咸認身入航校是青年報國最佳的途徑，未能錄取的則認爲終身遺憾。而學校的幹部與教職員等素質高超，尙且延聘外籍顧問從事訓練與教育的協助，教學認眞，設備充實，在如此培育下，空軍人才，堪稱濟濟多士，使之肩負國家興亡爲己任的犧牲奮鬪的使命，自然無負國家培植與師長的敎誨。

四、力量集中的發揮

蔣公於抗戰前，先後創立中央航空學校、航空機械學校、防空學校，選拔優秀學生分赴歐美學習飛行與航空機械的學理及技術。同時，吾人應重視一項事實，空軍人才的羅致，尙有從南苑、東北、雲南、廣東、廣西等航空訓練機構所養成的，得之非易，引爲國用，是經濟而有效的方式。彼時一視同仁，無分畛域，所以，能集中人才，抗戰期間也就更能發揮力量。況有遠從國外來的華僑飛行人才返國投效，更是增強中國空軍的無比戰力。

蔣公高瞻遠矚，茹苦含辛，傾力建設空軍，以期戰時制勝強敵。中央航空學校先後曾舉辦偵察員訓練班、轟炸員訓練班、照相士訓練班、無線電訓練班、陸空聯絡訓練班等。另爲集中意志，齊一步驟，促進中國航空教育趨向中央化、統一化的道路，加強業經熟練的航空人員的學術技能精益求精，授以軍事高等教育，乃在中央航空學校各科正規班次外，設有高級班，其中最顯著的是飛行人員、航空機械人員，複訓來自國內外不同的航空學校已畢業學生，使之發展抱負。在航空機械方面，特別招訓各大學航空工程系畢業學生進入高級班，尤對空軍工業發展，裨益不淺。

五、武器運用的適切

抗戰以前的中國工業落後，航空工業更見幼稚，相與德、義、美、蘇等國合作，以取得飛機的製造與補充。加之，由於粵、桂、川、滇、湘諸省空軍併編成爲中央系統，增加中國空軍的戰力。彼時總計三十一個中隊，三百一十四架飛機。而航空工業方面，先後成立中央杭州飛機製造廠、中國航空器材製造廠股份有限公司、中央南昌飛機製造廠、韶關製造廠等，縱有器材來源以及國際情勢變化等因素限制，發展未盡理想，卻能於艱苦環境中，力求突破困難，使中國空軍戰力不隳，此種仰賴於科技的航空工業的維持，固在國人高度的創造精神下發揮得淋漓盡致。巧婦能作無米之炊，其過程的繁難，想像中亦可得知！

戰前與戰時的克難精神的煥發，是本著國家興亡、匹夫有責的堅苦卓絕的大義所造成。而中國空軍所使用武器，無論是戰鬪、轟炸、偵察、運輸的飛機，集國際的大成，其品種龐雜勢所必然。有人譽中國飛行人員是世界上最優秀的試飛員，這一種論調，讚揚中國空軍飛行人員的技術高超，膽識過人，冒險犯難，確是事實。相信很少有過像中國空軍一般，使用英、美、德、法、義、日、俄、捷克、荷蘭等九國產品的飛機，皆能運用自如，殺敵致果，這何嘗不是中國人創造奇蹟的一種優異表現。單從中國空軍使用種類繁多的飛機這一點來看過去，在武器不能取得一致的情況下，依然奮戰不已，誓死達成任務，至爲難能可貴。

緬懷往昔，空軍在抗戰期間的克敵制勝，先烈們的慷慨赴義，甘願犧牲，他們的血汗貢獻，以及業經離開空軍，目前散處國內海外的退役空軍官兵，他們服役期間所付出的寶貴青春年華，今天我們紀念抗戰五十周年之際，深切希望空軍袍澤們，保持既有的忠勇軍風傳統，念念以國家爲重，空軍爲重，認定空軍大家庭的榮辱一致。再者，時代、潮流、環境雖有變遷，惟在現有情勢下，憂患意識有待秉持，歷史教訓記憶猶新，處於外患與內憂中的國家，正是人人發憤圖强，團結奮鬪的大好時機。中國空軍賢能輩出，繼起者自必青出於藍，更甚於藍，一代比一代强，我們的國家在朝向不斷革新的道路前進，三民主義統一中國的理想，將告實現。

精神常在耀日月

領袖 蔣公，形體離開我們，雖已十易寒暑，而他老人家的精神却永恆常在，耀如日月，在指引我們該走的道路，在教導我們怎樣做一個堂堂正正的人，怎樣去爲人羣服務。

最近一年，我參與國立歷史博物館邀請國畫家十人，繪製「八年抗戰史畫」的幕僚作業。這是一幅史無前例的巨畫，以人物爲中心的水墨長卷，長度是二百三十六尺，高八尺，窮一百五十天完成。描繪對日戰爭的八年重大史蹟，是歷史畫，也是軍事畫。執筆的畫家，政戰學校藝術學系畢業的八人，國立臺灣師範大學美術系畢業的一人，國立臺灣藝術專科學校畢業的一人。九男一女，有陳青禾、李奇茂、梁秀中、王愷、羅振賢、鄭正慶、林順雄、唐健風、陳合成、沈禎合計十人。內中列有二十二個主題。

八年抗戰，是中華民族有史以來抵抗日本軍閥侵略的一次戰爭，是國民革命運動演進中重大的艱鉅任務，是領袖 蔣公獻身黨國過程裏，經歷艱苦奮鬥，領導全民以最大的犧牲與代價，獲得的最後勝利。這一頁神聖莊嚴的歷史，誰都不能稍有忘懷。

我生也有幸，從抗戰開始，就參加抗戰的行列，了却抵禦外侮，聊盡愛國愛族的心願。一直到抗戰勝利。由敵前到敵後，並且先在陸軍，後到空軍，作個人力之所及的微薄貢獻，如今，老兵雖老尚稱頑健，忘不了領袖　蔣公爲黨國，爲全民的豐功偉績，讓我久遠的崇敬和懷想。

就八年抗戰史畫裏，繪有領袖　蔣公出現畫面的計有四大部分，其一：廬山昭示抗戰到底。其二：十萬智識青年從軍。其三：勝利還都。其四：巡視臺灣。眼看領袖　蔣公神采奕奕，堅定安詳，猶如還在當時。而其史實，仍有敍述必要，藉著歷史的不朽紀錄，來做爲我對領袖　蔣公的衷心追思，更盼讀者激起內在的共鳴。

民國二十六年（一九三七）七月十七日，領袖　蔣公在廬山昭示全國軍民有言：「和平未到絕望時期，決不放棄和平，犧牲未到最後關頭，決不輕言犧牲」。又說：「如果臨到最後關頭，便只有拼全民族的生命，以求國家的生存。如果戰端一開，那就是地無分南北，人無分老幼，無論何人，皆有守土抗戰之責任，皆應抱定犧牲一切之決心」。回想當年，「九一八」事變，日本軍閥窮兵黷武，不斷採取擴大侵略行爲，而我國民情激昂，一般青年愛國熱忱鼎沸，組織抗日團體，或捐獻財物，或前往東北，實際參加未及撤出的國軍，從事抗敵工作。迄至「七七」蘆溝橋揭開對日抗戰的序幕，受到領袖　蔣公的號召，我也和其他千萬青年一般，離開父母，投筆從戎，軍旅生涯整整度過三十個年頭，負傷未死，續爲國家社會稍盡棉薄之力。「七七」的戰火，使我有報國的良機，奠定我永恆崇仰　領袖的愛國情操。

十萬智識青年從軍，那是民國三十二年（一九四三）冬天的事。「一寸山河一寸血，十萬青年十萬軍」，是多麼嘹亮的呼號。正當抗戰進入艱困的階段，首由東北大學學生等的請纓，掀起各地青年如火如荼的從軍熱潮。我奉派在敵後蘇北擔任三民主義青年團的工作，一些留在皖北就讀的魯蘇戰區青年，志切投效，正好青年軍有一個師在六安毛坦廠地方成立，義不容辭地，我便協助江蘇籍貫的青年們編組入營服務，爲青年軍九個師之一，做著催生的前鋒。如今想起往事，依然有一股甘味。瞧到八年抗戰史畫上領袖　蔣公騎著白馬校閱青年軍的畫面，眞是教我興奮不已。彼時十二萬人以上的智識青年們，抗日戡亂，卓著勛勞，就是今日，一些曾經青年從軍的朋友們，擔當著重責大任的，依然還是大有人在。領袖　蔣公的薰陶與培育，那是令人刻骨銘心。

勝利還都那股激情，人人雀躍萬丈。在「八年抗戰史畫」裏，領袖　蔣公接受國民近於狂熱的歡呼，有熱淚，有歡欣，國恥頓雪，危難險阻就此一筆勾銷，大家重來建設新中國，而領袖　蔣公不世的功勛，由此更教我們刻刻難忘。

最最讓我們永遠追懷　領袖的另一點，就是偕同夫人巡視臺灣的時刻，受到萬民歡騰的熱烈誠摯恭迎。簇擁的男女老幼人潮，充盈著滿意的微笑，二位健美的三民主義青年團女團員趨前獻花，將藝術創作美好的片斷，將歷史上文字記載的眞實紀錄，一一活生生地表露無遺，更加刻劃著領袖　蔣公願望實踐的欣快。因爲，臺灣自一八九五年甲午戰爭割讓日本，我臺灣同胞對祖國懷念的熱情，從未稍減，而祖國對於臺灣同胞也刻刻關懷。領袖　蔣公在民國十六年就曾明白表示：「臺灣必須歸還中國」的願望。開羅會議三國領袖簽署的宣言，特別指出：「所有日本竊奪中國之土地，如滿州、臺灣、澎湖，均應歸還中國」。抗戰勝利，臺灣光復，　蔣公旋偕夫人蒞臨巡視，償還心願的滿足，自必寬慰。其造福國家，造福同胞的勛業，怎不令人緬懷。

我們今時，惟有秉承　遺志，以三民主義統一中國的目標去繼續奮鬥。

（民國六十四年四月二日）

光榮傳統再發揚

「八一四」空軍勝利紀念日，在記憶猶新中，已經五十個年頭了。時光如流水一般瞬卽消逝，眞是令人感覺到人生似長實短，匆匆正逢半百。抗戰當時爲國捐軀的先烈們墓木已拱，現今健在的也垂垂老矣。麥克阿瑟將軍曾經說過：「老兵不死，只有慢慢凋謝。」人生難過百歲，繼起的將是整個生命的延續，空軍的日益精進，日益壯大，就是「生命的意義，在創造宇宙繼起之生命」的詮釋。

因此，在慶祝「八一四」空軍勝利五十周年，特別要說明的是：中華民族具有優良的歷史傳統，古今多少仁人志士，他們爲著愛國而犧牲，百世流芳，充分顯示了中華兒女都有一腔愛國的熱忱，永不願淪爲「次殖民地」，度著亡國奴的悲慘命運。八年抗戰，全國軍民誓死抵抗日寇侵略，就是要爲國族揚眉吐氣，所以能夠凝聚合成心力，以寡擊衆，以弱敵强。今天我們重溫空軍「八一四」光榮歷史，正足以增强反共復國必勝必成的信念。

回想當年建軍還未完成，國際間又無援助。何況，中共叛逆武裝暴動，紅禍成患，國疲民困；日本帝國主義卻早已懷有侵略的野心，百年來養精蓄銳，兩相比較，自然是我國居於劣勢；卽以兩國空軍實力相較，約爲九與一之比。中國空軍的實力，迄至民國二十五年底的統計：總兵力爲三十一個隊，飛機三百一十四架，航空學校一至六期飛行學生入學有一、一九二人，畢業的僅有六五四人。當時空軍分設九個大隊，計第一、第二、第八大隊是轟炸大隊；第三、第四、第五大隊是驅逐大隊；第六、第七大隊是偵察大隊；第九大隊是攻擊大隊。每一大隊轄有三個隊，另四個隊是直轄航空委員會。

雖然，中國空軍和日本帝國主義者的空軍實力懸殊，但中國空軍在　蔣委員長一手培育下，本著「如果戰端一開，那就是地無分南北，年無分老幼，無論何人，皆有守土抗戰之責任，皆應抱定犧牲一切之決心。」當民國二十六年八月十三日，日寇侵我淞滬，翌日日本卽派遣其精銳的航空隊分批侵襲我杭州筧橋及廣德機場，我空軍第四大隊予以迎頭痛擊，創下六比零的光榮紀錄。同時，我空軍第二大隊、五大隊，暫編三十五隊和偵察隊，亦派遣各型飛機七十四架次，自晨至昏，冒著惡劣的天候，輪番出擊，轟炸日軍司令部、倉庫、艦艇、碼頭、陣地與公大紗廠，予敵重創，戰果豐碩。我國秀麗江南的錦繡大地，散落著無數日本飛機的殘骸，以及無數具日本「紅武士」的腐屍，更加喚起國人以弱敵强的信心和決心。也使日本軍閥驚懼中華民族不再是「東亞病夫」，更非列强堅甲利兵下的弱者；中國空軍是震撼不動、堅決不移，富有毅力與能力「抗戰到底」的偉大鬪士。

中國空軍明恥教戰，以血的報國赤忱，以汗的艱苦磨練，創下「八一四」光榮的記錄。此一輝煌戰果既非僥倖，更非偶然，這是空軍健兒發揮智慧與勇氣，以血肉之軀冒險敢死，慷慨犧牲，方能震懾敵膽，獲致輝煌的勝利。爲著保有光榮的傳統，再創殲敵戰果，以歷史作爲一面鏡子，不因時間流失而沖淡，不因環境變遷有所疏忽。中國空軍能夠一舉殲滅强敵，它掌握的是什麼？秉持的又是什麼？值此慶祝「八一四」空軍勝利五十周年，空軍袍澤人人歡欣鼓舞，同享光榮，更應牢牢記取勝利的由來，繼續發揚光大。筆者謹抒芻蕘見解，藉申頌祝光榮紀念日的到臨。

一、襟懷愛國情操

「八一四」空軍勝利紀念日的由來，追溯既往，是肇因日本帝國主義的瘋狂侵略及我空軍英勇抗敵的成果。若吾人不稍健忘，日本的「田中奏摺」，是製造「濟南慘案」與侵佔東北的根源。日本此一侵華陰謀幸爲我國獲致公諸於世，實得力於愛國華人於民國十七年，自日本皇宮取得。這項石破天驚的機密行動顯示：我們是受屈的民族，爲爭取自由平等地位與民族自尊和自信，反對日本帝國主義的統治，乃有愛國志士不計生死的義舉，暴露日本帝國主義者的野心與狂圖，因而，國人同仇敵愾的心理，冒險犯難精神也就益加煥發。尤以，當時知識青年熱血沸騰，激烈反抗日本侵略，奉獻一己生命，報國請纓的熱潮風起雲湧，在　蔣委員長英明領導下，體認「和平未到絕望時期，決不放棄和平，犧牲未到最後關頭，決不輕言犧牲。如果臨到最後關頭，便只有拼命民族的生命，以求國家生存」的提示，襟懷愛國的情操，爲保衞國家及民族生存，甘願犧牲。

抗戰爆發，空軍在劣勢情況下，勇猛擊敵，一舉就打敗日本精鋭的空軍，赢取千秋萬世光榮勝利的一頁。其中，不僅發揮我革命軍人精神上的綜合作戰力量，更克服物質缺乏的困難。深記　蔣委員長於民國二十六年八月八日，曾對空軍訓話：「此次戰端既啟，非彼滅絕，即我覆亡，決無中止之理。凡我抗戰將士，必須知有敵無我、有我無敵，更須知我怕敵，敵即怕我。」我空軍健兒懍於　蔣公抗戰到底的偉大昭示，自當格外奮勵直前，義無反顧，在同仇敵愾愛國心的驅使下，縱橫長空，掃清敵氛。

二、秉持固有道德

蔣公在對空軍訓話中，曾經提到：「我們軍人，學問、技術尚在其次，最要緊的，就是道德、良心與責任。」從這短短話語中，軍人道德觀的培養與建立，是何等的重要。民族精神的發揚，在於「忠、孝、仁、愛、信、義、和、平」八德與「智、仁、勇」三達德等我國固有思想實踐。因此，許多愛國青年們，英勇的投入抗日救國的行列，投效空軍，嚴格的、艱苦的接受磨練，為抗戰而從事準備，將八德與三達德涵泳於每個人的胸懷之中，於是不論戰役的大小，人人均能慷慨赴戰，有人倒下去了，立即有人湧上來，英勇的戰鬪，壯烈的犧牲，這些奮勇殺敵，血戰長空的壯烈行動，譜成一首光榮不朽的史詩。「八一四」空軍勝利，不只是鐵與血、智慧與技術的有形的寫照，亦即是我中華民族五千年歷史蘊積而成的倫理思想精華，寓於道德之中，顯現出可歌可泣的事蹟，永垂青史。

翻看空軍許多成功成仁的個人傳記，當會明白其歷經艱難締造與喋血奮戰的種種偉績，其對國家民族的奉獻，又是如何的堪值效法與懷念。空軍於「八一四」首戰成功，殲滅來襲的日本空軍的飛機，打得敵機落花流水，而這種輝煌的戰果，是中國固有道德的表現，無疑的，就是中華民族精神的具體象徵。

三、勝在團結奮鬪

空軍是國軍戰力重要的一環，平時與陸、海軍如兄如弟，如手如足；戰時密切支援，協同一致。當抗戰初啟，空軍即投入戰陣，猛襲日寇，在「八一四」空軍光榮戰史上，獲得一次空前的大勝利。這是空軍健兒接受革命教育薰陶，與　蔣公苦心培育的精神感召。加之，組織嚴密，復有嚴格的記律，素質優良，戰技精湛，且人人樂戰敢戰，抱定爲國犧牲的決心，促成最大致勝的條件。同時更能本著師克在和不在衆的信念，人人以國家民族生存、自由爲先，精誠團結，集中意志，成爲發揮戰鬪力量基礎，不稍瞻顧，自是克敵制勝的另一項保證。因是，空軍旺盛的士氣，彌補了劣勢的裝備與兵力的不足，在精神和意識之中，形成一種偉大的動力，肇致「八一四」的光榮勝利，隨著歲月的承傳，化爲空軍優良的軍風。

四、堅忍圖成範例

對日抗戰是國民革命軍抵禦外侮的偉大聖戰。當時空軍的情勢，以至弱敵至强，就在衆寡懸殊、强弱對比下遂行戰鬪。曾經參與抗戰的先進，非常了然昔日的艱困，就是現在，稍稍涉獵史籍，對戰時空軍地面設備與空軍日常生活，都能瞭解，誠非「艱苦備嘗」一語所能概括。抗戰期間，我空軍全軍官兵克服萬難，堅忍圖成，大家都有一個信心，誠如 國父所說：「以吾人數十年必死之生命，立國家億萬年不朽之根基。」既已從軍報國，犧牲小我，完成大我，一死尚不足懼，又何在乎物質艱難！在食、衣、住、行的日常生活中，吃苦耐勞，甘之如飴，堅忍不拔，爭取最後勝利。如今，這段抗戰險阻艱辛過程，我們千萬不能忘記，它是戰時一個活生生的範例，空軍袍澤們務必牢記於心。

今日今時，壯大的中華空軍所肩負使命，有異往昔，但愛國家、愛民族的精神並無二致。從本質上，大家要認清中共既是內賊亦是外敵，我們一切要靠自己，須知，反共復國絕無倖致，尤應精誠團結，勤儉樸實，奮發惕厲，隨時準備迎接戰鬥，刻刻精練戰技，充實武德，來爲三民主義統一中國的實現而努力奮鬪。

對日抗戰勝利的回顧

這是永遠不能忘懷的。民國三十四年八月十日，由於日本政府接受了中、美、英三國波茨坦聯合宣言，請求無條件投降。八月十五日中、美、英同時宣布接受日本正式無條件投降。九月九日，中國戰區最高統帥　蔣公派何應欽將軍於南京接受日本投降。殘暴凶惡的日本帝國主義者終歸失敗，而我中華民國飽受欺凌壓迫，若由「九一八」開始，乃至抗戰勝利日來算，我中華民族可謂歷經十四年苦撐惡鬪，即以「七七」事變算起，亦經過八年的血肉拼戰。回首往昔，勝利獲致非易，這是全國軍民同胞以血淚代價所換得的，尤以國軍官兵在八年抗戰期間奮勇殺敵，視死如歸的精神，卒能以弱敵强，寫下民族聖戰光榮史頁，今值「九三」軍人節，謹抒所感，期與我空軍同仁與全國軍民相互勉勵。

日本對華的侵略，可從民國二十年「九一八」强佔東北起，民國二十一年進犯熱河，「一二八」攻擊上海，以迄民國二十二年更變本加厲，發動長城之役。中國為生存，爭取準備時間，乃忍氣吞聲，屈辱退讓，日本軍閥卻步步逼迫，乃有民國二十六年的「七七」全民奮起抗戰。我們試從先總統　蔣公在民國二十六年七月十七日廬山第二次談話會講詞：

調國軍赴緬甸與盟國協同作戰，以遏阻日軍瘋狂的侵略。其中較著名的戰役，有石牌血戰、常德會戰、衡陽四十八天的苦戰、獨山、南丹猛烈反攻戰等，粉碎了日寇所謂「一號攻勢」作戰，當然，我國所付代價自屬慘重。

八年抗戰中，歷經二十二次的大會戰，一千一百十七次的重要作戰和三萬多次的小戰鬪；我國軍官兵傷亡三百二十一萬六千多人，國軍將領捐軀的達二百零六員，日寇空軍空襲次數達一萬二千五百九十二次，同胞被日軍殺戮的五百七十八萬七千多人；軍費消耗一萬四千六百四十三億法幣，公私財產損失達三百六十多億美元。而我國空軍當初作戰飛機僅有三百零五架，八年苦拚纏鬪，陣亡官兵四千三百二十一位，負傷三百四十七位。其血肉拚鬪，以弱勢對强權的民族保衞聖戰，是中華民族有史以來，一次最大規模的戰爭，全國軍民在最高統帥蔣公領導下，一心一德，前仆後繼不惜犧牲，終能獲得最後勝利。

一些不明究裏的人，論及中國抗戰勝利是以偏概全，實在有欠公平公正，置身抗戰全程與一個中國人的立場，是不能緘默的。我們中國利用廣大空間土地，在時間上求得持久勝利，不重一城一地得失，而以積小勝成全大局，同時發展敵後武力，局限日寇活動於點線，使之首尾無可兼顧，深陷泥淖而無法自拔，這一全民奮起，與殘暴敵人長期周旋，損失遠超過其他國家。尤其，在太平洋戰爭以來，能夠牽制日本大軍一百五十萬而難以動彈，在忍辱負重情況下，用空間換取時間，把握時機加緊反擊，造就勝利的契機，筆者認為有下列四點，足為國人珍惜和警惕的：

「……我們希望和平，而不求苟安；準備應戰，而決不求戰。我們知道全國應戰以後之局勢，就只有犧牲到底，無絲毫僥倖求免之理。如果戰端一開，那就是地無分南北，年無分老幼，無論何人，皆有守土抗戰之責任，皆應抱定犧牲一切之決心。所以政府必須特別謹愼，以臨此大事；全國國民亦必須嚴肅沉著，準備自衞……。」由此自可明確瞭解我國抗日戰爭，是對日寇積年壓迫侵略的自然反制，我政府是特別謹愼以臨此大事的；而且，是逼不得已的應戰，純然是我中華民族基於自衞的性質。

從抗戰開始，截至民國三十四年抗戰勝利止，國軍經過大小會戰無數，傷亡軍民也是很多，由此可以推知我國軍民同胞浴血抗戰犧牲之慘烈，與大陸河山所遭受的破壞及物資損耗的慘重。尤以日寇尙未發動太平洋戰爭以前，我國幾乎是獨力作戰；其間蘇聯雖曾支援我若干武器，但我國必須以鎢砂、羊毛、茶葉等物資作爲有條件的交換。當時行走河西走廊的「羊毛車」，就是執行這項任務的主要運輸工具。然而，蘇聯供應的飛機，無論是驅逐機，轟炸機，或是戰車防禦砲等……，都是非常落伍的武器，制敵效果不彰，反使我戰鬪人員的傷亡跟著增加。因此，我對日抗戰實際上是以弱敵强的戰爭，藉著勇猛的犧牲精神，來換取敵人生命的一種硬拼手段。

至於美國至一九四〇年的八月，始由陳納德將軍指揮的美國空軍志願隊，投入中國戰場，與我空軍並肩對日作戰。

珍珠港事變後的第二天，卽民國三十年的十二月九日，美國政府正式對日本宣戰，隨卽先總統蔣公應盟國之邀，出任盟軍中國戰區最高統帥，但在中國戰區各地依然有賴於自身的艱苦奮鬪，並選

1.民族思想的發揚：抗戰期間，地無分南北，年無分老幼，都秉著熱愛國家的民族氣節，爲著中華民族的尊嚴，爲著中華民國的獨立，不屈不撓的堅忍奮鬪，終於贏得國格與正義的伸張。一九四三年，中美、中英平等新約分別簽字，廢除了許多不平等待遇如：領事裁判權、使館界及駐兵區域、租界、特別法庭、外籍引水人等特權、軍艦行駛特權、英籍海關總稅務司特權、沿海貿易與內河航行權，以及影響中國主權等其他問題，百年來所加予我國族的桎梏，在共同抵抗侵略中一一解除，實現國父孫中山先生畢生奮鬪的目標，及先總統 蔣公多年努力的願望，使我國在國際上獲得平等自由之地位。

在扶助弱小民族共同奮鬪方面，太平洋戰爭爆發後， 蔣公訪問印度，建議英國從速賦予印胞政治實權，促使參加反侵略戰爭；且在參與開羅會議後簽署三國領袖宣言中，特別聲明「應使朝鮮在相當期間內享得自由與獨立。」韓國在戰後的獲得獨立，誠是我國扶助弱小民族的顯明實證之一。

2.臺灣、澎湖的光復：臺灣與澎湖列島是我國東南七省的屏障。不幸，清廷在甲午戰爭失敗後所簽訂的馬關條約中，將臺灣、澎湖割讓給日本，臺灣同胞以拒約無力，外援又絕，遂成立「民主國」建號「永清」，以示永爲中國的領土，與日寇周旋近半載，始告淪陷。其後更不斷與日本的統治抗衡，不稍屈服，有志青年返回祖國謀圖匡復者比比皆是。國人亦視臺灣與大陸各省同體一命，毫無軒輊，時時以光復臺灣爲職志。一九四三年開羅會議宣言要點：即强調：「將盡一切力量以打擊其殘暴之敵人，必達到日本無條件投降而後已。剝奪一九一四年以後日本所佔得之太平洋島嶼，所有日本竊奪中國之土地，如東北四省、臺灣、澎湖羣島等，均應歸還中華民國。」

日本宣佈無條件投降後，中國戰區臺灣省的受降典禮於民國三十四年十月二十五日在臺北舉行，自此，淪陷五十一年之久的臺灣、澎湖終於重回祖國懷抱，而抗戰期間全民所付出的血汗，也總算有具體的代價。正如李副總統登輝先生說的：「沒有抗戰的勝利，卽無臺灣的光復；若無臺灣的光復，卽無今天的富足。」如今臺灣復興基地，已成爲世界上最堅强的反共堡壘，吾人反覆思維該項論據，當更能體會臺灣光復的重大意義所在，國人理應特加珍惜。

3.積極推動民主憲政：民主憲政是中華民國建國之目標，並未因爲抗戰而有所怠忽。民國二十五年就有五五憲法草案的制訂；在民國三十四年五月，中國國民黨第六次全國代表大會通過決定同年十一月十二日爲國民大會集會之期，後因政治協商會議延至三十五年十一月十五日舉行；蔣公曾在會議中致詞：「希望各代表實現　國父及先烈遺志的發軔。」二十五日三讀通過「中華民國憲法草案」，三十六年元旦政府如期公佈「中華民國憲法」，及「憲法實施程序」，於是我國乃由軍政、訓政，邁入了憲政時期，循序漸進，依法行事，並不因時局多變而中斷民主政治的運作，積極實現　國父主張的全民政治，和實現民有、民治、民享的最高理想。

自政府播遷來臺後，政府經過三十多年的經營努力，有著繁榮、富庶、進步、安定的局面，這就是民主憲政推行的有力表現。今年七月十五日，政府更宣告臺灣本島及澎湖地區解除戒嚴，盱衡世局，中共的威脅未曾稍減，而政府日益求新，繼續改善的決心和魄力，締創了我國民主憲政制度劃時代的壯舉。

4.勿忘中共狠毒行徑：詭詐多變的中共，在全民抗戰的前夕，信誓旦旦的要共赴國難，為實現三民主義而奮鬪，實際卻利用抗日乘機坐大。民國二十八年秋，就在毛酉澤東嘴裏吐出：「七分發展、三分應付、一分抗日」的陰謀。果真在抗戰期間，其軍事力量在質與量方面，俱獲快速提升。終至於抗戰勝利後，乘我國家元氣未復，公開叛亂，而使整個大陸河山變色，人民受盡塗炭。赤禍燎原，固是中華民族抗戰勝利後的最大不幸，也是世界人類的不幸。中共利用「統一戰線」毒辣的禍害，吾人要深深地記取。

對日抗戰勝利的艱辛，我們應該毋忘歷史的教訓。今天，我們在復興基地整軍經武，本著三民主義統一中國的理想，推行著民主憲政大業，自當繼續邁進，務使國家安全、社會安定、人民安康。更要時時心存憂患意識，堅持反共的國策，不予敵人絲毫可乘之機，加强團結奮鬪，鞏固和諧，來開創國家光明的前途。

海隅一忠魂

好友當中有大江長河命名的，遠在巴西的有錢塘江，近在臺北的有黃河。晨間讀報見有類似的人名。靈感一動，突然想起多年未晤的塘江。事有巧合，午後忽由王鼎兄託善達兄轉告，說是塘江遭到暴徒鎗擊，兩彈均中頭部，當場殞命。電視午間新聞業經報導。我意識裏絕難相信，看晚報時匆匆未能見着，等到清晨，果在中央日報上赫赫刋載此一不幸而令人萬分悲痛的消息，想再規避事實，也無有可能，我哭塘江，難掩我內心的哀傷和弔念。

塘江未死於抗戰面對日寇的搏鬥，也未死於相與共謀百般糾纏的對立，萬萬想不到，竟死於中共或其同路人的毒手，而且，不在大陸，不在臺灣，而遠在海外的巴西聖保羅市。

記得抗戰中期，我奉派魯蘇戰區，深入敵後，隨着國軍八十九軍軍部行動。民國三十年部隊駐地較前集中，我認識軍屬三十三師中有一位錢塘江，一一七師中有一位郭義城，都是茁壯的小伙子，俱已官拜少校，外出均有駿馬代步。三十一年冬季的「車橋之役」，三十三師一個旅的部隊，力敵日寇陸空聯合兵種的進攻，雙方傷亡都很深重，錢塘江受傷不退，其英勇事跡，受到讚揚奬勵，從此，我們之間初初建立友誼，何況，錢郭二位是距離我家不遠的小老鄉，在情誼上勢必稍予關顧，軍旅之間，患難相互扶持，志同道合的是分外親切。

三十二年部隊西撤，參加豫省平漢鐵路許昌作戰，又復轉進陝西。我和塘江更有深一層的相處，彼此常常往還於豫、皖、蘇省。蘇北運河沿線，是我們相與日、僞、共三者尖銳而不用刀鎗的無形戰場，塘江留駐淮安板閘，對於共軍羅炳輝、粟裕、彭雪楓部隊，進出淮南北與偸渡運河的行動，瞭若指掌，共黨倒行逆施的種種活動，有着透澈的分析和判斷。那時，物質的艱辛，環境的險惡，隨時皆有斷送生命的機會，塘江樂觀奮鬥，從來沒有見到他絲毫畏懼膽却的表現。

勝利來臨，我們一道在揚州最大尼姑庵的昆盧寺，創設青年招致所，專門收容從共軍盤據地區逃出的智識青年，塘江擔任訓導工作，最能得到那些無家失學青年的信任，有時，他喜歡動筆，爲京、滬和鎭江的報紙撰發新聞，所得稿費，化費在我們這一羣窮朋友吃喝上，他不善飮，却喜愛和人乾一杯，結果紅通通的關公臉，唯一的就是他，酒後聲大好辯，發言滔滔，實際他很少喝醉。

三十五年，塘江稍遲抵達臺灣。楊鳴濤兄由渝經滬到此，配屬國軍七十一師工作，我就介紹他追隨鳴濤。或許，這個部隊來自福建，鳴濤是福州人，基於地緣、人緣，自然得到方便，實際他倆和部隊絕無歷史淵源。鳴濤轉任臺灣行政長官公署，塘江進入中華日報，由記者到採訪主任，終於副總編輯，並分在南北兩版服務一段不短的時日。他人緣好，筆頭快，跑得勤，有活力，有衝勁，那時中華日報的「臺北一週」，爲人注目，他也曾經出版一本有關新聞採訪的專著。

塘江夫人林腰嫂，對塘江愛情的深厚，到了無以復加的程度，他倆從相識到相愛，「二二八事變」更是促成他倆結合的因子。那時林小姐執教太平國小，每日化裝成村姑，冒險爲我們送消息，送食品，送衣物，由於對塘江的愛情，我們這些朋友，也是同志，受惠不少，減輕我們心理上很多的負擔。

具有愛國血性，具有健壯身軀的錢塘江，前幾年十中全會，他曾經返國，並有小聚。風采依然，堅毅的神情，誠懇實在的態度，瀟灑儀表，我將永遠不能忘懷。在閒談中得悉他在海外創辦一份中文報紙，實在不是一件容易的事情。事實上，巴西的華僑很多，臺灣閩客二籍總在十萬人以上，還有由大陸各省，以及香港移民的，爲數也不在少，自然沒有日本僑社那麼單純。臨行，塘江贈給我們夫婦一幀在中山樓前攝的五彩肖影，大方自然，精力充沛。

塘江和我有四十年的深厚交情，念念難忘的不在互助的私情，值得一提的：「二二八事變」眞相目擊者提出系統報告的是他，否則當局更是措手無及。另外，先總統民國三十六年蒞臨臺灣，破例舉行記者招待會，時間至爲迫促，首先得到通知的，就是錢塘江，我將他列爲第一優先，電話一放，他就迅捷趕到，發問獲得答覆的第一人，也就是錢塘江。依稀記得，塘江曾將他這一得意的傑作，筆之於書，認做是新聞記者的光榮，也把我的姓名職務洩露出來，似乎是不忘故人。

我常說：人生總須一死，能夠死得其時、其所，這一種最後的歸宿，也就死能瞑目。塘江全家僑居巴西，以一個中國人的應有本分，重操舊業，從事文化工作，只是爲中華文化在異國散佈種籽，誰都應該敬佩他、崇仰他的清高聖潔的作爲，即或他出任中華會館副理事長，還是爲服務僑社而盡一分僑胞應盡的職責，而竟不容於中共及其同路人，以暴力施與一個無武裝、無防備的正大光明人士，未免卑鄙和慘酷，令人齒冷。

哀傷只是感性的發洩，對於已死的塘江，無法起死回生。須知中共與其同路人著重詭道和慣於施暴於人，我們居於國內的，以及海外忠貞人士，要堅定反共到底的信念，切莫爲一些虛象或障眼法所惑才是。

塘江爲愛國而犧牲生命於異邦，自然有著遺憾。所幸，政府主管機構爲他開會追悼，給予家屬撫慰，而在台灣以及海外的知己，都爲他傷悲哀痛。他的遺孀以及子女們，俱能堅強地順變，在巴西客居秉承遺志創造生活的新領域。

烈士碧血不白流

「三、二九」的「青年節」，正是緬懷先烈爲創建中華民國犧牲奮鬥的日子。回想在廣州發難的那一天，五百青年精英被挑作選鋒，成爲進攻兩廣總督衙門的中堅，奮勇直前，義無反顧，雖肝腦塗地，屍曝街頭而無憾，留有歷史上黃花岡之役最壯烈的一頁。戰死與被捕就義的烈士，忠骸合計八十六具，在我們熟知所謂「七十二烈士」當中，由於林覺民烈士留有「與妻訣別書」，讀來句句感人肺腑，不禁淚下，更加對烈士們崇敬與其啟示作用的深遠。當時殉難烈士及民衆有著百人之多，遺屍竟無人敢於收埋。而黨人潘達微與仕紳江殷紀懇商，得城西方便醫院、愛盲善堂、廣仁善堂、惠仁善院等四個慈善機構施棺，葬在廣州的東北郊外，並以竹枝暗中爲死者作記號，易於來日的辨識。

葬地原稱臭岡，想像那是一塊亂葬的地方，一說稱做紅花岡。實際紅花岡相距尚有一段途程，是溫生才烈士等埋骨之所。依據「惟有黃花晚節香」詩句，將烈士墓更名黃花岡。因此「黃花岡七十二烈士墓」，成爲人人得知的聖跡，目前，中共將青天白日徽改置「安琪兒」的石雕，還不敢冒天下之大躂，任意破壞。

墓地撰鐫的聯對，頗值一讀。如：

壯烈沖霄漢，淒淒碧血瀦。

葨弘滿岡山，千古黨人魂。

另一以黃花岡、紅花岡烈士精神長存千古而有的聯對是：

黃花落，黃花開，黃花年年在，斯人一去不復回；

紅花岡，黃花岡，碧血千秋熱，紅花黃花此日香。

烈士千古，浩氣長存，凜烈的作爲，磅礴的精神，給予我們後世子孫，有著犧牲小我，完成大我的典型與榜樣。附帶一提的，經營烈士喪葬的潘達微，在建立民國後，從未爲自己計謀。篤信佛教，以書畫自娛。憶曾在國家畫廊見其作品多幅展出，墨色淡雅，毫無火燥之筆，也正象徵其人的性情淡泊。

追記江蘇紅禍

陽赴國難陰謀擴軍

民國二十六年九月二十二日，中共中央發表共赴國難宣言，願爲徹底實現三民主義而奮鬪，究其實際乃是藉抗日美名以發展勢力。其策略：七分發展實力，二分應付政府，一分抗日，並分成三個階段實行：第一階段與國民政府妥協，以求生存發展。第二階段與國民黨取得力量平衡，而與之相持。第三階段深入華中各地，建立華中根據地，以便向各地國軍反攻。

中共同時積極推行三大目標：㈠擴充軍隊。㈡發展黨務。㈢奪取地方政權。更有所謂「四大運動」、「十五項工作原則」。凡此無一不是利用合法掩護非法，以非法造成既成事實，更以煽惑、欺騙、造謠、破壞，達到宣傳、組織與顚覆、滲透，乘機坐大的目的，進而篡竊抗戰的成果，奪取政權。

鐵的事實：民國廿六年七七盧溝橋事變的次日，共酋毛澤東、朱德、周恩來等曾經聯名電呈蔣委員長，願在領導之下，爲國效命，究其結果則完全是欺騙世人的誑言。

國民政府軍事委員會在民國二十六年八月二十二日發佈收編投誠共軍命令，任朱德爲國民革命軍第八路總指揮，彭懷德副之，林彪、賀龍、劉伯承爲師長，總兵額約二萬人，編入第二戰區戰鬪序列，歸閻錫山長官指揮，指定開入晉北游擊。十月十二日，軍事委員會收編贛、湘、閩、浙、鄂、豫、皖邊殘餘共軍，成立新四軍，以葉挺、項英爲正副軍長，收集舊部約八千人，有槍的約五千餘人，轄四個支隊，勉强相當一個師，列入第三戰區戰鬪序列，歸顧祝同長官指揮，指定在皖南地區游擊。但是共軍在接受改編後的行動，却是令人失望之至。三年之間，殘破的游擊隊，由三千到八千乃至一萬二千，擴大到十萬人。

軍人服從命令，應該是天經地義的大事，軍隊接受指揮，更是不容置疑的鐵則。共軍在抗戰期間，先則休養生息，壯大自己；繼而羽翼稍豐，併吞襲擊在艱苦抗戰的國軍。不僅未以國家的武力來「一致抗日」，竟然掉轉槍口專事牽掣抗日國軍的行動；破壞抗戰的罪證，歷歷可數。據統計：僅就民國二十九年十一月起，至三十年十月間止，共軍襲擊國軍發生戰鬪次數，高達三百九十五次之多。

美國作家懷特在其所著「中國的覺醒」一書中指出：「在發生重大戰鬪時，都是中國政府軍去抵抗、流血和犧牲」。美國忽候脫與傑柯勃合著的「中國怒吼」一書中也證實：「在各次出色的戰役中，都是中國政府軍的疲憊士兵去迎戰」。美國顧貝克教授，在其所著：美亞報告—中國災難之線索序文中也說：「在中日戰爭早期中，共軍不但避免與日軍直接衝突，而在事實上，日軍就根本不把共軍放在眼裏。其結果成爲日軍作戰目標的，是中國政府軍，而非共軍。」外人筆下的國軍血淚抗戰眞相，彰明入目，不難覆按。

魏德邁將軍的證言

從這幾位美國人士著作裏的言論足以說明：抗戰期間的共軍，毫未以武力對抗日本軍隊的侵略，自始至終，誓死抵抗日寇兇焰的，全是國軍。總計八年對日抗戰期間，國軍與日軍大小作戰計四萬零七十次，而共軍實際參加的，僅僅是二十六年九月平型關之役，林彪所部一一五師，只擔任對日軍輜重襲擊。二十七年春季晉南游擊行動，賀龍、劉伯承兩師，僅是協同阻截交通，牽制日軍行動而已。

無怪曾任中國戰區參謀長的魏德邁將軍在其報告中指出：

「在中日戰爭中，任何一次大戰役，共軍從未參與過—民國二十六年（一九三七）上海之役（淞滬會戰），共軍固未有份；民國二十七年（一九三八）臺兒莊之役（徐州會戰），共軍亦未有份；在同年內的武漢會戰，共軍未曾插手；長沙幾次大戰，甚至後來緬甸及緬南薩爾溫江之戰，共軍亦無隻兵參加。」於此，共軍何曾抗戰？無恥之尤的中共，其顚倒黑白，雖不值識者一笑，但吾人應該根據種種事實，揭穿其謊言。

抗戰初起，筆者感於民族大義，離鄉背井，投身軍旅，有幸參加武漢會戰、長沙會戰及襄棗會戰諸役，倖獲不死。二十九年夏，間關萬里，溽暑跋涉，由重慶經四川、湖北、湖南、江西、浙江、由寧波到達上海，偷渡新港進入魯蘇戰區，六年艱苦歲月，隨時與日寇、汪僞、中共諸魔搏鬭，無懼危難。經常在江蘇中部的水網地區，託命於韓德勤、李明揚、陳泰運諸人庇護下，得以遂行任務。目擊敵後國軍的孤軍奮戰，大節不虧，可歌可泣，英雄無名的事蹟，更對中共陽唱抗戰，陰謀乘機坐大，與日寇互相呼應的襲擊國軍，在江蘇省境的種種暴行，令人痛心疾首，沒齒難忘。

新四軍事件的眞相

負翁江都杜少棠先生蝸涎集三集上册，自承「未能目睹，除以耳代目外，無可搜集資料的」。竟稱：發生「新四軍事件」，方有毛共爲禍蘇中、蘇北的事例。他說：「新四軍遭逢皖南事件殲滅性的致命打擊後，主力已覆滅過半，主腦人物，如正副軍長葉挺、項英等，非死卽俘，江南已無立錐之地；中堅幹部幾傷亡殆盡，流竄殘餘不及千人，逃至江北。苟江北防堵得力，卽能掃滅盡淨。坐使陳毅、張逸雲、粟裕、羅炳輝等繼起，重圖再振聲勢」。便是原本既錯，引用資料欠實，以誤傳訛，有背史實的記載。須知政府規定新四軍在皖南地區對日作戰，毛共既不檢點，又不守約束，任意擅改作戰地境，已經違反軍令軍紀，抗戰開始，毛共軍卽已流竄江蘇，在江南溧陽、宜興、金壇、句容、鎭江各縣，冒充國軍番號，搶掠殺戮，貽禍國人。違法犯紀，胡作亂爲，令人痛恨。而蘇中黃橋戰役發生，是二十九年十月一日開其端，七日始行結束，國軍受到共軍襲擊，損失重大，從此揭開蘇省長江以北共軍大事破壞抗戰的行動。而所謂「新四軍事件」，是發生在民國三十年一月的皖省涇縣，中共藉江蘇地區國軍南調接防時機，集中七個團兵力，三路圍攻國軍第四十師。而共軍不知悔悟，竟以「中國共產黨中央革命軍事委員會」命令，任命陳毅、張逸雲爲新四軍正副軍長，一月二十九日，在鹽城正式成立，並擴編爲七個師，且提出無法無理的善後辦法十二項，要脅政府。蔣委員長寬大爲懷，不加深究，希望精誠團結，共赴國難。共軍從此更變本加厲，繼續破壞抗戰。

盤據洪澤湖區作亂

共軍作戰地區原本指定在皖南，他們竟然越過長江在蘇中發展坐大，另有其因素存在。從主觀方面分析，共軍假借抗戰取得廣大民衆的同情支援。在客觀方面，蘇中地區鄰近皖東，西有津浦，北有隴海，中隔淮水，東濱海岸，南阻長江，爲一孤立無援之沼澤地帶，到處湖泊港汊，盛產魚米。雖不利於大兵團機械化部隊行動，實有益於神出鬼沒的小部隊游擊，且易於隱藏生長，何況運河西陲，邵伯、高郵、寶應三湖相連，再加洪澤湖沿岸，皖蘇聯界，昔爲流寇出没淵藪。抗戰初起，安徽省府將皖東各縣委由江蘇省府代管，政府鞭長莫及，被共軍竊據爲根據地，運河以東水網地區，若非國軍所佔有，早成爲共軍發展溫床。就接觸所得，國民革命軍北伐期間清黨，共產黨的組織，固有部份份子自首，成爲國民政府政治保衞者，少數頑强者受戮拘禁，亦不乏人；而化身潛伏者尤衆，有的從事教育工作，學校成爲共黨潛伏據點，赤化教育，始終未停。有的表面經商務農，實卽待機而動。更有利用關係，掌握地方武力和政權，打家刼舍以聚斂，藉勢掩護其活動。共黨潛伏份子較多地區，有江都、泰興、如臯、鹽城、阜寧、漣水、沭陽、宿遷等地。共黨組織因未被徹底摧毁，抗戰開始，卽行公開活動，在蘇中、蘇北加强發展，日漸生根擴大，未嘗不是紅禍泛濫的肇因。

共黨在民運方面，有武裝工作隊，給予人民小惠從事籠絡工作，採取威脅與利誘等技倆，使敵對者禁若寒蟬，羣衆無知受其利用。一些在地方上有實力、有影響力人士，難以抗拒製造矛盾、操縱矛盾、運用矛盾方式，打上拉下，拉下打上，聯甲倒乙，聯乙倒甲，使得彼此猜疑，相互失去信心，以致彼此之間，既不合作，又不團結，受着共黨愚弄而不自知。

民國二十七年春，江蘇省政府韓代主席德勤，兼任由保安團隊編成的八十九軍軍長，爲敵後游擊部隊主力，其時省府委員兼有蘇魯皖邊區游擊總指揮李明揚，率部駐睢寧地區。國軍查獲八路軍密派軍官黃得勝携有致洪澤湖地區共酋的密函，內中述及：「共黨要在洪澤湖地區謀求發展，一定要能得到李明揚的相助；李忠厚而無頭腦，他會幫助發展。」洪澤湖地區共酋爲彭雪楓、羅炳輝。民國二十八年春，彭雪楓侵佔洪澤湖以北地區，羅炳輝佔據洪澤湖以南地區，連洪澤湖水面，也以武力掌握控制，使南北溝通，便於相互支援。

民國二十九年三月，所部在半塔集、古城、王店集、蓮塘、舊舖等地收繳民槍，擴大鬬爭工作及於高寶、江都邊境。四月間竟向國軍進行突擊；復勾引敵僞進攻；國軍劉漫天、秦懷寶支隊，在忍讓情況下率部移駐兩淮東鄉。

佔據皖東的共黨部隊，與延安中共所派的共幹分向河北、豫北、山東國軍敵後佔領區滲入步驟，如出一轍。一方面在蘇中、蘇北各縣城鎭鄉村發展共黨秘密組織，使長久潛伏分子死灰復燃，從事顚覆活動。一方面向我敵後正規軍、地方團隊、游擊部隊進行各式各樣的拉攏、收編與挑撥離間的兵運工作。共酋陳毅由皖東指向蘇中發展的第一對象，就是江都縣屬的大橋、吳家橋、謝家橋三鎭嘯聚的方鈞所統率的武裝，作爲訓練與擴軍的基地。由睢寧移駐泰縣的李明揚及其親信李長江與之彼此利用，由李明揚親往大橋慰問，架設通信線路。中共指派「新四軍戰地服務團」團長朱克靖進駐泰縣，進行瞭解、分化、拉攏等工作，在泰縣設幹訓部，發行日報，創辦中學，並以李明揚作爲掩護。中共在泰縣城裏昭昭汪地方設立的機構，經破獲極具研究價值文件、名册至夥，但由於李明揚的袒護，使共黨破壞抗戰事實眞相，未能早期揭發。（按：朱克靖爲「南昌暴動」首謀之一）

爲禍蘇中蘇北一帶

共黨在蘇中、蘇北的軍事行動，對國軍採包圍態勢，分三路發展：㈠北進由陳毅的新四軍負責。㈡南進由黃克誠的八路軍負責。㈢以洪澤湖爲根據地的羅炳輝，支應東進，黃克誠、彭雪楓着力於淮海方向及徐屬發展。中共中央華中局設於鹽城，劉少奇、饒漱石分任書記、副書記，陳毅任軍事部長。

戰地黨政委員會派到江蘇的，黃逸峯在原籍東臺、范公堤兩岸組成武裝部隊「聯合抗日軍」，簡稱「聯抗」，討好陳毅，專事襲擊國軍，陳泰運以及東臺縣長楊昉所屬部隊，曾經多次遭受暗算。中共竊據大陸後，黃任京滬杭兩鐵路局局長，最後仍不免兔死狗烹的噩運。但抗戰期間，黃逸峯在江蘇地區，却發揮多量的赤化酵素。

國軍在蘇中、蘇北的將領：㈠魯蘇戰區副總司令韓德勤轄有國軍與保安團隊。八十九軍軍長李守維黃橋陣亡後由顧錫九繼任。三十二年二月，受日寇十七師團酒井統步砲敵軍一萬五千餘人，外加僞軍二萬人包圍攻擊，經月餘不斷戰鬪，奉命移駐豫省，參加中原會戰。（收復延安戰役，顧曾指揮隴東兵團，牽制共軍行動，頗著功勳）。獨立六旅翁達（浙江義烏人）黃橋後陣亡，由李仲寰繼任，以迄在睢寧大李集，與保三縱隊司令王光夏同遭彭雪楓所部十六個團的圍攻計兩日夜，僚屬隨同壯烈犧牲。獨六旅殘部由黃炎率領續留徐屬；五十七軍一一二師在三十二年危難之秋，亦卽脫離戰場西去皖北。㈡長江下游總指揮李明揚，自李長江投僞後，只剩丁作彬獨力支撐，誓不投僞附共，堅持到底。㈢蘇北游擊指揮官陳泰運，雖爲李明揚的副手，但自設副總部，李陳防區以魯汀河爲界，河西屬李，河東屬陳。陳泰運部原爲稅警團，陳統御有方，施以游擊訓練，戰力威猛，富有機動性，筆者多次目擊陳部與共軍交手的精彩表現，萬分敬佩。韓德勤、顧錫九、陳泰運等主要軍力都用之對日作戰，共軍則專事偷襲國軍。

陳毅率粟裕、管文蔚、陶勇等在蘇中擴軍消滅國軍地方團隊，奪取政權，擁李倒韓，挑撥、分化，二十九年八月共軍由江都郭村進襲泰興黃橋，保一旅何克謙東走如皋西場。保九旅張少華部，退往江南，共軍佔據姜堰，阻斷江蘇省政府與李明揚總部的聯絡，促使李明揚與韓德勤不合，孤立東臺、興化，伸出共黨魔掌於鄰近各縣，遂其打、拉併用陰謀，迫使國軍黃橋一戰遭致失利。

黃橋一戰受挫

黃橋一戰，由於國軍作戰計畫作爲不夠周密，敵前易帥，保密防諜措施欠當，對共軍戰法未作深入研究，致爲敵人所乘；八十九軍番號被撤銷，軍長李守維，參謀長丁虎、一一七師七〇一團團長陳學武、獨立六旅旅長翁達、團長韓振翼、秦鵬等陣亡，三十三師師長孫啟人旅長苗瑞體被俘，旅長余世梅、團長王學階負傷，官兵傷亡數千人，陳毅乘勢襲佔如皋、東臺、鹽城、阜寧等縣，與南通、海門、啟東聲氣相通，國軍地方武力與游擊部隊逐漸瓦解。共軍趁黃橋之戰倖勝，嘯集兵力，進攻曹甸，殘害國軍，同時又在徐州四戰之地襲擊國軍，禍害民衆。更偷襲邳縣，刼掠宿遷等縣，殘殺蕭縣碭山軍民，種種暴行，眞是罄竹難書。幷且，新四軍和華北南下的八路軍相互配合，在江蘇境內橫行不法，一無顧忌，視日寇汪僞爲友，大胆放手，專門攻擊堅持留在淮海與徐屬及泰東地帶的國軍，曁民衆武裝組成的保安團隊，一直到抗戰勝利，仍是形成戰火未停反益惡化的局面。

附：

壹、追記江蘇紅禍（續篇）

中共卵翼下的陳毅，在泰興黃橋僥倖得逞後，乘勢襲佔如皋、東臺、鹽城、阜寧等縣，與南通、海門，啟東的中共的烏合之衆氣勢相聯，致政府所轄地方武力與游擊部隊逐漸爲其以大吃小的戰術，逐漸瓦解或日漸凋零。而八路軍（卽十八集團軍一一五師黃克誠旅），以隴海東進支隊的代號（民三十年由中共改任新四軍第三師師長）向贛榆、東海、灌雲、沭陽發展，也跟著竄進阜寧縣境的東溝、益林。漣水的土共隨之策應合擊，使得蘇中局勢，愈形悪劣。陳毅在黃橋得逞後，所領率的部隊，並非吾蘇某耆老生前所述是：「流竄殘餘，不及千人」的實力。加之、再有李長江之輩，接濟子彈十五萬發，而老朽昏庸的李明揚更不遵令「會同堵剿」，竟由「通共」進爲「助共」，以致演成李明揚這老賊索性在三十八年參與「和談」，終於靦顏事敵，鑄成他的糊塗大錯。李長江與李明揚間關係密切，非僅同姓。昔年李明揚任江蘇省保安處長時，較他年長的李長江任保安團長，不學無術，向對李守維忌恨很深，種因或由於抗戰前在保安處任事的時候所形成。當黃橋之戰發動之際，李長江按兵不動，隔山看虎鬥，坐觀成敗，還說：「我們各看各的本領。倒要看看李守維究有多大狠勁。」彼時，假如大家團結協力，洞悉中共陳設的詭計，何有中共迅速擴大實力，使之燎原。如果，戰時大家認定一個目標，和衷共濟去追求，該是何等的重要，那自是另有一番情勢。

國軍八十九軍在黃橋挫敗成爲無名軍，交由保安處長顧錯九將軍兼代，陳毅挾其倖勝餘勢，扣緊時機，在時間上未逾三月，集中兵力約十五個團，欲一舉擊滅整補未竟且疊受日寇攻擊（時堡戰役赫赫著名）顧軍，首於民國二十九年十二月一日夜間，發動襲擊寶應射陽駐軍余世梅旅，以及天平莊中央軍校駐蘇幹訓班，另復攻擊崔堡，旋卽攻擊主據點的淮安曹甸，是爲軍司令部所在地。血戰歷經二週，直到十六日，陳毅所部不支潰退。我八十九軍俘虜中共幹部五十一人，士兵四百五十八名，鹵獲輕機槍二十七挺，重機槍五挺，步槍一千五百三十六枝（投誠的共軍孫國政團，人槍未列入統計），輕重傷與陣亡共軍七千餘人。國軍陣亡軍官二七人，失蹤三人，士兵五〇六人，受傷士兵三九五人，失蹤士兵一九三人。

若將曹甸和黃橋兩個戰役作一比較，在戰略與戰術思想上，所收效果，彼此不同。中共向來在戰略上是以少勝多，在戰術上以多勝少。因此，黃橋之戰，中共採用人海戰術，各個擊破，迫使國軍慘遭敗北。而曹甸一役，國軍深溝高壘，工事雖無鋼骨水泥構築，而能利用低窪水田阻絕，守軍視野廣濶，射界寬大，共軍無從隱蔽其行踪。指揮官顧錫九將軍抱必死的決心，研判敵情正確，軍民一體，人人用命，以逸待勞，誘引共軍飛蛾撲火。外圍據點擇要堅守，非關重要的，逐次撤入曹甸厚結兵力。駐守附近的國軍第五十七軍一一二師，不爲匪酋黃克誠的蜜語所動，適時派遣部隊驅除大小施河的陳毅所屬零星部隊，使蘇省保安團隊的王光夏、楊昉得以安心據圩固守，防制渡河東進的羅炳輝的支援。

筆者得悉陳毅在曹甸潰敗訊息後，旋由興化趕乘汽艇趨晤顧錫九將軍於曹甸郝宅。承示鹵獲中共「政治指示」，血跡斑斑，油光紙上鋼板油印全文的宋體字，雖經水浸，但尚清晰。內中說到：「曹甸得失，不但是我黨（指共黨）在華中能否佔取優勢的關鍵。亦爲我黨（指共黨）存亡之樞紐。仰我黨（指共黨）同志，再接再厲，消滅頑軍（指國軍八十九軍），達成任務」。共軍頭子訓話，曾經比喻國軍是一隻螃蟹，詢問士兵螃蟹最好吃的地方是那裏？衆答「蟹黃」。又說，爪子既已吃光，「蟹黃」就是曹甸，攻下曹甸，就告完全勝利。因爲，淮東也是水鄉，正是蟹肥的時候，共酋慣用心戰，以吃蟹黃來激勵士氣，誰知卻是雞蛋碰上石頭，從或中共軍隊的猛打、猛攻、猛衝，不惜利用人海，難以遏阻國軍的奮勇抵抗，國軍還利用白晝撿拾共軍遺屍的子彈和手榴彈來作補充。以對手的彈藥，來還擊敵人，算是戰場的趣聞之一。

兵法有言：「置之死地而後生」，曹甸之役，是爲實例。軍事委員會　蔣委員長在十二月八日，發來一電：

「八十九軍顧代軍長：該軍艱苦奮鬥，深爲軫念，仰轉飭全體官兵，再接再厲，消滅匪軍，以竟全功。中正手啟」

曹甸戰勝，洗雪黃橋戰敗的恥辱，八十九軍番號恢復，國軍官兵在敵後的奮戰，獲得揚眉吐氣的日子，這一榮譽的代價，使得新四軍在民國三十年演出抗命叛亂，在皖南遭受敗績，也使江蘇省政府堅苦撐持到民國三十二年春天，始有另一變遷。

稍加補述的：曹甸戰役不僅陳毅部隊主攻曹甸，並由黃克誠部牽制東北軍系的國軍霍師，原即盤據洪澤湖濱的羅炳輝部，更渡越運河東進，以七千之衆，分攻右翼許圩、塔兒頭，幸三十三師及時進駐大施河地區，維持東西南北的溝通，策應曹甸主陣地的防守。國軍運用兵力靈活適切，協調友軍至當，亦爲造致曹甸敗敵的一大原因。

當時江蘇省政府留駐興化。不旋踵又有泰縣李明揚心腹李長江公然投僞，任汪僞「第一集團軍總司令」，敵僞聯合進攻興化，省訓團教育長朱堅白氏殉職。教育廳廳長金仲華脫險後，復爲待機的共軍刼持。蘇中一帶擾攘難安，控制地區日促，局處淮、寶、鹽、阜邊境的二年苟安生活，艱辛持撐，已非易事，部隊補充與精練，更是時不我與。在此艱窘危殆環境中，幾與其他零星自由地區，如：泰縣、東台、暨徐屬八縣與海屬一隅隔絕，在物資上互相苦無支援，只能在人人懷抱著赤膽忠心抗戰到底的信念下，惡鬥苦撐，秉持正朔，與一股凜然正氣，至死不屈的精神，相與日寇、汪僞、中共搏鬥。

對日八年抗戰期間，濱海的江蘇，民國三十年代敵後情勢的艱苦，眞是罄竹難書，今日的青年聽來，或許認爲天方夜譚。敵與僞是一體兩面，佔有點線。中共的黨政軍自外於我政府的體系，割據竄流，廣大的國土爲之割裂分離，使蘇中、蘇北人民的苦難，愈陷愈深。原駐淮安東隅的省府和駐軍，在民國三十二年二月間，國軍八十九軍的一一七師、三十三師，遭受敵僞重兵圍攻追擊，殘破西移豫陝，變更建制。國軍五十七軍的一一二師隨著離去，頓令敵後留置的國軍武力又一次有形的削弱，助長中共勢力的囂張。而堅持最後勝利到來，使青天白日滿地紅國旗，能在敵後國土飄揚的護衛者，剩餘日少，而苦難日深，弘揚民族正氣，堅持不屈不撓的志士仁人，照舊蓬勃盛茂。依然，採用諸種方式，不斷打擊敵、僞、共三種敵人，直到勝利。

由於淮安東鄉，以及鹽城西邊、阜寧西南、寶應北部有國軍駐守，成就一個敵後的小小局面，江蘇省政府所在地，也就是魯蘇戰區副總司令部所在地，中等學校，師範及小學弦歌未斷，但好景未常，歷兩年而浪跡皖豫。但是，始終堅持奮鬪的，不僅泰東一帶的河網地區有著擁戴政府的部隊。而在蘇北徐州，自古卽爲四戰之地，兵家必爭，銅山、沛、豐、蕭、碭、邳縣、睢寧、宿遷等縣廣土衆民群起抗戰，衛國保鄉，尤以銅蕭邊境親民村，在耿氏昆仲結合有志人士，幾經激烈戰鬪，以迄抗戰勝利，迫使共軍步騎主力，終不敢稍越雷池。而海屬各縣民衆相與日寇、汪僞、中共長期爭持不下，灌雲徐繼泰等，算是其中一位健將。

貳、「抗戰史話」的一點補正

岳騫先生所撰抗戰史話一稿，內中談「新四軍叛變」，并述及有關黃橋戰役經過，青年戰士報曾就本人去函有所披露。因此，稍予錄述。岳先生手邊資料，就本人臆測，乃根據杜少棠老先生所撰一稿，作爲史料，杜老年邁，記憶力差，且於抗戰時並未隨韓副總司令楚箴先生，致瞭解不深，且多情緒性與推測性的論點，讀之難以信服。本人於民國二十九年夏季由重慶赴蘇北，曾宿黃橋鎭，未料不久竟成國共火併之地，由於對新四軍禍國叛亂史實較爲知悉，我們應該清楚的，新四軍在皖南叛變爲一事（卽所謂新四軍事件）其勢力早已竄擾蘇北皖東又是一事，其中記述與事實不相符，特提下列數點：

韓氏部隊的國軍八十九軍僅有三十三師一一七師兩師，無第三個師。原在江蘇九個保安團所擴編，部份收容淞滬戰役結束後退入殘餘兵力，訓練欠精，武器不良，中央幾無補充，修械廠只是一項點綴品而已。獨立旅僅有獨立六旅，勉稱精壯，所稱獨一旅或係保一旅之誤。

江蘇無「保安」縣名，只有海安鎭。新四軍流竄之初，僅興化、東臺尙未侵入，泰縣、高郵已不完整。當時皖東有張雲逸、羅炳輝（蘇中則爲陳毅及所屬粟裕）徐海一帶已有八路軍南下侵擾，俱由共產黨華中局指揮。

韓先生爲江蘇泗陽縣之洋河鎭，與宿遷交界，根本不是漣水人。顧墨三將軍在臺，韓德勤將軍現任國大代表，一查卽知，焉能說顧韓是小同鄉，說老同學則可，均係江蘇陸軍小學與保定軍校出身。

李明揚雖早廁身革命，曾追隨江西督軍李烈鈞氏，彼爲我國第一個機關槍連連長，美丰姿，頭腦簡單，北伐時曾任支隊長，北伐完成曾任江蘇省保安處長。抗戰開始任長江下游挺進軍總司令，一向對先總統　蔣公不夠誠忠，以致卅八年靦顏投共，黃橋事變前，李卽爲新四軍陳毅所玩弄。其大將之一李長江雖曾任保安團團長，但其部屬幷非舊省保安團，黃橋事變後卽率屬投汪，任僞第一集團軍總司令，與李明揚仍維持一紅臉一黑臉的關係。當時任泰縣縣長丁作彬先生，現住臺北，最爲瞭解此中事實。丁氏雖與李等均係徐屬人士，但道不相同，因丁係陸軍官校十七期畢業學生。

陳泰運貴州人，黃埔一期畢業學生，任稅警總團長，原非李明揚之部屬，現住臺北之戴運軌先生之未亡人田女士，與陳同爲中央大學（東南高師）先後同學，對此亦深爲瞭解，陳之行徑與李明揚李長江絕不相同。

創造歷史與寫歷史在時空與處境上難以相同，杜老評論韓氏氣魄才識因人成事等，不免苛刻，說韓確有小小聰明，誠是罪過，以本人當時係一校級軍官奉派在蘇，實無淵源可言，深覺韓氏溫文爾雅待人誠摯，而文筆之佳，書法之秀，稱爲儒將，可當之無愧。寫作取材，似不能根據一家言，況青年戰士報爲軍人必讀之報紙，影響極大，絕不能以偏概全，作偏頗之論斷，應該多方蒐集資料，執筆力求客觀。

關於共黨禍蘇史實，曾見著作有：

前江蘇新報創辦人包明叔氏「抗日時期東南敵後」，顧錫九先生「破壞蘇北抗戰史實」，黃編「徐州八縣抗日剿匪紀要」三書，不難覆按，即國防部所編戰史亦可參考。（王禹廷先生近在傳記文學發表的「國共分合勝敗殊途」長文，尤其值得一讀。韓德勤氏於七十二年八月十三日青年日報發表一文，亦屬事實俱在。）

另韓氏雖於民國十六年曾任顧氏參謀長，追隨顧墨三將軍甚久。江西剿匪時曾任師長，江蘇省保安處長，抗戰時初任江蘇省政府委員兼民政廳長。二十七年一月任第二十四集團軍副總司令，代理總司令，負實際指揮責任。又任江蘇省政府主席、魯蘇戰區副總司令。第三戰區副司令長官等軍政要職。并非純作幕僚，爲顧氏作幕。（民國七十年十二月十二日）

金門代表中國歷史的輝煌

我奉派赴金門隨飛行組駐在料羅機場，那是民國三十八年的十一月初，正是金門大捷的後一週。由臺北搭乘C—46空運機，在松山機場起飛，出淡水河口就在海上空中飛行。入冬天候欠佳，氣流不很穩定，從窗邊下望，只見茫茫一片，有時白浪如花在大海裡綻放，偶爾也會看到孤獨的漁舟，散布在洶湧海濤裡掙扎，唯有以之解除旅途的寂寞。

低飛進場，那山邊一片曠野，沒有什麼設施，假若不是紅白兩色相間的長筒形風向袋在隨風搖曳，很難讓人知道這就是金門的料羅機場。那時，連最起碼的塔臺和水泥跑道都一無所有，幸好，這一批曾在抗戰期間飛越駝峯，飛遍大陸所有機場的飛航員們，技術高、經驗豐富，逆風三點落地，非帶漂亮，將我載到一個新鮮的地方—海島、戰地。

金門古寧頭戰役，發生於民國三十八年的十月二十五日，到同月的二十七日。我島上駐軍，抱必死的決心，與共軍激戰三個晝夜，殲滅來犯的共軍萬餘人，俘虜七千餘人，一戰而扭轉戡亂戰爭的頹勢。

接著國軍在十一月六日舟山羣島的登步大捷，以及三十九年七月二十五日，大膽島的國軍全勝；更帶來南日、東山等島突擊戰的勝利，世人爲之震驚，共軍爲之喪膽，亦奠定我復興基地生聚教訓，重振雄風的基礎。

我來到金門，未能親眼看到國軍這次英勇的戰鬪，不無遺憾。然而卻能憑弔已經清掃過的戰場，並且看到許多事事物物，總算不虛此行，未辱使命。

金門古寧頭戰役，若從蔣總統經國先生於民國四十八年八月手著的「危急存亡之秋」中，不難發現當時情況的眞實記述，正可補我一些未聞未見的缺失，將爲此一戰役來作歷史的明證。

從民國三十八年十月二十二日蔣總統經國先生所記的：「金門島離匪軍大陸陣地，不過一衣帶水，國軍退守此地之後，父親以其對軍事和政治，均具極大意義，必須防守。因於午間急電駐守該地作戰之湯恩伯將軍，告以：『金門不能再失，必須就地督戰，負責盡職，不能請辭易將。』」

二十六日所記：「我於本日奉命自臺北飛往金門慰勞將士，十一時半到達金門上空，俯瞰全島，觸目淒涼。降落後，乘吉普車逕赴湯恩伯總司令部，沿途都是傷兵、俘虜和搬運東西的士兵。復至最前線，在砲火中慰問官兵，遍地屍體，血肉模糊，看他們在極艱苦的環境中，英勇作戰，極受感動。離開前線時，我軍正肅清最後一股殘匪。」

摘錄短短的記述，正是說明金門古寧頭戰役，是湯恩伯將軍指揮，而戰場的所見，眞實看出國軍忠勇奮戰的一般。這種「置之死地而後生」的戰場印象，也確如蔣總統所說：「金門登陸匪軍之殲滅，爲年來之第一次大勝利，此眞轉敗爲勝、反攻復國之『轉捩點』。」

基於金門一戰，獲致決定性的勝利，因此，十一月三日，共軍在定海登步島登陸，經過激戰，被我軍驅至海濱，於六日上午九時完全肅清，造成繼金門大捷後又一勝利。

我第一遭來到金門，是以空軍總司令部新聞官的身分，從定海飛到臺北，再從臺北飛抵此間的。過慣戰地刺激生活，總覺得比待在臺北要有意義得多。何況，是專爲採訪金門大捷而來，自己感覺此行特別具有無尙的光榮。

我曾經受過新聞專業教育，在抗日戰爭與戡亂戰爭中，做過重慶掃蕩報總社的戰地特派記者，出入於敵前敵後，也任過軍事新聞通訊社的蘇北特派員，對共軍的一切情況均有所瞭解。而且，曾經擔任過短時間的營長，副團長等軍職，對軍事不算是外行。在來臺之初，本在東南長官公署政工處任參謀官的職務，由於空軍總司令周至柔將軍仿照美軍制度，設置新聞官，國內的名記者—曹旭東先生，與我一道進入空軍，他是文職，我由陸軍中校改敍空軍上尉三級八成薪，當時毫無計較，只希望得有機會多替國家盡一點責任。我這新聞官的工作地點，就是臺北、定海、金門，原來還有海南，可惜因撤守沒有去成。好在，空軍飛機來去，往返便捷，較其他的軍種，在交通上是要沾一點光，新聞電訊與特稿的發布，也得到便利，記得「中國的空軍」、「新聞天地」等雜誌、報章，那時曾常採用我金門採訪的特稿。

我在金門，隨同飛行組的教官們，一直住宿機場邊緣一家三合院裡，有金門駐軍指派官兵照料我們的食宿。這批飛行組的教官們，是直屬空軍總司令部作戰部門的一個臨時編組，定海機場也有一組駐梨，只是屬於空軍定海指揮部，不似金門歸屬陸軍最高的長官節制。

擔任飛行的教官們，眞是名副其實的夠格教官。他們有的籍隸東北，有的閩粤，都是空軍官校正期畢業生，而且，期別都不算低。有的來自空軍官校，有的來自作戰部隊，階級都是少校、上尉。後來，我在空軍二十年中，基於職務調動，待過好多部隊、機關，有曾與在金門、定海共過患難的教官們，再會面、再同事的。當然，其中爲國殉職，英年早逝的大有其人。

飛行組教官駕駛的飛機是AT－6，若是與戰鬪部隊使用的P－51野馬型機來比，性能自不相同。AT－6本是一種高級教練機，兩挺○．五機槍，還可以掛上五十磅炸彈六枚，是雙座機、在我國空軍尙未進入噴射機時代，確實威武無比，用於低空偵巡，伴同步兵作戰，甚或單獨制壓敵陣，曾建立很大的戰功、戰績。在金門防衞作戰上，這種用於作戰的AT－6螺旋槳飛機，猶如禿鷹獵取其所要獵物般英武神威。

料羅機場南端的料羅灣，當時並不引人注目，只是一泓漁港，礁石點點形成一道防波堤。沙灘的後面，有著一些人家，空軍通信分隊就分駐在這些民宅。別看這是一個編組很小的部隊，所負任務可眞不少，無論航管、導航、氣象、通信聯絡的有關業務；甚至，機前警戒、加油等基地勤務，也得勉力承擔。所以，我常常抽空到那裡去和官兵們擺擺龍門陣，順便眺望大海的碧波白浪，消遣一些難得舒展的情懷。除此之外，料羅灣右側高地的崖石崢嶸，松柏蒼翠，使我常常流連而不忍遽離。它不僅是金門島東部一處風光佳麗的勝地，自古更與臺灣有著密切的關係。清代漳泉人士渡臺，曾以此做爲轉運站；臺灣西渡的人亦是以它作爲一個歇脚點。上溯鄭成功規復臺灣，卽以料羅灣來作用兵的發起港，清代派施琅率軍攻打臺灣，也是從這兒出發的。村邊地上有一塊「媽祖宮」的石碑，據說就是昔年施琅在此建廟的所在。是耶？非耶？勾起我無限的思古幽情。歷史滄桑，也助長人們的無限回憶。

我和飛行教官們住的民房，雖然稍嫌陰暗潮濕，幸好由臺灣空運來的行軍牀，還有厚厚的白棉被，淺黃的被單，空軍專用的黃呢軍毯，一無凍餒之虞。晚間燃著白色洋燭，一燈熒然，閱讀或是聊天，總不免有幾分淒清的況味，而擁被入睡，慢慢體會到溫暖卻悄悄的自來。伙食並不令人十分滿意，但陸軍部隊比我們還要差池。蔬菜是由臺灣空運來的，肥猪肉是金門本島供應，我們還吃到一種鱟魚，其貌不揚，其味腥臭，簡直難以下嚥。遇到天雨，吃不到蔬菜，也吃不到肥肉，只有這種鱟魚佐餐。產在金門近海的鱟，「虹」是它的俗名。足形似劍，甲殼堅硬，頭胸廣濶，甲是半圓形，一說鱟善候風，由於有骨如角，乘風而遊，俗呼「鱟帆」。另一說執其雄則雌者不去，如執其雌，則雄去；惟失雌不能獨活。果如鱟魚雌雄情癡，不肯分離，無怪乎有作「鱟媚」的說詞。

在金門期間，陪教官駕駛AT－6，環繞金門上空飛行，翺翔盤旋，其樂無窮。我穿上飛行衣，戴上皮帽和防風眼罩，背起降落傘，佩好手槍，坐在後座，引擎一發動，倏然騰起，一串的島羣，金門、烈嶼、大膽、二膽……，由大而小，眼底的世界、圍頭、大嶝、梧嶼已經歷歷在目，我們以悲憤的心情，注視他們的一切，但他們是死寂的沒有一點聲息。遠遠地看到廈門、鼓浪嶼，那山巖依舊，溪流嗚咽，汪洋水勢，浩浩無涯。懷想到那田園村舍、鼓浪洞天，不期然地有一種念舊的情愫襲上心頭。

有時，飛在敵方的空際，看到漁船泊岸，行人奔跑，迅即低下機頭掃射，甚至丢下一顆炸彈，等到硝烟火光已起，拉高立刻脫離。有一次，竟然遭遇到大磴共軍高射砲的攻擊，眼看一朵朵烟花，在機身附近綻開飄浮，忽然機艙有一點震動，但始終聽不到爆炸的響聲，等到巡邏完畢飛回落地，在我座艙下面放置無線電機的地方，嵌著數粒彈片。說險也險，假如我們飛在一千呎低空，說不定子彈會鑽進我的體內，那麻煩就夠大了。

這一項遇險的消息不脛而走，愛護我的總部長官，來信明白的告訴我：「不是空勤的，大可不必冒不必要的危險」，我只有心存感激。我依然有著隨時殺敵的一項軍人本能的血性衝動，可惜兩週以後，我又飛去定海，惜未碰上登步大捷，恨我遲來一步，致不能目覩我機投擲汽油燒彈的一幕。

扼住九龍江出口的金門，位於廈門島的東隅，清代是屬福建省的同安縣，直到民國三年始置縣於金門，它約有一百五十平方公里面積。往昔雨水缺乏，海風强烈，不僅山丘濯濯，農作也難發展。不過它是一個僑鄉，從荒涼的鄉村景色中，看到一些精緻的西式建築物散處各地，這些俱是僑外人士衣錦還鄉另外一種的表徵方式。我初履金門，好奇的乘過鴛鴦小馬，一探雙乳山的突出，有馬無可馳騁，慢慢地走著黃沙小道，別有風味。雖不若在黃淮平原中跨驢趕路的那樣心情，而鴛鴦馬上的雙雙款款而談的趣味，卻非其他地方所可享有的歡暢。至於雙乳山，可知名思義，也可觸景生情，正如美國夏威夷州歐胡島側名「中國人帽子」（斗笠）的海上小嶼，由形狀名，令人念念難忘造物者的玄奇。

金門島上海拔二五三公尺的大武山，它是金門的最高峯。那時還沒有先總統　蔣公題的「毋忘在莒」四個摩崖鐫石大字，直到民國四十一年元月蒞臨手書，方成爲登臨瞻仰的勝蹟。山谷有一古寺，林木蒼翠，溪流潺潺，我曾進內膜拜，我曾爲那裡幽靜的秀麗景色所迷。

古寧頭在金門西北。海灘曲折，沙岸連綿，我看到共軍殘破的多隻帆船，是被我海陸空軍砲擊和轟炸的戰果。說明共軍渡海工具被我摧毀，以及阻斷後續部隊的支援，當是金門大捷致勝的原因之一。灘頭歪斜的碉堡，擱置在岸邊的裝甲砲車，附近被破壞殆盡的學校圍牆與衆多民房，以及野地蔓草留著的血迹，道旁纍纍的黃土新墳，這些都在顯示戰鬪的慘烈，大捷得來不易，也就赢得年來剿共戰爭的最大勝利，啓發了轉敗爲勝的契機。於此，我對金門大捷的過程，須從歷史上作一回顧的敍述。

金門島原由師長鄭果少將率領的第二〇一師二個團，配屬著輕戰車一連防守。這原屬福州綏靖公署的防區，卻受臺灣東南長官公署的節制指揮。在共軍叫囂進攻的情況下，第十八軍軍長高魁元，於十月中旬率部到達金門，第十九軍軍長劉雲翰在下旬也率部陸續開到，自然給予民心士氣莫大的鼓舞。

當時金門兵力部署，第二〇一師主力防守西半島的北正面，卽古寧頭及其左邊海岸，西半島的南正面，則由剛從福建大陸轉進的李良榮第二十二兵團防守。以「蟠龍」作爲第十二兵團代號，世人熟知的「胡璉兵團」一第十八軍，集結在瓊林及其東半島；第十九軍集結於西半島，金門附近及其以西地區，部隊正陸續下卸分別集結中。

共軍乘二十四日的夜暗潮高，在古寧頭與東西一點紅高地間突擊登陸。首當其衝的二〇一師，卽以火力迎擊那乘黑夜侵襲的一波又一波密集蜂擁而來的敵人。守軍雖經力戰，限於兵力單薄，海岸防線卒被過衆的共軍突破，混戰從午夜直至黎明，國軍被迫退守第二道防線繼續抵抗。這時全島涵蓋在濃密槍砲聲中。湯恩伯將軍卽令第十八軍軍長統一指揮，集國軍在金門的全部兵力，以古寧頭爲目標，盡殲登陸共軍。而我海、空軍的協同攻擊，助長勝利的來臨，當戰鬪酣烈過程中，空軍總司令周至柔將軍並曾率機親臨金門上空。

尤其值得一提的，第十四師四十團團長李光前上校率領官兵急行軍，首先抵達古寧頭力戰陣亡，是此一戰役中陣亡最高官階的軍官，金門民衆建有「李光前將軍廟」，受饗血食千秋，金門城關有「光前路」，太武山烈士公墓也刻石紀念李將軍（追謚）的忠烈英勇，給世人永懷他犧牲奉獻的忠藎。

中國人注重民族大義，是永恆而延續的。金門雖是彈丸小島，它在這一方面，卻有悠久而不平凡的光榮紀錄。時至今日，益見其關係國家安危，具有樞紐的地位。例如：唐代牧馬侯陳淵的開闢草萊；明代鄭成功作爲中興基地，以及抗戰期間，我敵後武力屢殲頑寇等，在在表現著民族正氣於此一島上。而明監國魯王薨於金門的史實，在此更有一提的價値。

監國魯王，諱以海，字巨川，號恆山，別號常石子，始封的先王諱檀，是高皇帝第九子，分藩山東兗州府，魯王朱以海，是朱檀的十世孫，於崇禎十七（一六四四）年册封。弘光帝登極南都，移封於浙江臺州府，浙東諸臣高舉義旗，扶王監國。由紹興入舟山，棲踪金門，又徙南澳，復至金門。自魯而浙而粵，首尾十八載，力圖光復明室的壯志，向未稍懈。惜乎素有哮疾，中痰逝於金門，年僅四十有五。

民國四十八年的八月二十二日，國軍劉占炎中校率領戰士炸山採石，發現一座古墓，詎料在墓穴中，竟然獲得皇明監國魯王壙誌，尚有魯王遺骸，以及永曆通寶錢幣，破瓷碗等件。假如，沒有國軍的構工，就永遠不能發現魯王的眞冢，在歷史上就永遠難以解開魯王死事之謎。無論是學術的探討或就歷史價値而論，這在南明歷史上是項重大的發現，引起很多歷史學家們的注視，也獲致政府當局的愼重將事，來處理魯王遺骸的措施。（按：魯王壙誌現藏國立歷史博物館）

根據清道光十六年所建的「明監國魯王墓」，經周凱撰的「內自訟齋文集」卷六「明監國魯王墓考」，與「明監國魯王墓陰記」所述，認定魯王薨於金門，葬於古坑後埔，墓久湮失；且也存疑魯王曾否葬於臺灣，以及死因等項。魯王眞冢發現，從而證實墓壙背靠西紅山，遠眺青山在望，下視卽古坑湖，右卽獻臺上（土名東紅山）有魯王題鐫「漢影雲根」四字，同時也解除很多未決的疑團；且將明史過去的錯誤記述，有著眞憑實據重新改正過來。

現時後埔魯王墓的魯亭，係在民國二十五年建立的。柱上刻有駐閩綏靖公署主任蔣鼎文題聯：「王業此偏安，一旅猶匡明社稷；胡塵今掃淨，孤亭長峙漢江山。」亭中豎立先總統 蔣公題的「民族英範」刻碑，登臨憑弔的人，從這碑刻文字上，自會對明末先賢興起無限的崇敬。

今蔣總統經國先生，當眼見南明監國魯王以海眞壙壙志的時候，特於民國四十九年十二月，敬撰「重建明監國魯王墓碑記」，由現任考試院院長孔德成手書，成了今日金門的重要文獻之一。從內容所述，指出明史「三王傳」及「三藩紀事」載謂：監國魯王朱以海，居住金門期間，鄭成功不以禮遇，且當魯王將往南澳途中沉置海中的謬說，從此眞冢壙志出土，證實舊史的完全失眞，頓使鄭成功數百年的遭受誣衊，從此大白於天下，澄清是非與正義，更使世人有所明曉。同時，蔣經國先生又說：「往昔余遊金門，瞻王疑冢，緬懷往事，輒爲之欷歔低徊，而不能去。」愛國思賢的情操，令人感受至深，最後復激勵國人：

「今世共匪之惡，浮於闖獻，而俄寇之處心積慮，欲假漢奸以亡中國，視當日之清廷爲尤甚。我三軍將士，在總統　蔣公英明領導之下，正仰承先烈遺志，以海外基地秣馬厲兵，力圖興復，而斯壙出土，適丁其時，是誠足以發揚忠義之心，恢弘志士之氣，益堅反共抗俄成功之信念者矣。」

在「重建明監國魯王墓碑記」裡又復指出：「金門防衛司令官劉安祺上將軍及所屬將士，遵　總統指示重建王墓，以安忠骨，特爲之證，俾彰其事焉。」

民族英範，千古同欽，魯王以海的「指日中興」的夙願，正是我國軍民一體同具的志節，誓必朝惕夕厲，力求實踐。

魯王墓碑重建於民國四十九年，正是金門砲戰勝利滿兩年的時候。回想民國四十七年的八月二十三日，共軍對我金門羣島實行的猛烈火力偸襲，是繼四十三年「九三砲戰」後又一瘋狂的行動，妄想藉以實現其奪取金門的企圖，進而作圖謀侵犯臺澎的打算。共軍在福建前線曾經集中陸軍約十八萬人，大小艦艇二六二艘，各型飛機二九八架，自八月二十三日的下午六時起，以各種火砲三百四十二門，並在砲戰中增到五百六十一門。兩小時內連續射擊五萬七千餘發，其機艦亦同時擴大活動，想一擧斷絕我對金門的運輸補給，而遂行掠奪金門的狂計。

經我砲兵奮勇還擊，彈雨紛飛，以牙還牙，毫不氣餒。由八月二十三日到十月六日，共軍砲兵雖向我金門地區總計濫射四十四萬四千四百三十二發，其戰況的激烈可以想見。地面設施與民間財物的遭受損害，自所難免。金門防衞部的副司令官吉星文、趙家驤、章傑三將軍同時陣亡，國防部部長俞大維先生受到輕傷。名勝古蹟受到共軍砲火毀壞的，有太武山上林木茂密的古剎，舊金門城西南盤山上的嘯臥亭，內藏明代金門守禦千戶俞大猷所題「虛江嘯臥」四字石鐫，以及俞大猷的生祠，還有一些前人吟詠石刻，也遭受波及。

海軍執行「鴻運計畫」猛轟敵艦，實施兩棲作戰，載運補給品搶灘登岸。黎玉璽將軍親自押運八吋自走砲抵達金門，遏阻共軍砲擊，九月二日海軍擊沉共軍魚雷快艇十一艘，不僅使我海軍運補暢通，贏得輝煌的戰果，共軍艦艇因而膽寒。畏縮不前。而我空軍健兒駕著戰鬭機不斷展開保衞金馬，多次空戰告捷！且又執行「中屏計畫」，空運與空投補給品。那時我還在空運部隊服務，雖未能隨同飛赴金門上空執行空投，但在基地上，親眼目覩空軍官兵，夜以繼日，不眠不休，裝載補給品的辛勞與加油檢修，穿梭航行基地與金門上空，冒著砲火與惡劣天候，且在夜航中制敵機先，低空進入目標區，沉著穩準，達成任務。在攔擊方面，更有顯著的輝煌戰果：一、九月八日的澄海上空，我空軍健兒擊落匪軍米格十七型機七架，傷其二架。二、九月十八日，在金門附近上空，擊落米格十七型機五架，擊沉魚雷快艇三艘。三、九月二十四日，溫州灣上空，擊落米格十七型機十架，在南澳上空擊落米格十七型機二架。四、十月十日，在馬祖東南海面上空，被我擊落米格十七型機五架，擊傷兩架。

共軍向我金門地區的砲火濫射，迄至十月六日，自下臺階的停止砲擊。史無前例的金門砲戰，我國軍具有戰勝頑敵的足夠力量，表現無遺，也說明共軍在聲嘶力竭下，無異自承失敗。

先總統　蔣公曾經昭示中外，認爲金馬外島是臺灣海峽的屏障，堅守金馬外島，不僅保持臺、澎安全，抑且鞏固太平洋的防線，所以，曾於國慶紀念日文告中，指出：「在金門反共保衞戰中已獲得第一回合的勝利，此一勝利不僅建立我中華民族復興的基業，而金門等羣島且成爲太平洋上光明自由的燈塔，並啟示我國民革命所培育的愛國精神的表現。」

共軍五百六十一門火砲發射砲彈四十四萬餘發，破片蒐集成爲製作菜刀的原料，遠近馳名的金門菜刀，曾爲人人爭購的產品，並且，還以共軍未爆的彈頭做爲紀念碑，藉以象徵國軍砲戰的勝利，如今屹立於金門的郊野。

軍民在砲戰犧牲當中，最令人難以忘懷的是，九月二十八日中外記者五人，在前往金門採訪戰事新聞時，所乘小艇被共軍火砲彈擊傾覆而告失踪。其中一位魏晉爭先生，記得是抗戰末期，民國三十一年間，筆者曾與渠在敵後蘇北出版的戰報社裡謀面多次。他的高瘦身材，留給我很深的印象，由於他輾轉數年始行抵達臺灣，又重作新聞從業人員，仍幹記者，只是改了名字，死時的年齡，已非生龍活虎般的年輕。於此，對爲著伸張正義，不懼危險記者老友們的犧牲，謹致無上懷念。

民國四十七年共軍砲擊金門所引發的戰鬪，依據李守孔著的中國近代史中記述是這樣的：總計四十日內，共軍陣地被我摧毀數十處，砲百餘門，飛機被我擊落二十九架，擊傷四架，艦艇及運補船隻被我擊沉擊傷的一百零七艘，發動空戰十次，海戰四次，弄得共軍智窮力絀，乃有間日停火讕言，來掩飾其敗績。近十餘年來，雖仍不斷續對金門作騷擾性的濫射，由於金門防衞固若金湯，不敢貿然來犯，否則，無異飛蛾撲火，自取滅亡。

當民國四十七年八月二十三日起的金門砲戰期間，我無機會前往，去重溫戰場生活，讀蔣總統經國先生著的「風雨中的寧靜」一書，內中有一篇「金馬之行」，記述了民國四十七年八月十日到十月二十三日，他本人經歷的種種。謹作摘要的提出，以充實保衞金門過程的概述。

「金馬之行」，雖只作二十天的日記述要，讀來卻不難體會先總統　蔣公暨蔣總統經國先生，無畏危險，不辭辛勞，穿梭往還於離島的金門、馬祖與臺灣之間。蔣總統有時是隨侍，有時是獨往。以其睿智的見解，獨到的看法面授機宜。例如　蔣公指示：「預料共匪在最近期內將進犯金門，故應提早完成隧道工程；並將所有彈藥移藏於地下，從速加强砲兵陣地，多儲糧食，注意飲水設備等。除金門本島外，必須注意大、二膽與烈嶼之防務。」（八月十日）

一連串的奔波。飛機、兵艦、快艇、渡船、吉普，甚至步行。會晤、訪問、慰問、商討、講話、會議、參觀、指示、視察、聚餐等，蔣總統經國先生均是於砲戰激烈狀況中，執行公務。

先總統　蔣公召集金門團長以上軍官點名訓話，殷殷勗勉，訓示：「金馬部隊負有打第一次勝仗的任務，決心犧牲是打勝仗與成功的先決條件。」

蔣總統經國先生有三次重要的講話，題旨「一、要與陣地共存亡。二、爲國家雪恥復仇，要有犧牲的決心。三、與陣地共存亡，卽是與國家共存亡。」並與金門官兵大家共勉的：

「鋼的意志，鐵的軍。

爲了國家，爲了自己，勇敢果決向前衝！

不怕天崩地裂，抱定決心滅共匪！

我們要在砲火中壯大起來！」

金門砲戰期間，「金門之行」文中，蔣總統經國先生且透露幾度在危險裡的記錄：

「……乘置有馬達之小舟，向金門前進。是時匪砲正在猛擊料羅灣，我舟駛向面對匪方圍頭砲位之溪邊灘頭，在砲火中登陸。」（九月十五日）

「……改乘成功隊小艇，向料羅灣進發。此時匪砲正集中轟擊海灘，乃轉向東海面登陸，舟至離海岸三百公尺時，匪砲卽已向此處猛射，落彈無算。」（十月一日）

「……自指揮部冒砲火乘吉普車到達機場。飛機降落機場前後，遭匪砲猛烈轟擊，幸無一彈命中，飛機仍然安全降落。乘送傷兵之便機，於砲火中飛離金門機場，返臺北。」（十月三日）

「……今日拂曉，飛降金門機場，突遭匪砲轟擊，機場四處，紛紛落彈，幸未擊中。下機後卽訪居住於山洞中之官兵，面致慰勉。」（十月二十一日）

民國四十七（一九五八）年，蔣總統經國先生四十八歲，在金門砲戰中，親冒矢石，往返戰地，在「金馬之行」文中，有著動人情感的描述，因此，抄錄片段如下：

陪侍總統　蔣公視察白犬島陣地時。「是時太陽西落，光照大陸河山，遙念故鄉同胞，無限感慨。」

向金門料羅灣航行途中。「余在艦長指揮臺上靜觀旭日東昇，海空輝耀，漁帆逐浪，蔚為奇觀。可惜縈懷軍國，無意欣賞此一美好光景。」

「隨侍　總統在××灣海濱小坐，領會　總統之憂國心與責任心，感動不已。深夜寫家書勉文兒。」

「秋風落葉，四望戰地淒涼情景，感歎殊多。」

蔣總統經國先生對有功官兵授獎，頒發忠勇金牌，說了幾句發人深省的話，永難忘懷。他說：「忠於黨國而肯犧牲的人，即使不成名，亦已成了名；不怕死的人，即使死了，亦是沒有死，並且是永遠不會死的。」

防衛金馬外島以及愛國維護自由民主的人士，都能深深體念蔣總統這幾句金言的意義博厚，而受用無窮。

「我們要在砲火中壯大起來！」這句鏗鏘有力的話語，決非空洞的口號，而是同具信仰的人，一條心的身體力行，臺灣本島如此，金門外島也決不例外。

金門在一般人的認識裏，有「地上金門」，更有「地下金門」的說法。金門安如磐石，固若金湯，繁榮似錦，一片祥和，是英雄烈士智慧和血汗的結晶，這種外島戰場經營，誠非易事，成爲古今中外的一頁歷史奇蹟，它是從艱苦奮鬪中得來，可不是嗎？

自金門砲戰以後，我去金門的次數頻繁，但總是感覺來去匆匆，沒有民國三十八年古寧頭大捷後那段時期駐留的時間長。

我常前往金門，利於空中交通迅捷的因素，其他的原因是先後在空軍的通信、空運、氣象部隊服務，以及空軍作戰司令部、空軍總司令部任職，空軍駐守金門的大小部隊和機構，很多與我經管的業務有關。因此，在心戰指導方面：空軍氣象分隊駐守金門負責氣象業務，就由於測候是其部隊主要任務，施放氣球空飄傳單，成爲空軍氣象分隊兼辦的工作。從一個部隊職掌來說，測候是他們天經地義的主要任務，官士曾經受過專業的訓練，具有氣象兵科的專長，而空飄作業卻是兼負的使命。筆者身爲空總政二部門主管亦曾任空軍氣象部隊政戰主任，每年例行的、或是偶然、突發性的金門之行，搭乘飛機前往，也視爲慣常。去給氣象分隊解決問題，鼓勵士氣，慰問官兵，指導作業等，算是金門之行經常任務之一。

在空軍作戰司令部服務期間，對所轄部隊及配屬部隊等，定期的視察、訪問、慰勞、調查。奉派金門公差，歲歲年年，無論寒暑，總是搭乘C—46、47、C—119往還，在二十個年頭空軍生涯中，在金門停留的歲月，恕我未詳加統計，最少將近百次的金門戰地之旅，留給我無限的美好歲月回憶履痕，增進我的人生過程中，很多寶貴的體驗，這非金錢和其他物質可以換得來的。

深深引以爲傲的，我在空軍有很多學習的機會。單在空軍深造教育，如畢業於空軍指揮參謀大學正規班，空軍指揮參謀大學研究班，昔日的同窗將校，包括陸軍、海軍的也不算少，畢業見學旅行，最具價值的，莫若金門去來。

記得那時擎天廳初闢，幾乎有著這決不是山洞，也非隧道的錯覺。我似乎是處在一個燈火通明，清爽淨潔的一所豪華大廳裏，座位舒適，連盥洗室都做到「清潔衞生」，確是不易。如果，不是停車的地方，面對一抹青山，而山邊溪水涓涓，並建有六角方亭，從亭畔跨過一道小石橋，然後通過門衞魚貫進入的話，那我的錯覺依然還會存在的。

對我們這一批空軍指揮參謀大學金門見學旅行的學員作簡報的，是一位青年軍官，身材不高，精神健壯，口齒清晰，條理段落分明。心理在想：這是選對了的簡報人才。聽他口音吐詞，非常親切熟悉，又想，這人是誰？似曾相識。

會餐的時候，這位簡報軍官走過來向我敬禮握手。一看原來是歐陽久官，江蘇人，軍校十六期的小老弟。三十一年歲暮，我們同在敵後青年冬令營的同事，他協助我辦理訓導工作，當時任國軍第八十九軍軍部作戰參謀，是軍長顧錫九將軍挑選來的；這時他是金門防衞司令部的上校副處長。人生「聚散無常」，又復「何處不相逢」，戰地匆匆一晤，分袂後迄未重逢，料想他已經離開軍伍。

參觀過程中，許許多多的工事構築和戰備設施，非鬼斧神工卽可形容於萬一的。令我印象最深的，隧道內的十輪大卡車通行無阻。而且，有一個天井似的上下通道，完全是鑿山而成，攀登上去，豁然開朗，已是山巔，空軍的部隊和軍事設施，就散駐在附近，這些安全措施，俱是官兵們血汗的結晶。金門的地下工事，幾乎從地表難以發現它的所在。我們被引導進入參觀，坑道的長度，是我從軍以來看到的第一遭，令人驚奇它的神妙偉大。內中有各種掩體的射孔，且顧及各種角度用來擊敵的工事，並有營舍、倉庫，讓官兵在地下從事作戰，依然享有適度的舒適生活。

古寧頭已非民國三十八年金門戰役後所見的荒灘野岸。這兒建有堡壘式的設施，門前還塑有無名英雄持槍前進準備戰鬪的銅像，英姿勃發，精壯碩健，代表著金門的戰鬪精神。登高遠眺，死氣沉沉的大磴島顯明在目，遠處羣山重疊，依然默默無語。藍海波濤，激起岸邊無數的白色浪花，似在申訴大陸同胞孤苦無依，亟待拯救。而雄赳赳、氣昂昂的戰士，端槍挺立，面對敵人，他們櫛風沐雨，不怕寒暑的捍衞國土，保護人民的辛勤，讓人們衷心致無上的敬佩。

每一次到金門，總有一次不同的感受。不僅軍事建設，在有形與無形上俱有著很大的進展。金門在農漁經濟、文化教育，同具進步的表現。

金門陶瓷、金門大麯，海內外同享盛名，而兩者配合相得益彰。瓷的生產，得力於金門陶土蘊藏量豐，燒造的裝飾瓷品，年來進步特甚，模塑拉坯各有擅長，繪花敷彩，日見精緻，釉色和火度也很令人滿意。由於金門出產高粱，釀造硬酒異常的馳名，俗說的「白金龍」現在陳年的也可以供應，原是小小的藍釉大腹瓶裝大麯，已改用褐紅釉的罏裝，小大由之，助長外觀的美麗，也就吸引好飲者的貪慾。加之，有著各種紀念佳釀，捨去玻璃盛器，採用造形不一的瓷製瓶罐，設計精美，書畫同樣的考究，使得金門製酒，海內外人士喜愛珍藏，當然也就跟著嗜飲。駐守金門的國軍，算是有福，自古英雄俱愛美酒；若是二三同僚，一杯在手，有落花生、小魚乾佐酒；口吟：「葡萄美酒夜光杯，欲飲琵琶馬上催；醉臥沙場君莫笑，古來征戰幾人回。」慷慨赴義的精神油然煥發，足以啟迪高昂的士氣。

農耕於野的滿眼稼禾，昔年灌溉使用弔桿提水的古老方式，已經由機械替代人工。大白菜、蘿蔔，足供軍食民用，且已運銷臺灣本島。漁民捕魚的原始舢板，已有機動的漁船，臺灣日日可以吃到金門海面捕捉到的新鮮黃魚。

寬闊的柏油路面，代替往日的黃土小道。公共汽車、計程車的滿島行駛，捨棄往日的獨輪車和駑小馬緩慢行程。山外等地的新興市鎮，照樣有聲光俱佳的電影院，味道香濃的咖啡館，熙熙攘攘的軍民，相處融洽，到處是錦繡繁榮。

我每一登臨海拔二五三公尺的太武山高峯，鐫於山頂的先總統 蔣公手題的「毋忘在莒」四字，字大八尺，遠近可見，烈嶼也有「毋忘在莒」的石刻。大膽島上並有蔣總統經國先生題書：「大膽擔大擔，島孤人不孤」。壯哉斯言，永誌難忘。它喚回多少將失落而終未失落的人心，提醒多少形將沉淪而決不沉淪的壯志。大家一條心，向著光復大陸的坦途邁進；是中華兒女應有的擔當，也是中華民族精神寄託所在。

明季抗清的魯王朱以海，輾轉浙、閩、粵海十八年，表現其堅苦卓絕，忠貞義烈精神，我是長懷不已。民國五十二年春，政府將他的眞冢遺骸，自金西古崗湖畔，遷葬金中太武山之陽，洵足為山川增色。

墓園按天然形勢成梯三級，墓位正中，前有牌坊、享亭、遍植松柏，經年蒼翠夾峙，氣象萬千。牌坊上首有先總統　蔣公親題「民族正氣」四字，由右至左橫列。四柱分鐫對聯，計有副總統陳誠、監察院長于右任、國防部長俞大維、參謀總長彭孟緝所題。時任行政院政務委員的蔣經國先生所撰「重建明監國魯王墓碑記」，刻石橫列在距牌坊後面十公尺處。復在民國五十六年九月，又贈以一千四百市斤的青銅巨鼎，高二市尺八寸，口直徑三尺，腹直徑三尺三寸，正面橫鑄「正氣長存」四字，另三面浮鑄廻紋獅圖，置於享亭中央。冢前的「明監國魯王墓」石碑是用舊金城魯王疑冢，清代道光周凱原書拓本鐫刻，只是字體稍稍縮小。新冢採用石塊砌築圓形，盛裝遺骸的，內係瓷函，外是立體形黑色木箱，正面雕有雙龍搶珠，正中直書「明監國魯王之忠骸」，字刻皆塗金色。

當我登臨巍巍太武山，拜謁監國魯王新冢，每一讀到蔣總統經國先生所撰碑記，內中所云：「緬懷往事，輒為之欷歔低徊而不能去」、「碧血丹心、永留海澨」等句，以及辭修先生聯語：「崇封馬鬣，全憑英烈壯山河。」常常熱淚盈眶，欽仰魯王的志節堅貞，留予千秋萬世國人仿效的典型。

我離開軍職業經十有八載，公職致仕，已是去歲七月。金門的戰地建設，以及防務堅强，當然是三民主義的實踐所致。

今日金門的種種，就是金門的建設史、奮鬪史，軍民協力同心的努力，相信血汗絕對不會白流的。我曾撰有「今日金馬讚」一文，承青年日報予以發表，並已列入我的另一本著作「為愛白雲盡日閒」裡。如今，我毅然鼓其餘勇的奮筆直書，記述二十年空軍生涯中足跡常履金門的片段，雖是雪泥鴻爪，只求眞實無僞，相信所記述的，會留幾許信史的資料。

久久未到金門，我對金門那分濃郁的情感，始終未稍減色，甚至可以這麼說，我熱愛著金門。因爲，金門是打擊共產黨的一個鐵拳，是光復國土的跳板，是屛障太平洋的前哨，是三民主義實踐的模範縣。

由於金門是阻塞廈門港的一枚魚雷，也是癱瘓共軍東南海岸的一顆定時炸彈，一旦時機到臨，必然會發生豐碩的戰果。

遙隔二三〇浬的臺灣海峽彼岸金門，那眞是迢迢路遠，這是對我目前處境來說的。我常在想：何時再度親臨？

湛藍大海，悠悠白雲，寄我相思，託我懷想。太武山的青峯無恙，古寧頭的灘岸一片岑靜。民族英雄鄭成功屯兵城牆遺址，諒還有舊跡可尋。先賢陳淵、朱熹祠，明代盧若騰、許獬墓，稚暉、陽明紀念室，俱成了發揚中華文化的勝蹟。而且，金門創辦各級學校、土地重劃、築建水庫、廣事造林、拓展漁業、塡修海隄、構建碼頭，這些精神和物質的建設，皆是戰地經營的實效，人人都可目覩。

利軍便民的另一項建設，應該是尙義機場的工程。原是荒野的料羅機場，是闢建在金門島的東南，改建在西南方向的尙義機場，那更符合實際的需要。料羅機場一變成爲金門牧馬場，也很適合農牧的實際需要。尙義機場現有標準的水泥跑道、塔臺、候機室，場站設施幾乎應有盡有。而機堡的開闢，尤能助長航機蒞金停放的安全性。因此，空軍的空運部隊C－46、C－47、C－119與近年飛航的波音七二七機，俱在尚義機場起降，給予往返金門和臺灣本島與馬公機場間極大的便利。這也可以說，金門空中交通，隨著歲月長流已有改進。其他，人爲的演變，更是一種自然的變遷。

金門的太武公墓，我曾經行車路過。眼見森森林樹，肅穆莊嚴，爲保衞民主自由而殉難的國殤，他們實在應該有一處幽靜秀麗、松柏長青的長眠之所。他們能夠獲得久遠的安息歸宿，也讓後死的人們憑弔欷歔，得以親往詣拜。

以古老民宅改建的民俗村，以及莒光樓、吳、胡兩氏紀念亭、古寧頭戰史館、花崗石醫院，在想像與圖片裡窺測其大概的形貌，是非常的堂皇。至於足資休憩身心的太湖、榕園等景物的點綴於戰地之間，添增無限的詩情畫意。

他如古蹟在太武山上的「明延平郡王鄭成功觀兵奕棋處」的石洞，置有石桌石椅，並有石碑記其原由。相傳鄭成功所書「海山第一」的石闕刻石，有人觀察類似明寧靖王朱術桂的字體。雖有永曆辛丑十五年秋題，但未署名，究竟是明代那一位先賢題的，頗難證實。

俗名西紅山的獻臺山：有一巨石刻有「石洞天」三字，據文獻錄載：下有「正冠」兩字，已不復見，這是明朝進士董颺先的石室所在，原爲隱居遁世的地方。石刻左側，有董颺先的墓碑，勒「明沙河子歸眞」六字小篆。因爲董號沙河，晉江人，係鄭成功夫人的叔父，崇禎十年（一六三七）進士，官至廣東雷廉道，明亡逃難於金門古坑村，鑿石爲洞，垂釣於湖，自笑自歌，佯狂以避當道。這種遁世的行徑，我是不願苟同的。國難當頭，食祿的知識分子，應該挺身而出，繼續不斷的奮鬭，以盡國家興亡，匹夫有責的本分。正如先總統　蔣公提示的：「以國家興亡爲己任，置個人死生於度外」。何必裝瘋賣傻，置身世外，活著既不值得，又何必賣弄風雅流傳後世，況這位崇禎年間的進士董颺先，是鄭成功的長親，更應協力從事抗清復明大業，不作此圖，如今只剩一坯黃土，已與草木同腐，世間就多活幾個寒暑，實在沒有多大意義。因此，什麼「欽命金門總鎭大元勳陳公功德紀」石刻，是清康熙年間建立，此人原係鄭成功部屬，後又降淸的。還有淸朝提督邱良功墓，樹立石人石馬，對此我沒有興趣探索，我多次到過金門，也無意尋訪這些徒令人悲憤的古蹟。

倘若我再到金門，重履戰地，將踏遍每一個地方，爬上每一座山岡，鑽進隧道工事，看看繁榮富足與蓬勃朝氣。雖然我報效國家的時日已不再長，可是，國家是我的國家，我怎能不去愛它。幸而，强兒現是乘長風破萬里浪的海軍中級軍官，志在捍衞海疆，總算接棒有人，內心足以爲慰。記得有年，蔣總統經國先生冒著海上惡劣風浪，蒞抵戰地金門巡視，曾經提示前線軍民，有著這麼兩句話：

「天下沒有衝不過的風浪！」

「事在人爲，人定勝天。」

無可置疑的，反共第一線的金門、馬祖的全體軍民，勠力同心，耕耘建設，使得戰力日益堅强，社會日趨進步，經濟更形繁榮，在爲三民主義統一中國顯露著光明的遠景。站在同爲熱愛中華民國的人士，無不深具信心，有志一同。

金門縱處戰地，凡是到過金門與嚮往金門的中外人士，都深深感覺到，物阜民豐，安和樂利，得之不易，國軍投入大量人力物力的經營，算是最具貢獻，而後方不斷支援，以及政府全心全力的關注，因此，表現於軍民之間的是水乳交融，安詳和諧。軍民如手如足，三軍如兄如弟，共同在爲臺海安全做屏障，爲反共聖戰作前鋒，使它成爲自由世界的堅强反共堡壘，又是捍衛我們復興基地安全的海上長城。眼看金門的建設成就，它並非一蹴即就的，不要忘記，金門曾經是一個荒島，有賴軍民的生聚教訓，努力建設，民主自由，自立自强，始有今日繁榮進步，呈現著一片蓬勃光明。有人認爲這是一種奇蹟，須知，這其中是包含無量的血汗。不朽的史篇完成，是在無休止的創造力行，它「從砲火中成長」，證實「事在人爲，人定勝天」，一切的一切，在在都昭示著我們：「天下沒有衝不過的風浪」，因爲，我們具有實踐三民主義的目標，我們有著賢明的舵手，引導我們破浪前進，安抵泊地。

我爲金門歌頌、讚揚；
這個永遠堅强，安如磐石的鐵鍊成串的島羣。
祖先們薪傳的民族正氣，勤儉精神。
孕育著一股不屈不撓，誓死反共的雄偉氣魄。
無視對岸虎視眈眈的共軍，嚇詐威脅，我們仍在不斷的奮鬪，贏得大家的安居樂業。
金門到處洋溢著勝利的歌聲，歡唱！
到處有雄赳赳、氣昂昂的男男女女，精神煥發，步伐一致。他們俱是爲熱愛國家，熱愛金門願意流血流汗，眼看著它的成長茁壯，自會心花怒放。
金門！金門，代表著歷史的輝煌！

（民國七十六年三月）

溝通應有的基本認識

國內爲順應一種情勢，並在政治上更趨於進步，有著國民黨的袞袞諸公黨性堅强的同志，還有元老與社會賢達，相與所謂「黨外」人士以茶代酒，在歡愉氣氛中洽談溝通，期在共識；俾使和諧中加强團結，能望民主政治更進展，憲政體制益趨鞏固，動機至善，事實不謂無此需要。

國民黨自建黨以還，歷經艱辛，志士仁人所以灑熱血、拋頭顱、忠黨愛國，誓死不渝，就在於三民主義的實踐，中華民國萬歲。

國民黨是一個民主政黨，也是一個革命政黨。推行民主憲政是全體黨人的職責。因此，有著廣大的容納性。它爲防止欺世盜名的顚覆與離析少數野心者，勢必有著它的排斥性，相信政黨的組成與運作，總不應棄置其黨的立場而不顧的，左右隨人擺佈，也違背黨性、黨德與黨格。

協調商談，並非純粹杯酒聯歡，打幾個哈哈而已。當然是希望爲解決癥結而談。彼此均該開誠心，布公道，識大體，放開胸襟，實事求是的謀解決，決非虛應故事，心存詭詐，或是漫天討價，乖離事實。所以，多數決也好，尊重少數也好，彼此忍耐與讓步，是要本著共同目標。而且，是有代價的，既不受鞭笞，更不接受威脅。因此，寄望所謂「黨外」的人士，應該認清國家是屬於全體國民所有，非少數野心者妄加說辭，來破壞國家和全民的福祉，更非想借外力以取得私利的。

國家猶如人的身體，國人猶如身體的細胞，誰也不甘願癌的細胞，在自己的身體內部滋長繁生，應該運用藥物治療，甚至運用手術，以阻止其蔓延，而維護健康。執政的國民黨，對國家負有神聖使命，能夠與無黨籍人士對談，足見具有誠懇的意識，期求和諧團結。筆者以國民一分子的立場，深切盼望無黨籍人士，首應袪除偏見與成見、疑心與欺心，基本上認識以下四點：

1.念念勿忘我中華民國，是處於風雨飄搖的境地，要使憂患意識烱然在懷，既爲國民，有其義務需要擔負。

2.民主政治與憲政體制，有賴全民一致的推動與擁護，非是不負責任，褊狹離析的少數人所可破壞。

3.洞悉共產與「臺獨」思想，俱爲忠良國民的勁敵，人人應該奮起，掃除務盡；相與「掛鈎」與「聯繫」的，是爲衆人之敵，誰也不甘容忍此一可怕可惡的現象存在。

4.體認全國國民，是追隨大有爲政府邁步前趨，進步再進步，所希望的只是在安定環境中，國勢日强，國民生活安居樂業；那會希望妨礙信教自由以龍山寺作爲蠱惑無知的場地，類此擧措，既不受大衆歡迎，而且違法。

冷靜與理性，方是無黨籍人士該採取的思考與行動的準繩。國家的美好形象，是全民努力耕耘所得的成果。若是自認還是一個中國人的話，秉持愛國的良心血性，以及生長的本鄉本土父老姊妹兄弟的願望，少說空話，多做有益於國家社會與大衆利益的貢獻。既然，國家爲全民所有，熱中政治，參與政治，相信誰也阻擋不住的。須知，今日的國民的眼睛是雪亮的，正睜著眼看溝通與共識的流程。

舳艫千里滄波接

故鄉、故鄉的事物，多多少少讓我有著一種朦朧的愛慕，有時懷著牢不可拔的眷戀。故鄉的一切，似乎如昨，美好的影子，活生生地不斷出現在我的印象中。我的有生之年，無可須臾的，將生我、育我、以及童年經歷的點點滴滴，甚至曾經有的綺麗美夢，遽難拋棄盡淨。

我的故鄉，是「淮海名州，廣陵首邑」，世俗猜謎出題：「航空寄信」，謎底「高郵」。它的歷史是「秦築臺置郵亭，首稱秦郵」，漢置高郵縣，屬廣陵國。迄清置高郵州，屬揚州府，隸江南省。由於洪澤漫溢，運河湖地處於最低最窪，十年中受患幾有六七年，暴流滙於三十六湖，汪洋浩蕩，天水渺茫，高郵成爲巨浸，是常見的景象。其根本的因素，在於淮黃胥失故道，淮水東注，黃河尾隨其後，天連水，水連天，那就是故鄉高郵地理形勢的寫照。

縣境運河兩岸的湖泊，有老湖、塘下湖、七里湖，兒白湖、張良湖、甓社湖、珠湖、三里蕩。新開湖、平湖、馬家蕩、界首湖等，統稱高郵湖。南接江都縣境的邵伯諸湖，北鄰寶應縣界的寶應湖，西北就是洪澤湖。運東盛產魚米，仍多港汊水鄉，有著綠洋湖、洋馬蕩、秦家蕩、魚池網蕩、沙母蕩、瓦倉蕩、董家潭、清水潭、洋汊蕩、時堡蕩、火盆蕩、大從湖、郭貞湖、廣洋湖。

在重湖四圍，地當江淮的中心，運河是漕軛的要道，帆檣南北，成爲水陸通衢，揚楚咽領，古稱魚稻之國，但也疊經摧殘，相信目前它是早經破敗得不堪聞問。縣城緊靠運堤，昔有春秋邗溝，卻在縣東，以接江淮，當非今日大運河的前身。縱貫縣境南北的運河，長有九十華里，設閘數座，還有涵洞，幫助灌溉。運東有著南北下河的劃分，渠道密佈，舊稱水利是世界之冠，運西習稱上河，來資區別。

高郵城池始築於宋開寶四年，周圍一十里，三百一十六步，高二丈五尺，面濶一丈五尺。城樓有四：東「捍海」、南「藩江」、西「通泗」、北「屏淮」，倒是名實相符。而且、四門俱有甕城，非常壯觀。高大的建築物，有儒學、縣衙、城隍廟、淨土寺塔、鎮國寺塔、珠湖書院。寺廟有承天寺、善因寺、天王寺、乾明寺，俱是名刹，佛相莊嚴，僧侶衆多。

城基獨高，狀如覆盂，故稱盂城，又稱銅城。秦少游詩句：「吾鄉如覆盂，地據揚楚脊」，誠寫實之作。

故鄉景觀，綠野平疇，板橋、流水、人家。墨客騷人却有著八景的頌揚，如：「甓社珠光」、「神居爽氣」、「邗溝煙柳」、「西湖雪浪」、「文臺古蹟」、「靈廟神燈」、「露筋曉月」、「丹井寒泉」，有的是記史，有的寫實，有的敍景，也有荒誕不經的附會說辭。值得一提的，城東二里東嶽廟後的文遊臺，那是因爲宋代蘇軾路過縣邑，與自號淸虛先生的寓賢王鞏，郡人孫覺、秦觀載酒論文於此，而成名勝。登臨臺上四賢祠，遙望西方，雲天相連，茫茫一片波濤，俯視眼前，碧野淸流，掩映左右，景色淸雅嫵媚。祠內存有四賢論文賦詩的書桌，諒已隨著祠焚化作灰燼，遺留後世的蘇小妹遣嫁秦少游的香艷故事，雖是無稽，但還爲好事者們津津樂道，若煞有介事，不因時代變遷而隨之消失。

神居山是晉代謝安煉丹所在，那是全邑唯一的山丘，還算是淮南的衆山之母，在縣境的西南。山植老松數株，建有一廟，旁有水井，一名「石塘」，水質淸冽，大旱不竭。山石製磨，堅實紋細，因此，到處坑坑洞洞，皆是採石的遺跡。

南門城內的英烈夫人祠，原名義娼廟，宋朝理宗始改今名，城脚她們一座用石條砌造成的圓墓，所祀所葬就是官妓毛惜惜，是在宋代端平二年，別將榮全據城稱叛，當在宴飲的時候，惜惜不替叛賊行酒，全怒小叉裂嘴，復將她砍殺成了碎肉，可是這位英烈女子，誓死不屈，一直駡到氣絕。忠貞義烈的行徑，受到世人無限的崇敬，因此建祠築墓，讓後世的人們永恒弔念。

類此的還有一位肉身和尙，也受到後人的膜拜。北門外有一個小小的關帝廟，龕內置放一尊肉身裝金的和尙，原名陸永，四川峨眉人，明末官至侍郞，與邑人吏部尙書王永吉友善，崇禎十七年，李闖陷京，兩人相率逃亡南下，避居界首東嶽廟的後樓，互勉忠貞，矢志不二。待淸朝定鼎，力求遺老，永吉心動，得籤詩「今日布衣明日相」一句，竟遺冠笏，不辭而別。陸永恨極，削髮爲僧，更名大冶，蓋欲用大冶爐熔鐵山（王字），想見他的嫉惡如仇的意志。大冶每於鐵山家居，猛敲木魚，使王輒感頭痛，大冶壽九十餘圓寂。而那豪華一時的王府，抗戰勝利後，僅剩二人合抱的半截石柱，淪落巷側，任憑風雨浸蝕，永吉（鐵山）變節事清，則永遠爲人所唾棄。

古代驛站，一在南門外，一在城北六十里外的界首鎭。近城的盂城驛，明洪武八年開設，惜於嘉靖三十六年燬於倭火，想找一點蛛絲馬跡，也早經失去蹤影，只有從資料中廻念驛宅、賓舍、馬房的建築遺規，以及，驛馬日夜奔波大道上傳遞官書的情景。

元朝至正年間初建的五嶽行宮，廟貌莊嚴，香火鼎盛，農曆三月二十八日，是一年一度的廟會高潮，人山人海，是銷售農具爲大宗的集期。廟額原懸「古蕭陵社」，民國十八年改掛「國慶禪寺」，仍由夏、黃、李三大姓捐貲擴建的。十殿閻羅的神鬼塑像，尤其陰森恐怖。廟址位於古名「蕭陵崗」的夏家集西，距離縣城一百一十華里，夏姓始祖御龍公，明初被朱洪武以「頑民」身分放逐來此的發祥地。實際既無蕭陵，又無崗巒，放眼平原，只見蜿蜒曲折的流水河溝，在排洪、灌溉、通航三方面，發揮河網地區極大的功用。農舍沿河散處，楊柳桑楡，點綴得岸邊莊畔一片青翠。阡陌盡頭，湖蕩散佈，蓮荷茭菱，常與清水相伴。振羽飛翔的陣陣海鳥，凌空盤旋，使得引水灌田的無數轉動的風車白帆，相與比翼，在那一幅鄉野畫圖中，頓添藍天綠地裡許多潔白的花朵，格外有著純淨、幽雅的色彩之美。前人有詠本邑的詩句，非常的寫實，玆摘錄如次。

其一：

三十六湖碧漲天，湖雲籠樹水生烟；

江淮春暖無農事，半長魚苗半種蓮。

其二：

淮海路茫茫，扁舟出大荒；
孤城三面水，寒月五湖霜。

人類文化的發展，基於地理環境的形成，而歷史人物的賢愚忠奸，造致後世人們的貶褒愛惡。故鄉的先哲，有著稽考的，狀元公只有一位趙倫，宋大觀元年殿試中式的，進士、舉人不計其數，邑中文風鼎盛，說來是有根據的。於此稍稍談論邑中賢與不肖的人物，藉以充實本文的內容。

宋代四賢之一的秦觀，字少游，號太虛。少豪雋慷慨，蘇軾薦爲太常博士，善文兼工詩詞，著有淮海文集三〇卷，淮海閒居集十卷，淮海詩餘一卷。長於議論，文麗思深。就因他與蘇軾友善，坐黨籍流死在廣南西路的藤州，得年五十三，追贈直龍圖閣。葬地若根據他的老友張耒祭文有「歸葬廣陵」的說辭應在揚州。近據傳記文學中所載，秦觀之子將他父親的遺骸運往無錫，葬於惠山，並且已經發現「秦龍圖墓」的殘碑斷碣，是由他的卅四代孫子秦家驄，獲讀「無錫秦氏族譜」後採訪所得的一項事實。

另一鄉賢孫覺，也是蘇軾、秦觀的好友，宋皇祐元年己丑進士，授龍圖閣學士兼侍講。字莘老，著有周易傳十卷，春秋經解十五卷等書，卒年六十三。

籍貫成爲爭論的清初王夫之，學者稱船山先生的，一般人認做是湖南衡陽人。少聰穎，有異才，氏，所以，邑人以夫之道德學問與有榮焉，始終將王夫之看做「我們的小同鄉」。實際他在湘爲官的父親是本邑人氏，遂冠擧崇禎鄉試，明末浪游郴、永、漣、邵間，後歸衡陽石船山。

我居家臺灣後，發現邑人與臺省夙有深厚關係，又具卓越貢獻的玆特列名二人，作一說明。不過，民國三十四年以後涖臺的恕不提及。

清朝雍正年間，巡視臺灣的監察御史兼任學政夏之芳，在他二年任期內，主歲、秋兩試，著有宦績。夏之芳是雍正癸卯恩科會魁，先充內廷教習，授翰林院編修大學士，丁未巡視臺灣，兼學政，按巡南北路雞犬不驚，且有杖殺陷害生番通事的政聲，卒年五十有八。著有：紀巡百詠，西遊小草等。

雲林縣志稿卷首史略篇，載有知縣高鴻飛，字南卿、伯鸞，道光十二年壬辰恩科擧人，道光二十一年辛丑進士。道光三十年三月初二，由署鳳山知縣回任彰化。咸豐二年三月署臺灣知縣，勸止匪徒騷動，力竭陣亡，入祀臺灣名宦祠，事蹟宣付史館。著有：水災日記、古雙桂軒文稿。

另有清一代，邑中先賢精於聲音訓詁之學的王念孫，字懷祖，學者稱石曜先生，乾隆進士。子引之，字伯申，嘉慶進士，授編修，歷署戶禮兩部尙書。父子均精聲音訓詁之學，清代尙無他人。念孫撰有廣雅疏證，頗稱精覈。引之著有經義述聞、經傳釋詞等書，以精博稱。高郵城內獨旗竿王邸，人人皆知它是經學大家王氏父子的舊宅，成爲古蹟之一。

繪畫著名的，如宋代曹仁熙，善畫水波，古今無及。陳偕畫雁，是邑中能手。明代王磐字鴻漸，號西樓，尤善畫菊。清代羅日琮，所畫山水，媲美關荆董巨。王雲字漢藻，號清痴，是畫師世家，父王斌，侄王石，子王琨，均係優秀的職業畫家，馳名江淮，精於人物山水。經查王雲存世作品十七種，近四十幅畫，人物、花鳥、山水、樓臺，無所不妙。其桃花源通屏，運筆設色都恰到好處。國立故宮博物院還藏有他的作品，算得上是藝術造詣的頂尖人物。

敗類的人物，天下無時無地，總是少不了的，只是作惡或多或少而已。在同鄉中的吳三桂，辭海註釋是「清遼東人」，那是爲高郵人遮羞的。我深深記得，中學讀商務版的中國歷史，明明說吳是江蘇高郵人。回家請教我的父親，他老頗爲詫異，詢我怎麼知道的，我就提出書本爲證。父親講到吳三桂死後，其孫返回高郵六安閘故里隱居，改姓孫氏，由於我父親曾在他家習過武功，較知底細。抗戰勝利後，我曾冒險穿越中共割據地區，得一機緣寄宿吳三桂的舊宅，看過抵擋大門的一把大關刀，據他後裔孫校長表示，這是他先祖唯一的遺物。另外、孫氏木主上的始祖，確實鐫著「始祖三桂公」字樣。孫氏在閒談中，不大情願提及曾經鎭守山海關的吳長白，就是引清兵入關的吳三桂，並且不願肯定乃是孫氏的先人。

抗戰期間的僞縣長王宜仲，軍閥時代任過軍需處長，因虧空公帑報病死亡，隱匿多年，竟在抗日戰爭期中，搖身一變做了漢奸。而他輕微中風，嘴巴有點歪斜，同鄉中有善文墨的，替他做了一幅絕對，「王一身不正行歪運，二世爲人作僞官」，旣諷刺、又幽默，算是趣談。尤甚的，王在縣衙撰貼春聯，是「中日一家，何分賓主；風雨同舟，共濟時報」，十足的賣身投靠，喪心病狂的奴才心理，於此表露無遺。

歷史上英雄好漢，留有事蹟在本邑的，其中最著名的莫如南宋岳飛，曾經屯軍三墩鎮，作楚州聲援，三戰三捷。城裡紹興三鉅公祠，祀岳飛、張浚、韓世忠，是代表高郵人士對忠良崇拜的一例。幼年我曾經在家中親眼看到從古井底下掘出的岳家軍飲水陶瓶四隻、盛菜大碗一個，可資佐證岳飛曾在我的故鄉抵抗金兵的史蹟，而且，當我參觀日本東京國立博物館時也看到同樣的藏品。

至於明嘉靖年間的倭寇騷擾，中日八年戰爭，清季咸豐太平軍、捻亂，以及中共的蹂躪，故鄉所遭遇的外患內憂的塗炭，相信不亞於歷朝的水災遺患。

故鄉的風俗習慣，或多或少，有的已經不合時宜。人情溫暖，忠厚傳家的美德，却是令人永遠的銘記在心。

談水色變，那是指洪水成災而言的。平素近之親之，也就養成性柔似水。小時讀啟蒙課本，有「山、水、田」三字，幷附插圖。稻田麥地，門外一看就是，平疇綠野無際無邊，而湖水河水，悠悠長流，只有山是什麼樣的形狀，高又到什麼程度，百思不得一解，等到我前去江南讀書，過縣境後得見隱隱青山，方有奧妙無窮的感覺。眞想不透故鄉的地勢那麼低窪，水源那麼充沛，因此、大王廟、親王廟、金龍四大王廟、河神廟、五龍祠，遍佈縣境的運東堤岸，其因在於：「此間揚楚脊，溢溢當堪驚，湖水多於地，河隄高出城」。尤其清水潭地最卑窪，隄常潰決，數十年來曾經湖河不分，縣官築隄無可合龍，躍水殉身始成。岸北有明洪武三年重建的五龍祠，捉水蛇奉祀，日夜香火祭拜不停，無不過希望水不溢隄，蒼生得救。吾邑龍王廟的衆多，誠是一大特色。並且，將龍說得神奇變化的程度，也超過任何的一個地方。

良善的設施，關係一個地方的風俗習慣很大，能夠根據需要爲廣大民間作想的，必將留給後世的無窮懷念。故鄉的高郵湖南北亘有九十里，東西廣有七十里，最稱深險。每値暴風，往來的舟楫，多患覆溺，乃設「救生船」，從事救溺的工作。另據需要幷有「務本堂」，供小民借錢謀業營生，但有「十不借」的規定。「當牛局」，是專供多天無力餵養有牛農家代蓄的。還有「義渡」、「義學」、「惜字社」、「義倉」、「育嬰堂」、「水龍局」、「養濟院」、「立貞堂」、「恤嫠會」、「攤皆局」等，都是民間爲救助平民的一種慈善事業。

每當洪水浸淫，決隄開壩，河田盡淹，居民漂弱，廬舍爲墟。大旱湖涸見底，疫厲橫行，民以食爲天的穀價騰貴，迫食草根、樹皮、石屑，無法苟活，就由「義倉」的積穀救災，採取「平糶」方式。更設「粥廠」，救濟無食的災黎，且有「施衣」、「施材」等等善擧，可是往事那堪追憶？當時、確是一種福祉利及大衆的措施。

習慣「早上皮包水，晚上水包皮」，實在就是早晨茶館，夜晚澡堂，來作爲生活上一種休閒活動，順便也可以解決人際上或商業上的諸種問題。茶館裡的乾拌乾絲、小籠包餃；俗說「一壺三點」，塡飽肚皮。尤以蟹黃包的皮薄汁多肉厚，正應「蓼紅蘆花白，秦郵紫蟹肥」的季節，人們大快朵頤，眞是口福非淺。澡堂沐浴，擦背捏脚，一榻鼾睡，人生至樂。所以、每一間澡堂的門對，恒書「邗江無二水，秦郵第一池」，大湯集黃淮湖江諸水。洗時則溫熱悉任君便。假如一天不進澡堂，總覺得是少做一件牽掛在心的大事，久之，由少到老，變做個人的習慣，也就成爲故鄉父老們的一種生活享受。女子浴室在城鎭，也曾經隨著時代應運而生，只是，沒有男性那麼普遍。飲用龍井、雨前清茶的，視爲日常嗜好之一，家家備有景德鎭燒製的精瓷壺杯，還題著「可以淸心」、「一片冰心」字樣，或是，畫著幾莖蘭竹，或繪菊花石頭陪襯。這種飲茶、進茶館、洗澡、進澡堂的生活習慣，實是人生一種清福。

少小離家老無回的我，留有故鄉的影子，那春來柳碧桃紅，夏至菱翠荷香，秋近蘆荻飛雪，冬臨蒼茫水天，無時無刻俱深植在我的腦海之中。而那南北孔道的運河，帆檣乘風急駛，五湖波白，輕舟盪漾，裡下河平原的流水、人家、板橋，也常常在我夜夢中重現。我正如昔人詩句所寫：

「片帆何處客，千里傍他鄉」。故鄉、故鄉，我將情歸何處？烟浮、水雲、寒霜、朝露，迷迷濛濛，多少總還有一點羈愁。

孩子們勸我，既然難以忘掉思鄉的情緒，何不大陸探親，一睹究竟？可是家破親散，鄉土殘缺，我想留一絲相思，勝過目擊傷悲！

故鄉看我是異客

童年，我在故鄉過著無牽無掛的農村生活，那盡是玩樂，不知世間還有什麼叫艱難。童年，在人生歷程中最是短暫的，而令人難以忘懷的，也就在童年那段時光。如今，童年往事依然歷歷在目，實際距離目前卻已是非常的遙遠。

我的童年，是由許多故事累積而成。談到這些，不能不提及我的成長背景，相信許多人的童年遭遇，都與成長背景有著不可分離的影響。

埋藏我那胎衣的地點，是一個破落的農村小莊，曾經兵禍、匪亂、水災，鬧得沒有一天安寧。僅有百戶人家，聚族而居，祠堂和廟宇，成爲人們精神寄託的中心。由於距離縣城有一百一十華里，而且，河流縱橫形成水網地帶，是邊鄉又是僻壤，家鄉的「五河一集」，是使得外方人士談虎色變的所在——認爲是盜賊橫行，無法無天。其實並不盡然，居住在那兒的，絕大多數都是善良的農民。

我的始祖昆仲三人，是明初朱洪武擊敗張士誠後被貶稱「頑民」趕出蘇州遷來的老大。原先住於婺源、杭州。歷代祖先有進士，有官任御史，也有出征貴州永無消息的。五世祖到十一世祖，移居揚州，因此，有些祖墳並未落葬家鄉的附近。至於我的家，到我祖父才從鄰近的董家河搬到莊南來，那是佔地很廣的「四合頭」，外加「櫬房」的住宅，我就出生在這一座宅子裡的正屋東房。

父親四十歲生我，母親剛剛三十，當時在年齡上算是相當懸殊的，因爲是續弦的關係。二位伯父各自獨立門戶，他們都有兒女。由於婚姻不滿意，都是死於非命，並且，大伯母另嫁，有時偶爾回來探望。據說，二伯嫌棄二伯母的天然大足，姘上一個嬌小細脚女人，攪得家庭失和。我的父親個性倔强，爲人俠義熱忱，前母和父親是表姊妹結婚，照常理說，親上加親，何況是對門居住，從小就該是青梅竹馬的至友，那知婚後生女又告夭折，兩人的情感猶如冰炭，不幸的，前母竟然吞服鴉片身亡。這一下事情可大了，外婆家人興師問罪，大動干戈，尤以嫁給黃家的大姨母更是兇悍，將死者抱起，扶牆摸壁，參拜四方，在鄉間迷信，這樣要使得全戶家破人亡，誰料到竟然應驗，但却到了民國三十八年，中共竊國，逼得我們家破人亡。其實這種迷信巧合，算是牽强附會。

父親幼年失怙，及長又死兄喪妻，遭遇到人間至慘境地，他前清的功名，祇是一名武秀才，考舉人時，就因雙親去世而中輟。後來，他投效有湘軍底子的部隊，不久長假賦歸，雖然結識很多江湖好漢，其中也有綠林豪傑。民國肇造，朋友都已經成爲「統領」、「督軍」，父親卻仍是一個務農兼經商的小民。

母親有柔和忍耐的個性，非常良善慈愛，出生在一個忠厚傳家的商人家庭。她纏足又肥胖，一心一意料理孩子和操勞家務，任何事情都不敢和父親有所爭執，平常也無一點消遣和享受。孩子病了，父親會責怪她，孩子頑皮，父親也責怪她的不管不教，有時父親發脾氣的時候，罵之不足，繼之揮以老拳，母親祇有哭，我們這些小孩祇有跟著流淚。

素以威嚴著稱的父親，有著軍人的儀態，他對家庭具有無上責任感，對我們這些兒女愛護有加，可是很少形之於色。等到我體會到的時候，已經遲了，永遠的遲了。

小時的我，不是一個挺健康的孩子，三天兩朝就鬧病。這時的家庭漸入佳境，祇要父親在家，都由他親自伴我乘船到鎮上王小兒科去求診，除去吃藥，他還從外地買回葡萄乾、驅蟲糕、煉乳、西洋參來補我的身體，偶爾也會抱抱我，當然沒有像母親那樣，一天到晚的背著我，還得一邊做著家事。父親對我狼吞虎嚥的吃法，或又跳又蹦的走路，管得很厲害。家裡誰也不敢和他同席進餐，唯一夠資格的祇有我，但總是戰戰兢兢的，那與母親共餐時的迥然不同。

父親常常出門，有時朝山進香，到九華山、茅山；做生意到上海、無錫。他不在家，我們可以造反，可以戴著父親的黃頂官帽，舞槍弄棒，唱叫笑跳，桌上翻上翻下，樂不可支。父親一回家，大家都成了一群小老鼠四處走散。但是，他又會帶回來黑皮的香蕉，以及木竹材料做的喇叭、惠山阿福、西洋瓷燒娃娃，每人有份，所以，我們又喜歡父親回家，也喜歡父親出門，當時當然不會想到這是爲著甚麼？

我五歲入學，進堂兄教的私塾。我從方字塊開始，以後讀三字經、百家姓，還讀學校教科書的「人、刀、尺、手、足」課本，當時，我和二姊同學，兩人間處得非常不融洽，時常爭吵，堂哥在私塾地上硬是劃一道線，姊坐西，我坐東，互不往來，互不侵犯。後來堂哥考進師範，我就換了老師，二姊也進城讀梁逸灣女子小學，從此各自西東。

在我啟蒙的老師，我最敬畏我的堂哥，他認眞，講解透徹，管教嚴格。以後幾位老師，不是荒誕不經，就是不務正業。另一位是白髮蒼蒼的老秀才，一生就以教書爲業，學生都是一些近乎成年的大學長，祇有我和他唯一的孫子，算是小蘿蔔頭。

讀書我不畏難，管教我並不怕，我還有一個長處，從不遲到早退，也從來不請假，不僅晴陰不計，風雨落雪，我照常準時上學。記得有一次，忽然眼睛腫得像是兩隻毛桃，母親要我在家休息，我在家就是待不住，還是偸偸的走去私塾。以前讀私塾，一早先大聲背書，從頭到尾，滾瓜溜熟，講授過生書，在位置上要不斷地朗誦，還得練習大楷小楷，甚至破題作文、作對、作詩。出去大小便，還得輪流取用「出」「入」木牌，我是規規矩矩出去，規規矩矩回來，從不投機取巧，藉故在外透透氣，或是買零食。因此，我的學業成績不惡，老師認爲是一個「成者爲王，敗則爲寇」的可造之材。其實，祇有老師在的時候，我才比較文靜，其他的時間，也很頑皮，類如用筆管製造紙槍，用墨汁在手上紋痣，用修脚刀在桌上、磚瓦上刻字，在課本上捉對，在抽屜內飼養洋老鼠、小烏龜，甚至也養過小的水蛇。老師不在家，學生就更快活，農忙、年假，每次放學以後，那是有得玩的。許多孩子跟著我走，直到黃昏，甚至樂以忘飢，總是被家人到處呼喚才遲遲趕回家門。

本來農村除非廟會、新年，很少有娛樂的享受。我們自然有辦法就地找尋玩樂的機會。有時，群力推動石頭，放在大墓的頂端，想眼看它飛馳下來引以爲樂，不意衝偏了方向，砸壞人家園邊的毛缸，結果賠償了事。有時，成群結對，與鄰村兒童對壘，以繩繫蝦蟆作爲侵襲武器，或在頹垣廢園中撿拾瓦塊，用來拋擲，竟然禍及到人家野外晚餐的鍋碗粥盆，由於這是一次自衞行動，父親不僅沒有責罰我的帶頭，反而怒斥鄰村兒童家長們未善管教，私底下母親却向對方說了好話，並且賠了買碗買盞的錢財，還勸誡我不許再惹事生非。

童年無知，專門以捉弄有殘疾的人取樂。我們誤導瞎子一步步跨進水塘，惹得瞎子連喊帶罵，拖著滿脚的泥水。觸怒被鐵鍊鎖著脛部的瘋子，追趕我們四散奔逃，他追不上祇有伏在地上亂罵一頓，我們還向他扮著鬼臉。有的傻小子更是我們逗的對象，嗾教他去搗黃蜂的窩，蜂窩是搗爛了，群蜂追著傻子叮著不放，痛得傻子哇哇大叫。有時牽著傻子過獨木橋，等到走近橋中，牽的人一溜烟的跑了，讓那走路搖搖晃晃的傻子進退維谷，祇有爬著通過那二棵樹材搭成的木橋。

月亮皎潔的秋天，正是新穀登場，夜晚的村道不斷行人經過，這時天氣不冷也不熱，我們找到蘿筐翻倒在地，一個人藏身其中，等有單身孩子走過，將那蘿筐不斷翕動，嚇得膽小的掉頭狂奔而去。

在國民革命軍北伐以前，留有髮辮的男子還是很不少，在我們小心眼裡看來，不男不女的，實在不大順眼。我們的惡作劇，是趁喜宴酒酣耳熱的當兒，偷偷地將兩個人的辮尾結在一道，等到席終人散，彼此相互一拉。方始發現是怎麼一回事，這時跟大人來參加喜宴的孩子很多，誰也無法認定到底是誰幹的，祇有自己嘀嘀咕咕解開結兒分道離去。

農村三月，桃紅柳綠，磨坊的驢子放在野地啃青，羊兒也是如此的享受嫩草的滋養。我們這群放學返家的頑童，正逮著難得的良機，膽大的就去騎驢。別看小小毛驢，脾性却執拗難馴，先得抹抹毛，表示友善，然後一人按頭，一人跨騎上去，驢兒一蹶一跳，或是緊擦牆壁，逼得騎在驢背的人摔下地來，驢兒却一溜烟似的逃回了磨坊。如果遇到吃草的羊兒，我們一人攀角，一人抓腿，把牠按捺在地，用瓦片蓋在羊的眼上，一邊口唱著羊咩咩，天塌下來啦，地塌下來啦！」連續地朗誦，羊兒就動也不動地躺著，久久不敢翻身起立。

放風箏，是清明時節的活動，免不了在人家田裡奔來跑去，遭殃的便是剛剛萌芽的麥苗，這可惱火了種莊稼的人，向老師告狀，免不了有的罰跪，有的挨手心，當然，我有過這樣的紀錄。

爬樹也是童年的絕技，捉鳥捕蟬、摘果，弄得鄰舍發出怨言，制止不聽，甚至有的人家，乾脆鋸倒果樹，免除來年的禍患。也有綁著帶刺的蒺藜，甚或塗著爛泥混著大便，來對付我們這些頑童，藉作無言的抗議。

處處設限，逼得我們這一群孩子，幾乎在村前村後沒有用武之地。秋冬就朝向墓地發展，捉刺蝟、野兔、黃鼠狼，所捉都是一些幼小的，實在也很難養活。有時竟然侵犯到暴露棺外的骷髏。有時會在墓地裡燃起一把無情火，覺得非常的新奇刺激，尤其在向晚的黃昏，行人寥落的僻野。

夏天，我們一群就往水裡討生活了。魚米之鄉到處有河流，到處有水族。田裡捉螃蟹及黃鱔、塘裡釣魚、河邊摸蝦，絕對不會讓你空手而歸，有時偶爾會捉到水蛇，它沒有毒，祇覺得冷冰冰的，拿在手裡不是味道。

農村的孩子，現代智識領悟的機會較稀，生活體驗的事物也遠非城市的兒童可比。遼濶的原野大地，任憑悠遊，在我的童年來說，自由自在，無拘無束，充滿快樂。

十一歲那年，我擺脫私塾就讀的生活。第二年初的春天，跟隨我的堂哥到韓家莊住校，又由堂哥來負起我的管與教的責任。這時，堂哥是距離我家十二華里的初級小學校長，我揷班讀的是三年級，堂哥督課很嚴，不准我隨便回家，因此，我的功課還算不賴，他特別每晚爲我補習國文和算術，還讀孟子。

童年由此宣告結束，也就是故鄉將我當做異客的開端。如今，河山變色，留有我童年甜美夢痕的家園與故宅，早已非我所有。難忘的童年生活，僅能在夢中重現。

最滿意的決定

如果說，人生是一條曲折而崎嶇的路，在我看來，它非常的譬喻適切。這似長實短的路途，有時不由得你不走，有時不容你考慮和猶疑。而我自己所選擇的路，算是顛沛流離，艱辛危殆，雖談不上是多彩多姿，却也是歷練異常的豐碩，算來人生絲毫沒有虛度。

對日抗戰的初期，在東南沿海的淞滬會戰失利，接着就是南京的棄守。我那時剛從江蘇省立醫政學院畢業不久，奉派參與蘇北黑熱病的防治工作，由於學院大門有著「醫國醫民」四個金字，帶病延年的陳果夫先生兼任院長，讓我敬佩　國父孫中山先生「藉國術作為入世之媒」的偉大行徑，又體念果夫先生身體力行的多做少說德操，從此捨棄我幼稚而膚淺的幻想，眞實的，深入生活極不習慣的蘇北宿遷縣東北方的農村，單人獨騎，經常穿梭在難見人烟的青紗帳裡奔馳，好在大興集、曹家集、仰化集、洋河鎭的集期，替貧苦的農家男女診治醫療，踏實我服務的宗旨。每當日落將近黃昏，我會一個人逍遙在六塘河的沙岸，癡癡望著淺淺清澈流水緩緩逝去，也看著條條垂楊隨著晚風搖曳不止。如此單調的鄉野生涯，憑著堅持讓我愉快地過著，其實，我又何嘗不思念江南的繁華似錦、秀水青山？

戰局的轉移，領著我們的隊長錢老師，接受五十六後方醫院的醫務主任聘約，帶著我和同學陳采明，還有一位當地地主馬君，雇著一條民船，揚帆北上，經過窰灣終於運河站，那是隴海鐵路的必經的地方，俗名大楡樹，江蘇省立運河師範設校在此，臨近臺兒莊。

我們好不容易擠搭去徐州的一列車。散兵、難民，還有一些傷患，在擁塞車廂裡幾乎動彈不得，車頂上坐滿逃難的旅客，老的、小的，男男、女女，帶著自己的行李，就在飢寒交迫，毫無方便的情況下，由鄭州轉向武漢。當到漢口下車時，我就丟了一隻皮箱，那是多年心血的手稿和剪報，甚至，我的純毛圍巾和皮手套爲著照料別人而不知何時丟失。

漢口的熱鬧，縱或不如上海、南京，江浙人士的紛紛密集，街頭巷尾到處皆是人群，青年男女更是滿眼皆見。我們的錢老師走馬上任，發表我和采明都是上尉醫官，幫助他的醫療業務。老馬補進警備司令部做郭司令的衞士。我當時在想，絕非逃難來到漢口的，應該直接和日寇拼鬬，才不辜負罷課鬧學潮的高中學生時代一段荒唐。首先考慮的，就是如何接受軍事教育，然後走上火線，後方工作該留給別人去做。一天，我搭輪渡過江去武昌，巧遇一位樸實無華的小姐，穿著灰布旗袍，黑鞋，那不施脂粉的臉蛋，有著健康的紅潤，活似秋波的一雙烏溜溜的媚眼，明眸耀人，薄薄嘴唇已是象徵她的能言善道，無聲互睇的刹那，她似有話欲說，由搭訕而交言，給我知道她是輔仁大學四年級的學生，一口京片子，悅耳動聽，我也告訴她來到武漢，旨在學習軍事。彼此印象既好，越談話越投機，走出碼頭隨我拾級步入黃鶴樓。我倆各泡一杯茶，面對滾滾東流的長江侃侃而談，她在言辭表達上，確實鋒頭很健，分析中日戰爭情勢滔滔不絕，談著、談著，她帶著感情和期求的態度，希望我去延安進抗大，她說：「我們兩個人一同學習，一同抗日，永不分手。」我很冷靜笑著對她說：「天下無不散的筵席，就算你這一想法能夠如願，萬一，我先陣亡，或妳陣亡，依舊要分開的。」

她挑不動我的情感，就帶著理性的講：「延安是眞正抗日的所在，有志青年應該到那裡學習抗日本領，抗日大學的名聲比什麼大學都來得前進。」

我謝謝她的一番美意。告訴她「人生何處不相逢，「相逢何必曾相識」，動亂的時代，人生恍如浮雲，又似浮萍。她聽著好像有幾分感觸，只是雙眼緊緊盯著我看，默默無言。最後，我鄭重的重述爲著打日本才來武漢，必須做蔣委員長的學生，其它概不考慮，何況甚麼「抗大」？

話不投機，臨別說聲「後會有期」，與她握一握手。

她淒然一笑：「後會無期」。她的手掌熱熱的緊握我的手。似乎，她深深體會到，道不相同的人，是永遠不必再會的。

其實，後會有期是一句社交的習慣語，別而復見的並不很多，尤其抗戰期間從軍的青年男女。鐵的意志。動搖兩字，不會從我內心出現，我充滿信心，作了最滿意的決定，考進「抗日軍團」，成了一個軍事學校的學生，從此，一個文質彬彬的老百姓，一變成爲赳赳武夫。一身二尺半，一個大光頭，腰束小皮帶，脚着麻草鞋，由珞珈山的武漢大學的校舍，遷入左旗營房，講堂、操場，野外、行軍，入伍期滿分科，俱過着艱苦的軍人緊張日子，從未有絲毫的怨言。

那時的武漢，雖然聽不到敵我雙方發射出的炮聲，日本空襲幾乎是無日無之。我神勇的空軍健兒，在蘇俄志願空軍配合作戰下，空戰與轟炸，分在武漢的上空與地面都有令人驚駭的紀錄。民國廿七年春天，劉桂丹、陳懷民的壯烈犧牲，是被疏散在洪山樹林裡的我們親目所睹，這些青年勇士們奮不顧身，爲現代史留下不朽的章節。日機轟炸武漢平民的慘狀，增强我對日本軍閥暴行的仇恨。記得有一次，我伏在蛇山北端的側面，眼看十八架大編隊的日機，由賓陽觀的低空飛掠經過，投下炸彈嘯聲，落地的隆隆聲，屋塌後的硝烟火勢彌漫山前山後，還有高射炮彈着的烟圈，逗留在恐怖的空際，使得武漢變做一個受敵宰割的屠場。空襲警報解除後，滅火救傷已夠忙碌，被炸死的殘肢紛陳和婦孺們發出無助的呼嚎，令人久久難忘。回營看到被炸死去的同學屍體，更是傷心悲痛。

畢業後分發部隊，在南潯前線，在長沙，在隨棗，日以繼夜的奔波，無論陰晴雨雪，跋涉山川，宿營席地坐臥。有時急行軍趕往前線，疲憊得舉足就像是爬坡，休息時頓會呼呼大睡，仍得振奮起精神，相與士兵同受辛苦，領帶着荷鎗實彈的弟兄們趕到預定目的地，遇到霪雨連朝久不放晴，全身透濕，而道路的泥濘，一滑就得摔上一跤，幾乎成了一個濕淋淋的泥人。很少洗澡，很少換衣，加之，伙食更是粗糙不堪，軍中流行的瘧疾、疥瘡、夜盲、潰瘍，不斷侵染這來自豫皖一帶的士兵身上。官兵人人都生蝨子，戲稱「抗戰蟲」，閒來捉蝨，倒是戰鬪以外另一場搏鬪。更妙的，嗜賭成性的少數頑劣，竟然用以比賽作爲賭具的，這是嗜賭成性的士兵另一種發洩情緒方式。

在陸軍部隊，輾轉鄂、豫、湘、桂、贛省之間，歷千山，涉萬水。後來又奉派遣潛入敵後，三個月的備嘗辛勞險阻，暫時告一段落。我曾經撰寫一篇重慶歸來的二萬餘字長稿，由對開的「戰報」分日闢欄專載，給敵後人士了然後方概況。

隨着國軍活躍於長江三角洲的沼澤地帶，眼看日本軍閥統率的日軍和汪逆的僞軍殘暴橫行，殺人、放火，以及姦淫擄掠，廬舍成墟。藉機擴張勢力的中共部隊，由其華中局及江北指揮部的掌握，遂行毛酋的「七分發展，二分應付，一分抗日」的策略，國共大規模衝突，始於黃橋血戰，我剛到敵後未及親睹，而在興化我曾參加國軍陣亡的軍長李守維將軍喪禮，聆聽有喪士氣的悲歌─仿「秋水伊人」的曲調，據說是作家葛賢寧的手筆。顧錫九將軍在曹甸大破共酋陳毅的激戰，總算一雪黃橋戰敗之恥，是蘇北國軍能夠繼續堅守到民國三十二年春天的造因，終於在敵寇、汪僞、共軍三種勢力壓迫之下，撤到平漢沿線。爲此，我流徙在皖豫兩省的地土，也在淮南各縣駐留，從事我的任務，直到日本投降。

由於最初一個決定，使我服務軍旅整整卅個年頭，既改變我以醫濟世的初衷，更由敵前到敵後，抗日反共成爲我的人生指標，抗日已勝，反共尚待努力，我一定要貫徹我的主張到底。

我愛讀的副刊

從新聞學觀點探討，無論是理論或實際，在報紙限張的情況下，新聞處理與副刊編排，都該並駕齊驅，相輔相成，竭盡其可讀性，不失偏頗來爲讀者服務。

「晨鐘」副刋的創始，爲時僅有三年，它能與歷史悠久的中央副刋，同樣在篇幅有限的中央日報版面上出現，相信是經過長久考慮，方有如此傑出的決定，當然是中央日報力求進步的具體表現之一。而在廣大讀者親身體驗所得，中央日報除開在翔實、迅捷的新聞消息以外，滋潤性靈與陶冶身心的副刋面世，也是讀者每日企求的願望。「晨鐘」之所以受到讀者歡迎與重視，當非偶然，負責編輯人員有理想，有抱負，有睿智，有學問，更具有虛懷與曠達的胸襟，另外，慧眼識篇章，以及編排技巧的運用，尤能收到相得益彰的成效。

新聞取捨在事實，副刋文字在內容。事實報導靠標題，文字內容還在敍述與修辭的妥切，其間編輯的難易，不言可知。以我一得之見，編副刋有時要比編新聞更是艱苦備嘗。

「晨鐘」在海外讀者的看法，中央日報國際航空版，只見中央副刋，却不見「晨鐘」副刋，未免遺憾。爲了滿足海外讀者的渴望，能否精選兩者的文稿，使之綜合混編爲一，既醒耳目，又可多省得再訂國內版，費錢費時，至於編與印的問題，只要在技術上能夠克服困難，相信此事的實現幷不太難。國內讀者喜愛中副，又添生力軍的「晨鐘」，但希望「晨鐘」無日無之，不令間斷，不令縮減批數。

「晨鐘」在文學領域中，表現文藝的優越性，廣泛性、康健性，無神奇怪誕，也沒有無病呻吟，朗朗乾坤，充滿喜樂，充滿希望，也充滿人生便是奮鬥的實踐。使社會的生存，人類生命的歷程，生活空間的千姿百態，活躍在每一位讀者的眼前，喚起生的意志與內心共鳴。

我們經常看到「晨鐘」的旅遊探勝，往事憶舊，家庭樂趣，醫藥常識，職業甘苦、新書評介……文字無不優美實在，言之有物，幷且富有濃郁的情感與適度理性，平平穩穩，不過分誇張，也沒有矜持，味永有如在嚼橄欖。

文稿長短，在「晨鐘」取稿用捨上，也是編輯處理上一項問題。一般常情來論，精闢短俏，易於瀏覽，在長篇上最好分題續載，不要注入上下，或是五分之四、三、二、一，如果一天刋完，文長不超過二千四百字；至於例外的，也不能說絕無僅有，那要端視內容精采，少一字欠完整，多一字嫌嚕嗦，這就要看編輯的法眼判斷與抉擇了。

版面美化，見仁見智，基本原則，不使支離，不使分割，篇篇能有完整性，便於詳讀，便於剪貼收藏。刋頭變換，鉛線多姿，標題字體的粗細，或楷或行，視文採用。角花可收綠葉紅花的美趣，不妨試行。作者大名，假如用其原稿簽署的，相信有時會引起讀者的注目與重視。

「晨鐘」校對工作，無懈可擊。作者當然要書寫清晰，標點分明，若是塗改太多，在排校上無異增添手民的額外麻煩。

插圖與攝影照片，在顯示文稿內容聲勢方面，似乎也不可缺，宜少、宜好，它和撰稿一樣要愼重從事。

欣逢「晨鐘」創刊已三易寒暑。有說：三年有成。正如晨曦初萌，遠天透露魚肚的青白。也似深山幽居，嘹亮的鐘聲，盪漾空際，發人深省。相信美好的日子，該是今朝。我爲晨鐘壽，也爲讀者賀。有此淸晨響亮的廟院鐘聲，醒我頭腦，淨我心靈，愉我精神，振我情懷！福我不薄！

（民國七十三年八月在夏威夷）

老兵話舊說當年

高天與厚地，悠悠人生路；
行行向何方，轉眼卽長暮。

向前展望，人生是一條漫漫的長途。回顧往昔，人生却又是飄忽而且短暫。岳飛有句：「三十功名塵與土，八千里路雲和月」。前塵影事，雪泥鴻爪；悲歡離合，否泰窮通，這也是個我的人生寫照。

一、一葉扁舟

江山遮斷，路途阻隔，欲越仙霞嶺而無由，流落荒村終非長計；肩挑行李，長女負著幼弟，帶同妻小，跋涉奔波，折回杭州、上海。初擬穿越江西，路過湖南再到廣州的理想，在危難重重中，無法實現，逗留上海也非久戀之鄉，走，怎麼走？時時縈迴腦際。終於端陽節後，得友好通知，在始曉的時辰，由十六舖搭上木船，揚帆橫渡，沿黃浦江，越吳淞口，接近浦東海岸南行。顧不得飢餓口渴，那管餐風露宿，脫離魔窟，於願已足。妻離子散，家破人亡，海上波濤洶湧，前途正是茫茫，唯一只靠信心；絕處逢生，該不是一種迷信，更非是一種幻想。當我們一群二十餘人所乘的一條帆船，在汪洋海上前駛的時候，嵊泗列島海面發現一個黑點，從小變大，自遠而近，五帆大船，繞圈疾行，機關鎗連續向我們這一葉孤舟掃射，吱吱作響，嚇得船伕驚慌失措，不知如何是好。這一船上的旅客，相信都是清一色的失散軍人，聞變匍伏，表現一種訓練有素的自衞本能，這些手無寸鐵的「敢死之士」，成了「英雄無用武之地」。我大聲喊叫掌舵的落帆等候檢查，帆落船停，大家成了待宰的羔羊。無懼也無畏，靠著自己的一股蠻勁，靜觀變化，同時要大家藏好隨身帶的一點銀元和金戒，讓其它衣物儘量的露出來，等大船靠近，小舢板上幾個持衝鋒鎗的似兵似寇，跳到我們船上，爲首的又黑又麻，殺氣沖天，凶悪猙獰，先用脚踢，又用鎗托亂揮。我問他「番號」和「目的」，大概他聽到我講的江蘇話，對他又很客氣，不斷的稱他「班長」，送他一條香煙，這時他才稍稍收斂一些。對話中得知是江蘇人率領的海上游擊部隊，此來目的就是藉檢查爲名，想括一點油水，結果得到一批香煙離船而去，我們也就再度揚帆。大海飄舟，任其所之，命運掌握在使舵者的手中。

船到舟山群島的秀山，算是終點，日落漸近黃昏，歸宿何處？徬徨無依。巧遇一位抗戰期間在江蘇省訓練團第二期的學員，當時我任訓導員，刼後重逢孤島，眞是如晤親人。正好他是率兵催糧路過，承他陪我在古寺裡共進晚餐，粗茶淡飯，勝過佳肴，幷囑咐住持僧准我在戲臺上留宿一宵，他則別有公務率兵離去。這一夜的地舖，睡得很甜，惜乎衣單衾薄，習習海風透著幾分涼意，醒來明月在天，孑然一身，亡命異鄉，人生聚聚無端，內心含有幾許悽涼況味。想著軍人生活本極簡單，日求三餐，夜求一宿，有人肯賞飯，有人肯留宿，而且有屋可資聊蔽風雨，在艱難困苦中，得到別人一點同情，甚或一點照顧，眞是沒齒不能忘懷的感激與銘謝。因此，終生難忘一些曾經幫助過我，或是周濟過我的朋友！

二、定海苦等

秀山與定海本島一水之隔，但是欲濟無樑。小小島上看到紛紛從上海逃過來的難民和失散的軍人，都是痛恨共軍到極點的，其中也遇着一些熟人。大難來時各自飛，有的瞬卽買舟渡海，有的等待定期渡船，過了海峽，彼岸便是定海。駐守的浙江保安部隊，看到沒有上海身份證的，無疑俱是軍人，毫不客氣的盤查以後，便押解他去，大概收容用來補充兵源。幸好，我有一紙身分證，正在問東問西，忽然一位陸軍少校向我敬個禮，我一怔，再一看是老友的三弟，他是另一保安團的營指。雖然告訴負責檢查的連長我和他有朋友之誼，可是這位浙江籍的老連長，既不表示讓我就走，也不派兵看押，介紹我住進一家「未晚先投宿，雞鳴早看天」的海陬荒飯舖，供給食宿，加倍收費。這樣磨折五天，不是昏睡，就到海灘捉蟹消遣。眼看來了一批旅客，又走一批旅客，這時，我也不客氣地隨衆翻山越嶺，行行重行行，進入由海軍陸戰隊駐守的定海小城。

若是平時，舟山群島眞是一個世外桃源，定海雖然城小人稀，目前逃難人多，駐軍部隊增加，熙熙攘攘，平添不少熱鬧。我和幾位朋友，租住南門外一家民宅，天天喝老酒，稍慰客中枯寂，另外，就是踏著定海城裡青石板舖的街道，東蕩西逛，乏善可陳。唯一的、耐性等待入臺證。期待又期待的日子裡，遇到很多很多的熟人，有同學，有同事，也有朋友，甚至也有在抗戰與戡亂期間曾經共過患難的。自共軍衝破長江天塹，京滬杭相繼棄守，人與人間的往還，多少蒙著驚魂甫定的薄幕，彼此都失去信任，眞使人有著「相交滿天下，知音有幾人」的感觸。同住的先後去臺，守候的也不乏其人。幸好我曾在三十五年春天到臺，三十六年離臺的這段期間，戶籍一直在台北市大安區，獲致至友錢塘江的協助，辦好入臺手續。可是船期無定，心中眞是焦急，當等我看到遠山似黛的臺灣，欣喜得幾乎熱淚盈眶。皇天不負苦心人，我又回到臺灣—反共的復興基地，開始我又一度新的生命。

三、一家五口一張床

我離臺灣短短二年，像是有二個世紀的暌違。一切的一切，景物似舊，館前街兩旁椰樹如前的迎風飄動，深夜聽著賣熱粽的呼叫和盲者企求有人按摩的嗚咽笛音，但是，人事變動很大，我像是一個鄉巴佬進入陌生的城市。食宿錢家，并沒有解決我的問題。我天天找人謀事，跑累了就到中華日報採訪部看報歇脚，順便和一些早就相識的記者們聊天。一度要到軍官團報到，那時在山崎營房，縱或問題粗告解決，即將由滬經舟山來到臺灣的妻小，他們的生活又怎麼依靠？分發我到東南長官公署政訓處任少校參謀，我認為從大陸退到臺灣就降低一階，實在心有不甘，回陸軍的念頭就此罷休。我相信只要有適合我的工作，絕對可以勝任的。前在臺北時，我曾經任過臺灣行政長官公署宣傳委員會專員，主管新聞發佈和圖書雜誌審查。我也曾任重慶掃蕩報總社特派記者，深入魯蘇戰區採訪多年。以及臺灣新生報南京特派員，軍事新聞通訊社蘇北特派員；江蘇第一綏靖區綏靖日報副社長兼總編輯，由南通遷移蘇州，爲著李宗仁和談更名正義日報，獨力支撐，直至共軍渡江以後的三月二十二日始行停刊。有這些資歷，我想找一個搖筆桿的職位，在理論上應該是沒有問題的。當時，雖然我的親戚黎先生已經脫離新生報，但編採兩部還有不少熟人，正好新竹有一個記者出缺，輾轉拜託中央宣傳部部長任卓宣先生親筆介紹，事實仍被否定了。社長還算是我受新聞專業訓練的講師，理應稍予關顧的，結果消息杳然，我在謀職方面處處落空。人情的冷暖，世態的炎涼，既往我向不重視社會上有這些現象，恕我無知，這種求人謀事的滋味，在閒居臺北的二個月當中，算是嘗遍了。生存是人的本能，當時臺北方型內幕雜誌，雨後春筍的蓬勃，只有投稿賺點稿費，來解決我的阮囊羞澀。

我妻湖南人，具有軍人的堅强性格。她携著長次兩女，和一個不足六個月大的長男，在友好派人帶領下，上海到無錫，轉道江陰，搭船順水而下，折向南行到達沈家門，才改換海輪安抵基隆，歷經波濤艱險，受盡共幹揶揄，憑著萬里尋夫的滿腔信念，我們結褵九年的恩愛夫妻，雖然聚中有分，分又復聚，冥冥註定著我們不會分離。

大陸原有的家，早經破碎。父母未克奉養，兄弟姊妹各自離散。我的這個小家庭，子女稚幼，臺北先前的寓所已是「鵲巢鳩居」，找一個棲息的窩，成爲刻不容緩的事。錢君岳家人口衆多，本非久居之地，幸好鄉弟李育庠配到四四新村眷舍，夫婦慷慨念舊，聽說我的妻兒脫險歸來，特地將他的廚房讓給我們成爲一個新家。大小不及四坪，一家五口一張竹床，無凳無桌，所幸身無長物，兩袖清風，落得輕鬆自在。如此情景，我們夫婦幷未牛衣對泣，能夠逃脫魔掌，就是勝利。一切從頭幹起，始終不改其樂。這時三十八年中秋已過，我在空軍總部工作，二女就讀空小，姊妹互相輔佐，有時步行到校，妻則獨自照顧幼兒。直到三十九年二月，方始遷住新北投溫泉路眷村，均賴交通車上班上學，一讀二年級，一讀一年級。從此，曾經讀過四個小學的孩子們，如今才算安定下來。

四、空軍新聞官

天無絕人之路，除非你是自甘墮落。空總爲著報導戰訊，便於聯絡新聞機構。總司令周至柔將軍，特在政治部增設新聞課，課長聘請原上海新聞報駐北平記者曹旭東擔任，新聞官一人，經錢君介紹我給曹，再加推荐任職的。初入空軍待遇好，福利多，服裝漂亮，空中飛機來去，生活很是安定。簡若素中將任政治部主任，黃埔四期畢業，曾佐戴雨農創辦浙江警校，卓著功勛。政戰部看過我的履歷，看過我寫的文稿，和我談過很多次的話，對我已經有個瞭解；而分類任職是人事署的權責。繳交自傳，經過測驗，最後人事分類官倒希望我仍舊保持陸階中校，我以爲既入空軍，仍穿一套草綠軍服和空軍官階人員打交道，在形式上和精神上難以一致，索性改敘空階，乾脆俐落；至於前途發展，我是從未想到的。於是我就成了一位上尉三級的新聞官，最初三個月只是八成薪，開始我的空軍生涯。

空軍新聞官，和在大陸時期政訓機構改稱新聞處的新聞官執掌大不相同。空軍新聞官是名符其實的從事新聞工作的。空軍這三十年來，一直有新聞官的編制，就連我的長女畢業政工幹校十期新聞系，也曾在空軍幹過四年新聞官。我這新聞官的資格，在空軍來說，由我算起第一任，是絕對沒有懷疑的，此一制度的建立，仿自美國空軍。

我跟著曹旭東先生工作。他的中英文根基良好，寫作俱佳，為人謙和，愛護部屬，兩人合作非常圓滿，始終是我敬佩的良師益友。發電訊，撰發新聞稿，寫作專輯報導，都承他指導鼓勵，總算在穩當中盡其報導職責。因為我是軍校畢業，歷經戰陣，具有膽識。當時空軍前哨，在定海，海南，金門。尤其海南撤退以後的定海，一方面趕建岱山機場，一方面空軍不斷出擊上海和京滬、滬杭兩綫要點，定海機場駐有T6，有時也駐P51野馬戰鬪機，空運機往返是經常不斷的。機場設有空軍定海指揮部，先是賴遜岩，後有安錫九，更有董明德，毛瀛初親臨坐鎭，有時老虎將軍副總司令王叔銘也是定海常客。

機場作業單位很多，眞是麻雀雖小，五臟俱全，場站、修護、通信、氣象、警衞、防砲。幕僚單位有參二、參三、參四，就是缺少政戰人員。於是，我一個月在臺北，一個月在定海，除去新聞工作，就是負責協調陸、海軍的政戰機構和民事工作。

我是一個好動又好忙碌的一個人。在定海的日子，經常隨同具有豐富作戰經驗的飛行教官們乘坐T6飛機，翺翔在藍天白雲下，濶海綠野間，眞是一段多彩多姿，富有刺激驚險的生活。抗戰既起，我就投身民族戰爭的洪流，長江以南有十二個省區都曾留有我的脚印，旨在貢獻一已的微力，爭取最後的勝利。及之到了敵後，在日寇，僞軍，共軍環伺下，隱蔽的戰鬪，甚於堂堂之陣，在驚險之餘，年青人的心目中仍夠刺激的。日寇宣佈無條件投降的那一天，我正在一個運河之濱的危城之中，從此由拒外而防內，那種與共軍生死搏鬪，等到我瞑目大去以前的瞬間，我也不會忘懷。其間也有一年半在臺任職，終於我又返回大陸重著戎裝。反共鬪爭，是一項長期的，多變的，有賴智慧，精神、信心、毅力的明爭暗鬥，不能氣餒，不能妥協，更不能爲它的虛象所眩惑。

定海駐守期間，有一些令人難以忘懷的事。一次我隨乘T 6巡航，在六橫島遭受匪軍防空砲火猛烈攻擊，彈片硝煙，逼得飛機搖擺不已，我們用機砲炸彈還擊後飛返機場，發現座艙，機翼留下很多彈痕，還有一顆子彈擊毀我座下的無綫電話機，假如貫穿的話，那會鑽入我的腹部，早就一命嗚呼。那一次有三枚炸彈，扣而不爆，隨著機身搖擺晃盪，飛經南門外海港附近，竟然有一隻落了下去。那一次眞算幸運，恰巧投入醬園的菜缸沒有引爆。稍前會碰到海軍泊港的砲艇，稍後會毀屋傷人，說不定，我會同飛行教官一道去軍法處報到。另二枚一直拖拖掛掛陪著飛機落地，塔臺一直呼叫，等到停車，我們兩個趕緊離開機艙飛跑幾十公尺，仍然沒有爆炸；算我幸運，又撇開一次大難。

登步島大捷，空軍奏建奇功。流水岩被共軍佔領，陸軍退守灘頭彈丸之地，海軍砲火轟擊，無法構成一層彈幕，當時賴遜岩將軍親自駕機，往復攻殺，連續加油掛彈，起飛降落十次之多，更用運輸機裝載成箱的手榴彈，汽油漿彈，炸得登步島一片火海，死守碉堡工事裡的共軍，無一倖免被燒死或炸死的悲慘命運。這一戰役，我很榮幸，也獲得總裁蔣公十二個「袁大頭」的犒賞金，如今我仍留存着一枚，其他的，早經移作生活補助費用，而化爲烏有了。

飛機巡邏，控制舟山群島的領空領海。穿山半島、六橫、桃花諸島，均已淪入敵手，在這一區域視爲化外，遇到船隻和人馬，總是降低高度一陣掃射，這是根據舟山防衛司令部的規定執行。不巧一隻帆船正在封鎖綫外航行，隼鷹逐兎，鍥而不捨，眼看有人跳海，有人搖手，攻擊得船仰帆落，翌日問題來了，我們所攻擊的誤認敵人，實是自己，那是屬於情報船。我們一切依照命令行事，對方既未事先通報，臨場又無布板信號，應該受奬的反來一頓官腔，此一公案，空軍依法有據，結果是不了了之。

在定海爲報導共軍米格機出現徐州上空，以及上海江灣機場停有米格機的內幕，曾經引起小小波瀾。管情報的認爲傳播太早，怕帶動士氣民心不安。就報導立場，事實披露，正好提高國人警覺，經我據理力爭，總算不再追究，是我派駐定海期間一點小小波折。但是愉快的事也有，一位湖南籍的警衞排長，常常邀我一道吃狗肉，辣辣香香，大快朶頤。把酒暢飲，天南地北，眞是人間樂事。

五、部隊與幕僚生涯

民國四十年，徐煥昇將軍任空總政治部主任。我的新聞官職務與空軍二十大隊政治室副主任對調，彼此都是空軍中校編階，皆是江蘇人；這一位與徐將軍尚有姻親關係，他在民國二十九年「黃橋戰役」後，蘇北局勢逆轉，間關萬里去西安投效的，那時，正是我初初由重慶派到蘇北。相見如故，迅卽辦理交接手續，並且還互換眷舍居住，從此交稱莫逆。詎料辦理眷舍登記的孫先生迷糊，他未按規定向總務處彙報，累我倒因「眷舍未辦交換手續」，警告一次，這算是有生以來從事公職的唯一絕對寃枉的處分。孫先生生前一遇到我就抱歉，如今他已墓木早拱，我還常常耿耿於懷。

空軍飛行部隊政工人員，向來挑選嚴格。或許我在新聞官任內無忝職責，而且我的經歷似乎是高階低用。其實，一畢業就分發空軍的同學，早經有人官拜中校，職位倒高不了多少，例外佔高階高職的僅是少數，那是防砲、警衞部隊。我由二十大隊到第六作戰聯隊，位於副手，主任俱是領甲養甲加的飛行軍官，經常他們的時間在御風飛行；人與事的協調，我這六年任期，自信尚無虧欠。毛尙貞、陳祖烈都是對領導政工具有貢獻的飛行軍官，在同事當中，如今著有功勛的，現任聯勤政戰部主任林榮祖中將，那時任保防官，軍校十六期學生，任過余程萬軍的警衞營長，精力充沛，深具幹勁的人材，相處水乳交融。我在空軍指揮參謀大學正則班第十八期畢業，派往空軍通信大隊任政治室主任，這是一個逾千人的部隊，編組不盡合理，駐地且又零碎，分成有綫、無綫兩大部門，負責空軍北部地區通信業務。學無綫電的，有才的很多，心機也很多，攪有綫電的，品類複雜，來路各異，但都很講義氣，重然諾。大隊長爲多年舊識，副大隊長兩人都是西北軍學兵隊出身，其中一位是參大同學，非常支持我的做法。內中有些官兵來自四川，湖南，陝西，河南，尤以江蘇的最多，我還遇到幾位前在敵後從事電報的臺長和報務員，譯電員。有人說吊兒郎當幹通信，當夜班的有大夜班、小夜班，常常成月白天見不到人，不當班的，有事才幹，無事湀報紙，做小買賣，有形紀律的維持，煞費苦心。若與飛行部隊鋼鐵般的紀律相比，領導統御，則非講究方法與技巧不行，所幸保防、監察都是通信兵科軍官轉任較多，人事熟，關係多，易於透視，易於掌握，我少操心。組織，政治教育，民事，官兵服務，因人、事、地而異同，當時採用重點，濟急服務特別重視，政訓仿有獎猜謎方式進行政治教育，有效奏功，年年產生國軍政士。現任中華電視台新聞部主任金永祥，就是當年的策劃與執行者，我不過坐享其成罷了。二年後調升空軍氣象聯隊政治作戰部上校編階主任，還有一位副主任協助我，聯隊長郭將軍，是我老長官時光琳、楊道古他們同期同學，對我信任有加，私誼至篤。氣象人員，其籍貫幾遍全國各省，廣東、江蘇、福建較多，士官是以四川較衆，單位遍駐島內與外島。其中一位中心主任，還是我讀江蘇醫政學院的老同學，任何軍種，爲抗戰而改初志成爲軍人的，確實不少。學氣象的，固然畢業校班有別，中央大學的，山東大學的，也有空軍歷年訓練的，更有資深士官進後補軍官班出身的。大致來說，他們有時過於自尊，一副學人姿態，不屑於重視人際關係，有點近於我行我素的保守，我只有利用視察時候多與接觸，對他們表示衷心欽佩，日久便和他們無話不談而打成一片，在基地或在本單位如有困難，盡我全力幫助他們解決問題，許多官兵現時還是好友。實在說，氣象人員勤於學術研究，大多潔身自愛，沒有一個亂七八糟胡來的。四年時間，我常去金門巡視氣象單位，他們兼負空飄作業的心戰工作，任務繁重，生活艱苦，不得不另眼相看。另外花蓮、台東、恒春、澎湖也去過多次，至於臺北、桃園、新竹、臺中、嘉義、臺南設有中心，條件比較好，也有政戰人員，配合作業，都還勝任。氣象聯隊駐守淡水海濱，風光綺麗，山水怡人，蔣公生前多次光臨，因此環境特別整潔，花木扶疏，水塘蓄養五色錦鯉，且備小舟任憑官兵公餘划槳。我家遠住臺中，兩地分居；家庭生活，孩子教育，均賴賢妻操勞，替人家做洋裁，育貓和飼養雞鴨，換錢補充孩子的衣物和營養。亡友高君，同事韋君常予臂助，是孩子們既敬重又畏懼的兩位伯叔。我在氣象聯隊，曾經帶職調空軍參大研究班第二期讀書，在東港這個魚米之鄉，差不多又是一年。等我在臺北配到眷舍，方慶全家團圓。新竹生的老四，臺中生的老么，兄妹二人轉學臺北空軍子弟小學校，我小學時代的張老師，臺北子校陳校長特別關顧，孩子學業不因換校落後。妻到臺北，忙於基層組織，又忙於婦聯會一些爲眷村婦女造福的事務，樂此不疲，我心亦慰。

梁孝煌將軍調任空總，我在總部學術研究會先任二組組長，一年後調任一組組長，秘書由吳友霞到謝發斗，皆是至友，該會稱謂「一〇四單位」，化名雷萬鈞，實際是空總的組織幕僚機構，前者主管宣傳、服務，後者是組織、訓練。協助督導業務的某君，實在我不忍提名道姓，假如我高攀的話，還是同學，不過他是少將副主任，我還是個上校。此君身材魁梧，聲若洪鐘，囂張跋扈，旁若無人，粗魯不文，盡量挑剔，帶來的部屬，有的和他半斤八兩，專以擺臭架子爲能事。若以軍閥，官僚來比喻，非常適合。這種惡劣作風，弄得全軍痛惡。梁先生長於領導，平穩機敏，如今仍是榮膺重寄，某君一蹶不振，咎由自取。後來由儲文思少將接替斯職，全軍方始鬆一口大氣。

民國五十四年，調我到作戰司令部任副主任。主任是飛行六期的牟敦琥少將，副主任兩人，既同姓，又同學，更是同鄉，更巧的軍校同隊，政工幹校高級班二期同隊，圓山軍官訓練團七期又同隊，歷年三民主義講習班或是短期幹部訓練，往往都會聚在一道，退役以後一度同校任教，有緣就會巧合。司令毛瀛初將軍，是一位有頭腦，有擔當，有能耐的篤厚長者，從三十八年初識定海，事隔十六年重又追隨。在司令任內，由於共軍水兵投誠受狙擊，與我海軍艦艇遭受伏擊，這兩案俱是保密措施失當所引起的不意損害，牽涉到空軍的支援，自然與他有關，而他忍辱負重的精神，從不推諉自己應該肩負的責任，赤膽忠心，坦然偉大的胸懷，表現出一個中國空軍將領所具有的性格與令人崇仰的人格。年華老去的毛將軍，精神矍爍，體格健朗，終年爲中國民航而竭盡心智，我慶幸國家得人，也默禱他似松柏一般的永遠長青。

出任政二處處長，我又回到空總。文宣、康樂、心戰，俱屬二處執掌。二位副處長，皆是姓王，參謀素質齊整，只是作風各有不同，直接指導的機構，有：中國的空軍出版社、空軍廣播電臺、新聞發佈組、空軍大鵬戲劇學校、空軍藝術工作大隊、空軍電影放映隊，空軍心戰作業小組，人員衆多，各有專司，經費支配相當龐大。二年任期，完成清水地波電臺，還加强臺南、臺中的分臺，胡嘯虎臺長功不可沒，不愧是一位電子工程專家，誠懇實在，也是他的長處。新聞發佈本是我的舊行業，這時由副處長兼管負責，記得有三次新聞處理，曾經累得副處長滿頭冒汗。第一件認爲措詞欠當，惹得梁先生發火，要處罰負責發佈的主管，那次新聞遣詞眞實允當，我看不會有什麼欠妥的，事過檢視原稿，只是未經批可就搶先發佈，未免越權。第二件是一架C一三〇飛機，沒有國徽，也無中國空軍字樣，香港外電報導指稱有中國駕駛員因在海面迫降負傷住院。老美脅迫中國空軍發佈新聞，不許否認而該承認，做幕僚的我們，左右爲難，幾經往復請示，最後由我草擬十八個字的簡短新聞稿，指明我空軍例行訓練失事，方算了却一件基於立場的紛爭。第三件，擊落米格機有功飛行員的姓名遲遲未透露，被一群記者老爺們圍著徐老總的辦公室等候他的明白宣佈，一直等到深夜零時，老總已從側門離去，最後仍由我書面宣讀三位飛行員的姓名，記者們雖不滿足，好在空戰事實早已知曉，姓名有著，也就各自返回報館各撰其稿。內中爲儘先探查姓名，也摻雜一些笑料，在此恕我略而不提。政二最傷感情的工作，莫如每年的康樂大競賽的籌辦和參加。演藝人員相處以誠以公，倒沒有什麼，而帶領的人假如存有私慾，再憑感情用事，管康樂業務的人，處理爲艱，常常就會進退失據，不知所措，做處長的人，既不能置身事外，受氣終是免不了的。

五十六年十一月奉調空軍第二供應區部政治作戰部少將編階主任，這是我服務空軍二十年來最後一個職務，爲期超過一年。舊地重來，別有一番欣喜。這個單位廠多人多，劃分修護與補給兩大部門，業務忙碌，不在話下。民航飛機借場落地，軍機也無日無之，因爲臺中鄰近日月潭與中興新村，排班迭往迎來，坐陪要員在貴賓室候機，幾乎成了日課。

民國五十七年十二月最後一天，也是我離開軍職最堪紀念的日子。指揮官李楚驥餞行，官兵茶會歡送。我相信老兵不會死，只有逐漸凋謝的名言，將責任、工作、義務堅持到底，持著國防部退七一七一七號令返回台北向團管區司令部報到—奉令退伍，中華民國五十八年一月一日生效。

二十年算長不長，算短不短。我所獲得國家所給我的榮譽，具體的：勛章二座，一是服務十年以上成績優良，得到忠勤勛章，又十年復得一星忠勤勛章。由三年成績甲等，服務努力著有成績，服務勤奮，因此又獲頒楷模、懋績獎章六座。

六、退而不休

軍人退役，公教人員退休，有人認做「報廢」，我並不以爲然。閒居無俚，人同此心。我仍回到「育達」兼教，日夜間部俱有課程，又在埔心仁美國中代課，終日奔波，樂在其中。有一天我到國立歷史博物館參觀，順便爲宇清兄升任館長道賀，公出未值，偶遇鄉友陳有爲，他知道我已從軍中退役，經他向王先生的推介，承允從預先考慮人選中，將我列入所遺研究組主任備選的名單，研究再研究，查核再查核，直到學校暑假，得其通知到館任職。飛來的鴻福，訴說不盡我的感激，先由「研究委員」試用，再任「額外編輯」，「編輯」，眞除研究組主任。以一個小媳婦進入新家庭，以一個小學生，就讀新學校，一切從頭學起，一切從頭做起，甚至肩負書畫，擔任司儀等額外工作，我都樂意嘗試，所以在人與事方面一直都很滿意。

人說十年有成，我去日本兩次，韓國一次，頗多心得，自忖「少壯有幾時，鬢髮各已蒼」，個人盡其在我的貢獻，無大缺失就是有了收獲。創建於民國四十四年十二月的國立歷史博物館，原是一座木屋危樓，蒐藏從無到有，達到相當豐碩的程度，不愧是國家機構中具有績效的一個。由館長包遵彭、王宇清、到今日的何浩天，他們移私爲公，以館作家的精神，二十五年來如一日。近年更由於館內歷史文物暨美術品的陳列展覽，伸展到全省各地巡展，且在海外各國，不斷陳展我國精緻與燦爛的歷史文物與美術品。在藝術文化宏揚上，以六十九年度爲例：特別展覽五六次，國內巡展二十二次，國外二十七次；中華文物箱在國外供僑團與留學生使用的，尙未列入統計，我每一念及大家均從辛勞中走過來的，我就不敢稍有懈怠疏忽。爲中華歷史文化，竭盡棉力，是職責，是義務，也是人生的奉獻。

（民國七十年七月七日）

老家的古董

少小離家，猶如旅雁孤飛，天涯浪跡，恍似獨客飄零；人生無常的歲月當中，寓居臺灣已逾三十二個寒暑。如今我有家有室，兒孫繞膝，其樂融融。連夜鄉夢，勾引起許多陳年往事，有歡樂，也有酸楚，這些在老家的細微末節，種種切切，記憶至新，久久難以忘懷；把我不期然地，帶回海的那一邊，因爲，那兒畢竟曾經有著我的家。

故鄉是一個水網地區的魚米之鄉，港汊分歧；一葉扁舟，載着你划向任何所要去的地方，人們常常依賴它作爲最利便的交通工具。慣常習見的：綠柳、垂楊、小橋、流水、人家。平疇碧野，展望無際，有一些靠著風力翻動的水車篷葉，像是白羽仙鶴般的，活躍在碧空藍天，相與汪洋一片的湖泊，輝映成趣，構成一幅水鄉澤國的特有畫圖。

那兒有我的家。從我有記憶開始，我曾安詳地生活在我的故里，足足有十二個年頭。雙親的懷抱，提携，牙牙學語、私塾就讀，是那麼甜美的一段童年生活。

家鄉雖然距離我已是日益遙遠，而老家的事事物物，始終認爲是最完美的記憶。尤其令我念念不忘的，我把它當做傳家之寶來看待的，或許在別人認爲是微不足道的什物，數十年來，我却依然的心嚮往之，希望失落了會能復得。因爲，這些失去的東西，本來就是我家的，怎麼就此消失不見呢？物歸故主，這是一定的道理，假如有不可能的話，我也幻想期諸來世，甚或在我的子孫們，承先人餘緒，繼往開來，完成我的一點小小願望。

我記得最清楚的。老家宅子第一進的大門上，每年貼着春聯，總是八個大字：「南臺世澤。翔鳳家聲。」據父親當年告訴說：我們有一位祖先，從前曾經做過御史，翔鳳則是我們夏家的堂號。看到父親每年清明或大暑，總會從櫃櫥裏搬出家譜來翻閱曝晒，看他老人家那般珍惜、愼重的神態，有時偶爾也要我們弟兄看一看，指點一番。但是年幼無知的我，那裏知道家譜就是我的根源所在，我家的傳家一寶呢？目前欲想知其全豹，的確是一件很難做到的事了。這種文獻的損失，永久是無法補救的。

我只是稍稍記得：明初羣雄併起，我們的祖宗先由婺源遷到杭州，再遷蘇州。張士誠稱吳帝，據守蘇州爲王，朱洪武圍攻三月始破城，殺戮至慘，住居在閶門城外的夏氏先代，被指認也是「頑民」，被迫遣往淮南墾荒。當時，我的始祖是老大—御龍公，率領二弟御虎公、三弟御鳳公，沿著運河到了我的家鄉縣城，踟蹰徘徊，無以爲計，求神問卜，決定三弟兄的未來命運，老大到了夏家集，老二到了鹽城樓夏莊，老三到了泗陽洋河鎮，歷代的繁衍綿延，五百年來的艱辛締造，俱都構成當地的望族。

我的始祖傳至五世，遷往揚州夏家橋，到十一世祖重又回到老的地方。由古迄今，我們夏家排行是根據：重、成、盛、以、廷、國、文、邦、忠、起、日、旣、述、巨、元、達、致、聚、美、永、存、心、本、正、大、作、事、在、光、明、百、祿、長、悠、久、萬、福、芝、宏、遠」的順序來命名的。到我正好是十九世「美」字，在臺現有聚、美、永、存四輩，而且是分散高雄、臺中、臺北三個地區，總計只有六戶人家。老家的夏氏宗祠，夏氏家祠，林立在聚居的各村各莊，春秋兩祭的盛況，歷歷在目，清明掃墓的人丁興旺，也是往年轟動鄉里的一大活動。

我這姓夏的，是翔鳳堂。縣城邊的夏姓，建有十八鶴來堂，堂號鶴來堂，都是會稽郡。原先以爲源出於山陰就是紹興，後來入學讀書，更知會稽郡秦置，今江蘇省東南部及浙江省東部南部皆其地；治吳，即今江蘇省吳縣；東漢移治山陰，即今浙江省紹興縣，宋改置紹興府。

雖然，夏氏族譜—家藏的古董之一，目前杳無踪跡，難再尋覓，但我仍從七大本縣志裏找到一點線索，發現居住偏在縣北的夏姓老祖宗們，明代興盛而清季衰退的點滴紀錄，當然這些片斷的記載，都是從功名富貴的角度，來記述夏姓盛衰的，依我的愚見，倒無損夏氏子孫的克紹箕裘，繼承祖業。

老家每逢陰曆五月，在端午前夕。父親就會從長櫃取出兩幅挂軸人物畫，小心翼翼地，用梯子爬上掛在廳堂裏的東西兩壁。一個仗劍，一個騎虎，水墨繪成還敷一些淡彩，倆者遙遙相對，神態飛揚，氣勢逼人，小時不敢看，但也想看。有時，鄉間鄰舍有人家快生孩子的時候，偶爾也會請回去供奉起來，說是能夠辟邪納祥，居然視做兩幅神畫。當時父親只是告訴我們這是「判官」，判官竟會捉鬼拿妖，眞是法力無邊。等我漸漸長大，方始知道虬髯怒張，吞食小鬼的判官，原來是鍾馗的畫像。相傳鍾馗生在唐代，屢試不中，碰階而死，死後成神，掃蕩羣魔，驅除疫鬼，世人尊爲「鎭宅神判」。相沿成習，古時有在新年懸列的，而我記得只是五月，風俗的變易，今昔往往不能期其一致的。

歷史上著名畫家吳道子，曾經奉遵皇帝的旨意，圖繪鍾馗的神像；我相信老家藏的一幅仗劍，一幅騎虎的鍾馗，絕對不是出自吳道子的手筆。我家那兩大巨幅圖像，今時還能留存的話，縱有吳道子的眞跡，我也不願輕易的交換。因爲我所珍惜的，它是家藏留下的，何況描繪的那麼生動威武，栩栩如活，給我留下永不磨滅的印象。

瓷器在我的老家中，景德鎭燒造的日常餐飲用的細瓷很多，用於裝飾的瓶、筒等，也不在少數。彩繪的花、鳥、人、物，都很秀麗，在我看來並不如何的器重。令我記憶猶新的，倒是一個白瓷的香爐，一個有冰裂碎紋的粉青大盤，還有五個橢圓的塗釉長瓶，父親當年曾經告訴我們，這幾件較爲特殊的陶瓷器皿的來歷。

白瓷香爐，粉色散著幽光，原是我家供在玄壇菩薩前的，成年累月放置在店門當面的龕中。父親說是從他幼年記事開始，家中就有這麼一座香爐，幾乎相似我家店裏的招牌—「德茂」兩字一樣的古老珍貴。究竟什麼時候才有的，他也無從知道；回想父親假設今年還健在人間的話，該是一百零四歲的老人了。這一座白瓷香爐，只是焚香供神，本來誰都沒有重視它；忽然有一年，一位服務上海古董店裏的伙計，一再請求父親情讓，答應出資黃金十兩的時値，一邊交錢，一邊交貨。父親幷不認識這座白瓷香爐到底有些甚麼價値；數十年前的黃金十兩，在鄉下人家該是一筆大大的數目，置田置地，正是難得的發達機會；父親堅持是祖傳的，再窮也不該脫售祖產，何況我家尙不至於需要這一筆橫財，終於拒絕了錢的誘惑與人情的軟化。從此他叮嚀又叮嚀，要我們善自珍惜愛護；我由幼年開始，便對這座白瓷香爐寄予深厚的感情。

長瓶和大盤，那是從我家舊居河床下面井底淘出來的；原來那是家裏的後院，經過桑田滄海的變遷，後院慢慢成了河灘，水井也跟著湮沒，直到有一年旱災，方始露出本來的面目。父親說這幾隻長瓶，是宋朝岳飛率兵抗金盛水用的，根據歷史的記載，岳飛確實曾經駐守故鄉那一帶地方過；但我總覺得長瓶也好，大盤也好，雖非常見之物，怎會有那麼古老？我幼小的心靈，懷著了疑問，老是有點不肯相信，可是，我也無法否定父親的說辭。離開老家四十多年，父親去世也已三十年了。我向來未敢公然懷疑父親以往和我說過的話，爲了幾隻瓶子，竟然不相信他老人家的話，內心總有一點歉然不安。每一想起此一往事，那褐釉長瓶肩部有著四繫，是穿繩便於攜帶的；瓷盤大而拙重，有著冰裂碎紋，顯著雨過天晴的色彩。幷且瓶嘴貼著耳朵會發出沙沙猶似蟹行的音響。倒底這些瓷器是什麼時代的，常常縈迴我的腦際；這一謎團，一直等到我去年訪問日本，參觀東京博物館，親眼又看到這一形似的水瓶，而且特別註明是岳飛軍中使用的，我眞是大喜過望，欣慰異常，不僅證實父親所說的話，確實有著根據的；只是怪我離家太早，年輕無知的可笑，實在自己也覺得慚愧。現時我相信老家的瓷瓶，定是南宋的器物，瓷盤說不定還早於南宋；只是，後來我家大小自被中共「掃地出門」以後，這些古老的器物，還有家中的一切一切，均已一無所有，早經蕩然無存的不知去向，結果還落得是家破人亡。試想，覆巢之下，焉有完卵？殘暴的中共，是不輕易放過一個善良之家的。

俗說，大難來時各自飛，我和我妻以及孩子們，在臺灣旅居安定的歲月之中。哀哀父母，欲養不在，連那寄託童年美夢的老家，更是早無音息。身邊要想找出我那雙親一絲影子，是那麼渺茫，又是那麼抽象：母親是胖胖矮矮的，圓臉，纏足，敦厚非常的老人，在她一生當中，恐怕僅僅照過一次相片，大概是爲著領取身份證用的。父親瘦瘦長長的，態度嚴肅，朗爽過人，我還記得他年輕時有一張照片，穿著長袍馬褂，頭戴瓜皮小帽，脚着白襪黑鞋，端坐在放有盆景的茶几旁邊，氣宇軒昂，英俊不凡。我那學過藝術的堂兄，特地替他用竹雕裝配好了框架，高高地掛在壁上，框邊刻有聯語：「留影本虛幻。似我總非眞」。

如今，我夢寐想念的老家一些寶貝，一絲一毫也不再存有。當然，從另一方面去想，錦繡河山尚有待我們收拾，這些資產又算得什麼。從一個自我，一個爲人子女的觀點來看，我這苦苦的深思冥想，依然有着鞭策我的作用，讓我有生之年，不忘國仇家恨，竭盡我的努力，終有這麼一天，我會重見我那老家的古董，甚至一切的一切。

木本水源，愼終追遠。時時湧上心頭的幼年生涯，點點滴滴，是眞實的追憶，是自身親歷的一段過程，它不像夢境那麼易於消逝。正如我一般，對老家的一些事事物物，記憶十分清晰，很多年來都難忘記；尤其雙親的宛在音容，雖是那麼飄渺，可想而不可及，也由不得不斷地賡續，懷念起來。

中國母親的花

「白髮萱堂上，孩兒更共誰？」—葉夢得詩。

慈母的劬勞，凡是做兒女的人，念念難忘的第一人，應該是自己的母親。

荷蘭石竹花（康乃馨）作爲母親節的特別標誌。此日人人佩戴紅色康乃馨，慶祝母親健在，共享快樂的一天。若是，母親業經仙逝，就佩白色康乃馨，來表示追念。從一九一四年開始，目前已有五十多國，俱擇同一日期來慶祝母親節，且有安慰戰死者的妻母，和在戰爭中死去孩子的母親另一重要意義，我國也是立卽響應五月第二個星期日爲母親節的國家之一。

提倡人倫，宏揚母愛，是中國固有的道德，現時的母親節既然具有國際性，其日期也具有特殊紀念意義，我們應該重實質，似不必過分强調非另行訂出一個日期來。

至於佩戴紀念母親節的花，由於康乃馨，是賈練斯母親生前喜愛的花。其實，在我們中國也有一種花—萱，以喻母親的。

中國三千年前，遊子外出，每喜在母親居所的「北堂」種植萱草，藉減母親內心的躭憂，詩經疏詠：「北堂幽陰，可以種萱」。及至唐代，正式以萱草比喻母親，而有「萱堂」之稱，因此，「萱」

是爲道道地地的中國人母親之花。

百合科，多年生的草本植物「萱」，夏月莖梢開花，花蓋六片，花瓣及嫩芽都可食用，新鮮的晒乾的都是一樣，俗稱「金針菜」，且有「忘憂」、「宣男」等異名。

有稱萱是黃花菜的。因此，萱不僅是母親的代稱，并且食用。時至今日，它更是觀賞植物，不僅是紅黃色而已，更有是從美國、加拿大、荷蘭等國引進，從事雜交培育的新種，色彩鮮美，只供欣賞，而不能食用。

從事文化教育有年的陳癸淼，接任國立歷史博物館伊始，特擇母親節，舉辦一項別開生面的展覽，它的全名是「中國母親花—萱草花藝展」。展出臺東農業改良場提供一九六種的萱草，有淡黃、橙黃、紅色、粉紅、紫色、咖啡、黃綠等繁複的花色品種，輕盈搖曳，清香怡人，顯現盎然生機。另有名書法家們以正、草、隸、篆四體，書寫歷代詩人頌揚偉大母親的詩詞，更有花藝的插作配合，這種紀念母親節的方式，深具歷史文化的意義。（民國七十五年五月十一日）

恩愛伴侶、患難同志

我倆結緣在大動亂的時代，那正是對日抗戰進入艱苦的階段。基於愛情的偉大，發揮無比的勇氣，隨我深入敵後工作，五年中流轉在湘贛浙蘇皖諸省，忍受酷暑嚴寒貧困飢餓的煎熬，逃避敵探奸賊日寇僞軍的捕捉，冒著空中轟炸和地面砲火殺傷的危險，跋涉奔波山徑和沼澤泥濘。上蒼不斷考驗著我倆生存的意志，自始至終是那麼堅強地奮鬥下去。這不僅靠著沉醉在愛河裏一對青年男女的熱戀，實在憑恃著她的正確觀念和認識，給予我無比助力與鼓勵。忘却人世間一切的苦難，也從不理會生活上的辛勞，把人生看得非常的嚴肅與堅毅，把人生看得既甜且蜜的美麗過程，其中沒有所謂失望，沒有半點怨懟。

婚後非如初戀想像的那樣美滿順適，所遇到的更非盡如人意的事物。有時，强調愛情的偉大，多多少少有點近乎理想，實際生活中，難免不有一些波折、困難和痛苦。

妻是她的父母掌上明珠，在嬌生慣養環境中長大的寵兒，具有永遠充滿希望和樂趣的人生觀，當然我受到她的影響，感染著一股蓬勃的朝氣，冒險犯難，歷經憂患，我倆從來不消沉頹廢，稍有洩氣。

由於妻的品性優良，人格完美，忠貞仁慈，富有濃厚的責任感。心甘情願的，做一個公婆心目中的好媳婦，丈夫意識裏的好妻子，兒女心靈裏的好媽媽，親友印象裏的好太太，在折磨中尋找愉快，在黯澹中發現光明，把握著自己的信念，建立美滿家庭，使先生無後顧之憂，經常是在刻苦耐勞的生活著。

大陸撤守，兵荒馬亂，帶來新的苦難。三十八年冬天，妻不避險阻，携兒抱女，萬里去尋夫。乘著一葉扁舟，漂過大海，又告重逢，這其中的慘痛，豈是筆下數語所可描繪？光陰是不知道憐惜人的，在來臺灣十多年的時候，受著職務的限制，不僅數度遷居，而家庭幾乎變成我的旅館，所有日常生活的維持，子女的教育照顧，在待遇淸苦的景況下，主婦是大不易爲的，妻却甘之如飴的承攬下來。

生活窮困雖然無法擺脫，我們就以勤儉來克服一切。窮而益堅，絕不因爲負擔日重有著少許的動搖，妻不僅要盡到做母親的責任，卽使做父親的重擔，也得由她默默挑起。我那年幼的小兒，在他作文簿裏曾經寫著「父慈母嚴」的字句，引起空軍子弟小學一些老師當做笑談的資料。

夫妻間眞正可貴的愛情，往往是在困難痛苦時愈易流露，險阻的遭遇，窮困的日子，常常就是一塊愛情的試金石。

結婚二十年的歲月，從整個人生過程上計算，還是一段漫長的時間。抗戰時的對敵戰鬥，戡亂中的飽嚐苦果，偶一回味，有眼淚也有歡笑。我倆向無生不逢辰的感喟，更是從不羨慕或者嫉妬他人。看看自己的孩子，老大已讀大學三年級，么女到秋天就是小學的學生，五個孩子茁壯善良，聰敏活潑，給我倆心苗灌注著無窮的甘露。有時，孩子頑皮撞破頭皮，傷風發著熱度，又不知給他們的媽媽添了多少愁慮？

夫婦和孩子是構成家庭的因素，而夫婦間的相處，並不是一件簡單和容易的事。何況，婚後還有親友關係、兒女撫育在內，所憑藉的，是容忍精神的發揚，協調合作的成功，彼此融洽相處，確是造成家庭歡樂的基礎。

說實在的，夫妻間及整個家庭關係，相當微妙的。保持良好關係，遇事不必過於認眞，原來，夫妻間就不必斤斤計較誰是誰非的。妻最令我敬佩的是，具有樂觀的天性，而且有著不喜歡多話的習慣，（我天生就害怕多愁善感和終天嚕嗦的女人）剛中有柔，柔中有剛。有些專從表象觀察問題的朋友，雖不致於批評我是「懼內」的，但多少認爲我的夫人還未盡脫「湖南騾子」的脾性。偶爾在言辭和態度上，她會給我一點小小難堪，大體上我總是領受不加申辯的，「一笑置之」就是我的法寶，實質上，她是眞誠的愛我。剛的方面她顯現著豪爽明快，不夾雜絲毫的惡意，這種不讓鬚眉的氣概，許多男子漢所不可及的。柔時猶若春風和煦，又如湖面微波盪漾，我假如是一塊頑鐵的話，自會被融化成一團熱火的光輝。

十多年前，我總還把她當著一個大孩子來看待的，現時妻對事物的觀察和處理，往往比我成熟老練。尤其樂於助人的善行，獲得親友鄰舍的一致讚譽，她在日常生活當中，從清晨一開始，就忙著爲孩子準備早點和「便當」，還要替最小的著裝梳洗，剛剛洗淨晾好前晚換下的髒衣，接著掃地抹桌椅，又得趕去市場，要以少量的菜金，揀選全家喜歡的口味，這無異是在考驗主婦持家賢能與否的傑作。

老實說，這年頭做我家的主婦，是很不容易的「差使」。中午孩子到家，香噴噴熱呼呼的飯和菜，早就等著小傢伙們的狼呑虎嚥了。飯後該是妻享受的片刻，那只是短暫的寧靜。一杯淸茶，一支煙，或著展卷閱讀。床上午睡，驅走整個上午的勞累，下午稍閒，做些縫衣補破的家庭活計，陪著張家太太話家常，替李家太太幫忙做點小事，這也是持家睦鄰不能忽略的事情。

飼養一些小動物——雞、鴨、貓、狗，都是孩子們挺喜歡的禽畜朋友，做媽媽的必須要親自照料。忙裏偸閒中，更學會一些增加家庭樂趣的家事。如：做麵食、燒川菜、醃魚醃肉、縫紉刺繡、裹粽子、蒸酒釀，逢年過節，或是孩子生日，都有表現「特殊才藝」的機會。

妻這樣的忙碌，假如是一個不夠健康的人，足以損耗體力的，托天保佑，她是健康無疾。不僅家裏整理得有條不紊，而孩子們個個收拾乾乾淨淨的。至於她自己，在別人看或許不算是絕色的美人，但她那溫文端淑的風度，適合自己年齡和氣質的打扮，每在社交場合，却是一位受人歡迎的女賓，給人有著一種淸新脫俗的感覺。

休假我回到眷區，正是爸爸回家時，也正好享受溫暖和舒適的家庭生活。孩子們由喜悅過度流於放誕胡鬧，我無可奈何的宣告放棄控制，維持秩序的，還得有勞妻的威力彈壓。在飮食方面，我是喜歡吃較乾的米飯和喝熱湯的人，她爲我設想，寧願放棄自己飮食習慣，顧及我、曲諒我。還有我所不喜歡的事事物物，她都儘量的遷就我，配合我的願望與行動，來取得一致的呼應。委屈自己順從別人，本來就不容易的，我倆基於誠信，彼此的相互尊重、商量，這份合作良好的情義，還在於體貼、鼓勵與幫助。

我們現實生活裏，得力於妻的造成一個美滿家庭，讓我毫無後顧之憂的安心工作，她的和藹、嫻靜、誠篤、勤儉的內在美，形成夫妻恩愛最大的支持力量。

收入有限，柴米夫妻百事哀，我們並不盡然。這裏並沒有什麼奧妙，只是經濟公開，誰也不浪費一文，誰也不私蓄一文，量入爲出，當用則用，彼此不存半點懷疑。待人接物，一向熱忱親切，絕不佔人家的便宜，抱著寧可施與，不甘領受的存心，有時她比我還要厚道，比我還勝一籌。

俗說：牙齒與舌頭還有相鬥的時候，小爭執有時是不能避免的。我有著隱藏著不向人低頭的頑强個性，小小的傷害仍得堅忍，夫妻之間的雞毛蒜皮的瑣事，鬧著彆扭難解難分時，首先掛白旗的，往往出之於我的主動。我所以如此，乃在我的良知。我總認爲做一個家庭主婦，尤其是軍人的妻子，精神是可貴可欽的，從艱辛締造的家庭，該是和睦相處，寬容是吹散滿天烏雲，恢復日麗清和最佳的妙方，無謂的堅持與爭執，是難以辯解誰是誰非的。

還有，我對孩子的管教，是要放任些，所採取的方式，動之情，說之理。這是鑑於我的幼年先父管教嚴厲的深刻印象，縈迴腦際，我老大不願以之施予我的兒女。另外，我和孩子們相處的日子是離多會少，不要讓孩子變成老鼠見到兇貓。何況，有著妻的經常管教，似乎我就該稍稍放縱他們一些。可是，我不願過分傷害孩子們無邪的童心，妻是認爲對孩子的管教，應該避免幼稚的、過度的同情與憐憫，無論情感的、理智的，軟與硬的手段，要使得他們具有責任心、榮譽感，以及獨立創造的精神，仁慈本乎愛心，不一定完全形於外在。其實，大道理我又何嘗不知，但孩子畢竟不會永遠年幼無知的，我喜愛他們，他們是妻的化身，象徵我愛我妻，我愛我倆的孩子。

當孩子們吵鬧無可耐煩時，妻在冷眼旁觀，竊竊私笑，說不定當面給我一頓批評。有批評就會有著檢討，公說公理，婆說婆理，家庭中究竟父嚴母慈，抑是母嚴父慈？永無是非，永無結論。這種兩人對談的辯論，在我們家庭生活中，增加夫婦間茶餘飯後的微末波瀾，也表示我倆總在喜愛自己的兒女，視作我們閨房記趣的另一章，何嘗不是活生生地，道出患難過程中夫婦恩愛的點綴？

記得有人說過：「人生無美滿的婚姻，則人毫無意義。」夫妻是人倫之常，應該珍惜「少年夫妻老來伴」的箴言。我始終反對前人說的：「兄弟如手足，妻子如衣服，衣服破尚可縫，手足斷不可續」的不合時宜謬論。即使兄弟如手足，妻也非衣服。何況兄弟聚居的能有幾家，而妻子是一日不可或缺的。孩子有娘，丈夫有妻，婦人有著可靠的丈夫，還有一些孝順雙親的兒女，這種互爲恩愛構成的家庭，才是社會牢不可拔的根基。

婚姻生活，從常態來說，是成年後男女所必有的一種生活。由相知相愛而結合，由互助互諒來維繫家庭。兩樹連理，華茂枝榮，郁郁菁菁，蓬蓬勃勃，呈現著一片美好的景象。（民國七十三年四月）

煙、酒、咖啡與茶

我們中國人一向：「煙酒不分家」，而又有「夜半客來茶當酒」，三者關係密切，牢不可分。雖然，煙本來自外國的「吐拔菰」，到底是由來已久，不似咖啡還那麼「舶來」化。酒和茶，煙與咖啡，有人淺嘗卽罷，有人向不沾脣，有人嗜之如命。至於佛教、天主教、理教，絕對不近煙酒，視爲戒律。

我非教徒，向持中庸之道。煙也罷、酒也罷、咖啡也罷、茶也罷，總認爲嗜多有害，少又何妨，大可不必斤斤計較，也不必視同蛇蠍。

生命固該嚴肅，生活不妨稍涉情趣，經鬆自然，活活潑潑過着自已認爲愉快的日月，人生不是更有意義？

煙在我們家庭，先父只嗅「鼻煙」，對鴉片是深惡痛絕，因爲鴉片害人，曾經使得家庭支離破碎他絕對不稍沾染。水煙、旱煙，既不靠邊，捲烟從未看他抽過。值我少年，看到別人一支在手，吞雲吐霧，想像的「飯後一支煙，快活似神仙」。當時外國煙草公司大量傾銷翠鳥牌香烟，買一送一，還另贈竹製烟嘴。基於好奇，我特地買來抽抽，想不到味如嚼蠟，麻辣無比，遠不如聞時那麼香甜。可是，竟被父親發現我在抽煙，他不罵也不打，只冷笑的說：「書未讀好，又學會這個行當」！我直覺抽烟沒有一利，反受父親的責備，眞不值得。於是，將剩餘的煙捲丟入鍋灶，從此打消抽煙的念頭。

記得那時捲煙的牌子，有仙女、炮臺、前門。內中附有圖片，倒是人們喜愛的消遣品。抗戰八年期間，看到一些人有自己拿煙絲捲着來抽的，在河南一帶產煙地區，設廠半人工的製造煙捲行銷後方各地。癮君子們總有解決嗜好的新辦法，雲南官兵使用毛竹製的煙筒，裡面灌着水，吸起來唏哩呼嚕，煞是有趣。有的部隊士兵，不習慣自己捲煙吸，買市面供售的煙捲又力所不逮，腰間揷一根短短的旱煙管，繫着布袋裡裝的煙絲，需要時在烟鍋上裝一些煙，擦亮一根火柴，拍拍拍的抽將起來，白煙裊裊，樂不可支，一長一短的「雙鎗將」，那時是軍中常見的現象。

抗戰勝利以後，我也曾經抽過煙，駱駝牌的味道太辣，不敢領教，「八一四」的香醇，如今想來，舌下還有生津。但我斷煙已經十五個年頭，眼看子侄抽着長壽牌的煙捲，趣味無窮，我只好說：「還是少抽爲妙」。

有人却喜歡抽「三五」的，只能算是各人的習慣。目前，各種牌子的洋烟更是泛濫。

在泰國清邁山區，看到一些同胞抽鴉片，一榻橫陳，煙霧繚繞，香味撲鼻，很容易誘人入彀。曾經就有人勸我不妨來一口養養精神，我一想到林則徐的禁煙，想到先父一代的遭遇，我只有謝絕，那敢嘗試？

對吸煙，我是早經絕了緣分的人。

酒據說是猴子發明的。歷史上約在二千多年前已有發現，而在我們中國，對酒的飲用便是很古很古，到底有多少年代，頗難考證，就是留有很多銅製的酒器，甚至從地下發掘到酒類，也無法說明是那一年就有酒，想來有人類就有着酒吧。

很小的時候，我就喝過大麥製造的酒，當時不知道就是啤酒。更喝過糯米蒸餾出來的黃酒，甜而喜飲，終於沉睡久久不醒，這是我初初飲酒而記憶猶新的一件事。

鄉居生活，飲酒的機會還不算少。年初春敍，喝得家家扶著醉人歸。喝醉酒的滋味是不好受的，曾經醉過酒的人，會有著痛苦難當的經驗，事過境遷的照喝不誤，可見酒的魔力確實不少，眞是「酒不醉人人自醉」。

從軍以後，跑的地方多，喝的酒也多。我最記得第一次喝山西汾酒，是一位北大畢業的中學同學孟君贈送的二瓶，清香撲鼻，飲來熱傳全身。天津的竹葉青、瀘州的大麴、貴州的茅台、河南的杜康、安徽的高溝、江蘇洋河的高粱和大麴酒，使人嗅之就會流涎，這些算是我所飲過的硬酒名品。尤其，抗戰中期，我曾經和國軍八十九軍副軍長孫啟人將軍，在敵後淮安鄉間喝的洋河大麴，據說是用「板油」浸泡很久的，飲來醇而不燥，香溢滿室，令我永遠難忘。

浙江的軟酒，我也品嘗不算少數。記得民國三十八年在定海，棲遲海島，利用兵荒馬亂的閒暇，吃著魚鮮海產以外，還有老酒佐餐。除此以外，野味和狗，也成佳肴。因爲，指揮官賴遜岩將軍喜歡狩獵，加之，警衞部隊都是湖南人，吃狗肉是衆人所好，而且，調理得特別可口。

金門釀造高粱和大麴酒，是人定勝天的奇跡，寫下歷史輝煌的一頁。本來有詩爲證：「醉臥沙場君莫笑，古來征戰幾人回」、軍人好喝酒，由來已久。過去充當基層幹部的時候，大碗痛飲燒酒，歷練有年，一旦喝到好酒，算是三生有幸。不僅此也，馬祖還有老酒，東引更有黃龍酒，皆是名震遐邇，舉世聞名。

臺灣今日，集全國南北東西名酒佳釀精華，硬的軟的悉聽君便。就連威士忌、白蘭地所在俱有，X·O，視如平常。飲酒的福分，還到那裡去找？

酒之爲物，可親可近，它能調節情緒，但是萬萬不能酗酒，它是誤事害人的禍首元凶。在悲、歡、離、合的際會，唐人詩句描繪的淋漓盡致。如：「呼兒將出換美酒，與爾同消萬古愁」。「一擧累十觴，十觴亦不醉」。「潦倒新停濁酒杯，艱難苦恨繁霜鬢」。「肯與鄰翁相對飲，隔籬呼取盡餘杯」。人生聚散無常，偶爾喝一點酒，何嘗不是歡笑的媒介？至於「酒逢知己千杯少」，「一醉解千愁」，實是人們誇張的大話。既然沒有李白「且樂生前一杯酒，何須身後千載名」的豪放，我倒欣賞白居易的「晚來天欲雪，能飲一杯無」的情懷，喝酒能與知己同飲，淺嘗低酌，樂趣無窮。

中國人的觀念，煙酒不分家。煙與酒固是擴展交遊，增進情感交流的引子，但它也會妨害他人甚至令人生厭的產物。煙臭薰人，難獲不吸煙的歡迎和諒解。酒氣沖天，已足要人另眼相看，若是爛醉如泥，嘔吐狼藉，誰見都會生畏，暗中罵一聲酒鬼。那些面不改色的狂飲者，以及不醉無歸的酒徒，倒是別具異禀。少飲輒醉，滴酒不沾的人，我不大樂願和他們同席。煙酒的功與過，好的程度深與淺，完全在於自我的選擇，這和他人價值判斷無關。

咖啡我不是不喝，比較少喝。以前我曾經說過笑話，苦藥加白糖，等於咖啡。如果不用煮沸的開水冲泡，若再不加奶精，酸澀難以下嚥，還是不喝爲妙。

如今，咖啡店林立，硬是不進去，幾乎沒有可能。

記得初履臺灣，在臺北，在宜蘭，咖啡店寥落晨星，我却很愛進去消磨我的時光。一角靜坐，聞着咖啡吐露出來的縷縷芳香，慢慢地啜飲，沉沉地聆聽古典音樂輕柔悅耳的曲調，那些常青翠綠的盆栽散佈左右，增加室內溫馨雅緻的氣氛，眞爲那客稀幽邃而專售咖啡的店舖所迷惑。有時翻閱一本愛讀的小說，在那兒竟然耗去整個的下午。

我喝咖啡，有連喝十二杯的紀錄，入夜依然鼾睡如昔。我所以沒有受到刺激興奮的感受，大概是咖啡成分純淨，煮得恰到好處。友好相聚，有說有笑，其樂融融。主人徐克勤兄是煮咖啡的高手又兼名家，目前擔任臺北航空站的主任，事隔多年，未稍忘懷。

老實說，我好喝茶，這不無與我出生的家庭環境與地理背景有着莫大的關聯性。

「早上皮包水，晚間水包皮」，這二句話是我幼年的生活寫照，總離開不了飲茶。因此，進茶館、泡澡堂，是不可或缺的日常生活細節。在大體上，北人多喜香片，那是加工製造的薰茶，使用薰焙的不同花種摻雜其間，名稱各不相同。而我們南方人則多愛清茶，香味四溢，清純平淡。父兄偏嗜「龍井」，小孩子的我，也只有喝「龍井」的分，久而久之，習慣自然。偶飲「雀舌」，那是清茶的別名，茶葉薄嫩，有如雀舌。稍長外出就學以及從戎奔波，我兩度在杭州南高峯鳳凰嶺下的龍井喝過龍井茶，在玉泉寺啜飲泉水泡的茶。揚州平山堂、鎭江金山寺、無錫惠泉山，有着盛名傳天下的泉水泡茶，迄今仍深深印在腦中，永遠美好。

其他名茶，諸如太湖洞庭山上碧蘿峰的碧蘿春、六安的瓜片、湖南的毛尖、四川的沱茶。雲南產的普洱，如果是略帶苦澀而不失芬芳清新的話，依然還是好茶。大坪林的文山包種、鹿谷的凍頂烏龍，也是我最喜愛的清茶之一。

茶的功效，提神、醒腦、明目、清心、解熱、止渴，還有「令人瘦，去人脂」的減肥作用。記得吳稚暉老先生就曾對國人視爲「國飲」的喝茶之道，多加揄揚，言之有理。假如，將喝茶當做生活藝術來欣賞，更具意義。

茶是益多害少。所謂害，寒疾或是身體虛弱的人不宜多飲，由於「茗性大寒」。同時，患有胃病的，還有空着肚子的，也要少喝，這是大家的公論，也是我親身體驗所得。

咖啡與茶，前者激烈，後者平和，兩者多飲俱無實惠，小飲不無自得其樂。流行喝咖啡與飲茶，最重要的，它不會有碍周遭人們的生活，也不會侵犯到別人享受清新空氣的自由。怪不得咖啡店街頭林立，茶藝館隨着也如雨後春筍一般發達，國人近年倡導飲茶，更是值得讚揚的大事。

功夫茶的小壺小杯，我也喝，但不習慣，它適於二三友好對談小飲。居家客多，用大瓷壺泡茶，每客一杯，喝完再倒，俐落省事，一樣的談笑風生，這是家鄉的傳統，我在臺灣依舊不改這一個良好的待客奉茶的老習慣。個人在家喝茶，有我的原則，喝的一定是淸茶，印度紅茶我也不屑一顧。茶葉揀較好的去買，太好的我也買不起。泉水、井水、河水都已辦不到，自來水一定滾開而不能雜有一絲其它氣味，茶具我倒積得不少。陶的、瓷的、砂的、玻璃的，我用的是我喜愛的靑花瓷杯帶把的，另外有蓋。

泡茶，先得淸潔茶具、暖杯、放茶葉、用水冲泡、加蓋，稍稍熱散啜飲，在溫和茶湯裡，流露着甘香味美，飲來特別感受着一種喜樂自在。

閒話茶肆及浴池

「早上皮包水，晚間水包皮」，這一諺語的形成，由來已久；茶館猛喝茶，澡堂窮泡水，昔時鄉邦舊俗，蘇浙一帶幾成習慣；今時歲月，或許不盡相宜；若偶一涉足，享受閒暇，調劑情趣，值此繁忙緊張社會中，尚不失是都市生活的美好點綴。

茶是常綠灌木，葉長橢圓，春季採擷嫩芽，製為飲料，一名茗，本作荼，至唐陸羽著茶經始改稱茶。雖說：「飲茶發乎神農氏，聞於魯周公」，但至少距今也有二千年，而在唐宋二朝流行最盛。茶經談茶分做十類，詳述製茶器具及烹飲諸法，清人陸廷燦著有續茶經，訂定補輯，頗切實用。宋代將「點茶」列為四藝之一，愛茶名士，歷代俱有，使飲茶藝術，帶進更高的境界，我們從「寒夜客來茶當酒」句，體會賓主相晤的歡愉和諧；茶為靜品，具有純潔的象徵，蘊藏著典雅情緻，佳茗香醇，烹煮取飲，調和意緒，修養身心，確是生活上的一種福分。用之饋贈友好，固足尊重對方志行高潔，也寓有君子之交淡如水的深義存在。

流傳已久的故事：「坐、請坐、請上坐；茶、泡茶、泡好茶」，妙聯佳話，却把茶的高潔，含混著庸俗與現實的成分，茶的本身，是絕對無辜的。

公開供茶，有佈施的「茶亭」，旅遊的「茶擔」，收費的「茶棹子」，也有「老虎灶」兼售茶水的，只是便於過往行人止渴休息而設。

茶肆俗稱茶館，今有稱「茶樓」、「茶室」、「花茶室」、「老人茶館」等分野。

根據明代吳應箕南部紀聞所載：「金陵栅口有五柳居，萬歷戊午年（一六一八），一僧賃開茶舍，宜壺錫瓶，時以爲極湯社之盛，然飲此者，日不能數客，要皆勝士也，南中茶舍始此。」假如茶舍就是茶肆前身的話，飲茶客少爲貴，賞鑒杯壺之美，汲泉煮茗，雅趣橫生，那是三百六十年前的陳跡，與今相較自有差異。

往昔茶肆鼎盛，在揚州地方曾有一段光景綺麗的時日，流風所至，歷久未衰。試讀揚州畫舫錄，就清乾隆六十年（一七九五）所載，眞是令人懷想不置。

回溯揚州府治在江淮間，土沃風淳，溝通南北，風尚華美。隋大業十二年（六一六）煬帝楊廣乘興南遊，尚留瓊花觀古蹟；廣陵故城的荒蕪，有蕪城賦之作。唐代李白囊昔東遊維揚，不逾年散金三十餘萬；由其「腰纏十萬貫，騎鶴下揚州」詩句，及其「送孟浩然之廣陵」，孟浩然「宿桐廬江寄廣陵舊遊」，杜牧「寄韓綽判官」、「遣懷」、「贈別」等詩作，揚州風光景物，壯觀異彩，無不令人爲之神往。及之有清一代，乾隆六巡江浙，揚州駐舟，遍歷蜀岡諸勝，自必益增秀麗。

揚州茶肆，甲於天下，有以此爲業的，出資構造花園，或鬻故家大宅廢園爲之，樓臺亭舍，花木竹石，杯盤匙筋，無不精美；且有葷素茶肆之別，點心則各擅一方之盛。泡茶用水，亦多考究，其味力求甘冽是尙，湖水用船載送，次以河水；蜀岡本以泉勝，清冽甘香，汲飲爲主。康熙年間，冶春社最著，乾隆時有明月樓，七賢居，小洪園，西園，雙虹樓，二梅軒，腕腋生香，小方壺，天福居，雨蓮等茶肆，花木扶疏，環境清幽，茶客每旦絡繹不絕。茶肆題名深具雅趣，聯語尤見工伎，其中西園濯清堂，前有方池，盡種荷花，聯云：「十分春水雙檐影，百葉蓮花萬里香。」慣常用的：「石鼎煎香俗腸盡洗，松濤烹雪詩夢初醒」。「清泉烹雀舌，活水煮龍團」。

由於時代變遷，如今臺北市的茶館，幾乎是粵式的「飲茶」所佔先，價廉物美，無怪門庭若市，算得上的揚式茶館，供應乾絲、肴肉、鳳雞、雜花什點心的，僅有一家尙存道地揚州老師傅，差堪領略「一壺三點」的風味，但是，現時的茶館，都不講求茶具、茶葉、水質和烹煮的技巧，難怪茶之爲物仍待倡導飲用，方足與舶來品的咖啡一較短長。

公衆利用的浴池，又稱澡堂。古稱「湯沐邑」的，是天子賜以齋戒自潔之地。諸侯朝拜天子，庶人敬天祀祖，莫不如此，湯沐所以洗去汙垢。先民既會茹毛飲血，穴居野處，到掬水以飲，架木爲巢，相信用水淨身，也該是人的一種本能，我們從鳥獸這些動物的潔羽浴身便可推知。

至於官吏休沐或稱洗沐，秦時卽有，漢五日一假洗沐，自六朝以及唐宋皆然；甚至立春、清明、端陽、中秋以及年節等，皆有休沐之期。顧名思義，洗沐固可潔身，也就藉此休假，一舉兩得，這是後人蒙受前人的餘蔭。目前利用假日，全家大小到北投去洗溫泉，實在符合古代休沐的遺規。既然「浴身曰澡」，「洗身軀」是有益身心的事。水多的地方，洗澡較便，野外與室內任人選擇。家庭潔身用具，今古異勢，已是大不相同。

每讀唐人白居易長恨歌：「春寒賜浴華清池，溫泉水滑洗凝脂，侍兒扶起嬌無力，始是新承恩澤時」句，料想唐代溫泉浴室業經具備，營利與否，尚難稽考。宋代蘇軾與其弟蘇轍唱和的「次韻子由浴罷詩」句：「理髮千梳淨，風晞勝湯沐」，也談到入浴，是否公共浴室，無從知曉，我國浴池之風，就揚州畫舫錄記述，始於邵伯鎮的郭堂，城邑徐寧門外張堂繼之。當時著名的小蓬萊、白玉池、螺絲結頂、陶堂、白沙泉、小山園、清纓泉、廣陵濤、新豐泉、顧堂，各極其盛。白石爲池，間爲大小數格，近熱水稱大池，次爲中池，小而水不甚熱者爲娃娃池。世說澡堂業分三幫，即揚州、漢口、福州。憶在鄭州有一揚幫浴池，寬大水清，華麗整潔，接待週到，賓至如歸，捨揚州、鎭江、南京、上海外，無出其右，致印象深刻。

浴池聯對，如：「石池春暖人宜浴，水閣多溫客更多」。嘗見揚州府治八縣之一的浴池有聯：「邗江無二水，秦郵第一池」，表示是揚幫的正宗，用的是邗溝水源。但今日臺灣的揚幫澡堂年有增加，招牌却慣用「上海浴池」替代。殊不知淸代咸豐以前（一八五一），上海才剛始發達，怎比得上揚州的名氣，眞是此一時也，彼一時也。

俗說：轉換環境便是休息。忙裏稍偸一點閒暇，到博物館看文物，或是徜徉山水之間，都是有益的活動。也不妨偶爾上一趟茶樓，香茗美點，任君品嚐；泡泡澡堂，輕鬆舒適一下，豈不是也樂在其中。

喝　茶

我幼年生長在：「早上皮包水，晚上水包皮」的環境裡，對於開門七件事的最後一事—「茶」，那我有深好焉。

人的習慣與嗜好，多多少少受著環境的影響，而幼年生活尤多決定的因素。從我記事起，隨著大人們朝進茶館，夜進澡堂，都是離不開茶的。平常家居，自飲的是茶，奉客也是茶。茶葉固定是「龍井」或是「雀舌」，均是向鎮上房德隆茶莊購買的，很少喝那內中滲雜茉莉花、菊花之類的香片、花茶。故鄉多沼澤，陸少水多，並不產茶，所有的茶葉都來自鄰省浙江，特別要用大小不一的錫罐裝的。

茶具包括壺、盅、杯、盤，一律使用景德鎮燒造的白瓷器皿。壺有扁的、高的，皆是圓的造型。有的提梁是銅條做的，有的却用把。蓋和流的形式，只是大同小異。壺腹題有「一片冰心」，或是「可以清心」，行書倒很脫俗，當然也許繪製山水、人物的，或題記一首完整的詩，這些詩和畫給我印象極深，我愛欣賞書和畫，其動機的本源就在於此。盅、杯、盤，有時也有幾筆畫和字的。爲了預防熱茶早冷，常用一種籐製的茶壺隖，內裡鋪放著棉花，製作得非常精巧細緻。無怪今日尙爲愛好時髦的仕女們所樂用，做爲手提包的代用品，提著招搖過市，很少有人知道它的原始用途。

宜興紫砂茶壺，最爲聞名，樣子美觀，壺式達一百多種，經久耐用。據說：「泡出來的茶特別好，而且能保持茶的香味和溫度」。雖然，宜興距離我的家鄉不遠，那裡陶器加黃釉的大荷花缸，以及農忙時節用的陶質大茶壺，倒是見到很多。所謂紫砂茶壺，我在抗戰勝利後路過揚州，曾經在地攤上買到三件喜愛的寶物，一是漢玉蝦蟆，一是端硯，一是佛手紫砂茶壺。所說宜興壺的優點，我很難證實，就連隔夜茶不會餿的一些人經驗談，我也無從體會。不過宜興（陽羨）茗壺有歷史記載，從明朝正德年間即已開始，而且頗多名手製作，小巧玲瓏，書畫刻劃俱佳，作者題名鈐印，尤饒價值與趣味。老實說：知心友好促膝對坐品嘗敍舊，用宜興壺泡茶，飲來的確算是一絕。

宜興茗壺創自金沙寺僧，他爲什麼要自製茶壺，一定是有它的背景存在的。從明代大文人又是大畫家唐寅，在他書寫的一首詩裡提到：「穀雨初來陽羨茶」，那是正德元年，可見當時既有著「陽羨茶」，再有陽羨壺，兩者相得益彰，不是更加投緣嗎？我這樣粗淺意見，對陽羨壺的製作動機聊供世人作進一步的研究參考。

另就唐代陸羽茶經，曾經提到邢窯和越窯。當南方越窯鼎盛時代，正逢北方白瓷亦在發展，到了晚唐，代之而起的方是定窯。由於這些窯產白瓷，色尙素，土細質膩，製壺泡茶，使用白器的壺杯成爲習慣。及之北宋早期，獨創「色白花青」的影青瓷。另有一種「雨過天青」的秘色瓷，本是五代官窯青瓷中名色專稱，用來泡茶盛茶，却可顯示茶色之美，動人飲用的慾望。景德鎭在南宋時期仿的白釉器，即在影青瓷基礎上發展得來，所以，器皿色澤與茶色配合，非常重要。

泡茶用水有山泉、天落水、江水、河水、井水、自來水。在我個人經驗，山泉最佳，天落水次之，江水又次之，可是現在，經常唯有煮自來水泡茶的一途。

燒水，在江蘇有茶爐供應，上海稱之「老虎灶」。家庭有用木柴、炭火、蘆葦等來燒「茶吊子」的，更有一種專門燒開水用的「火燒心」，大小不一，冷水儲在週邊，火則在中心煮沸，取來泡茶，可免油煙味道。

幼年居鄉，及長求學南京、鎭江，喝茶的習慣，絲毫未受影響，綠茶的「龍井」，始終是我最喜愛的一種茶。戰亂十二年，喝茶幾乎是我生活中最大享受，有時，連一杯乾乾淨淨的白開水，都得視爲甘露瓊漿。可是數十年來歲月中，令我永難忘懷的各地佳茗，爲數並不很多。

揚州蜀岡本以泉勝，甘香清洌，水出諸覆井亭的井，壁中有「天下第五泉」石刻，原爲王虛舟爲無錫惠山所書，拓返重刻，僅將二字改成五字。遊人廊中飲茶，看江南群山屛列，氤氳變化無窮。鎭江金山寺附近有天下第一泉，四野葦叢，難以眺遠，坐看池水冒泡，茶雖滿盅而不漏溢，令人嘖嘖稱奇。在浙江杭州南高峯鳳凰嶺下的龍井，舊名龍泓，茶與水，甘泉沁心，並稱雙絕，倦遊小坐，香茗一盞，縱目四顧，湖光山色，益增佳趣。安徽六安毛坦埸的瓜片，翠綠誘人，葉疊成條，一杯在手，芳香四溢，多飲不厭。湖南君山毛尖，一撮泡在滾水中，葉嫩挺豎，飲罷入口咀嚼，齒頰留芳，永難忘懷。四川重慶坐茶館，設備和揚州的亭園茶肆難以相比，但么師的親切靈活，提壺沿座冲茶，往往使得茶客不忍離去，而蓋碗沱茶，香溢滿座，小聚啜飲，大快平生。在臺灣飲茶，一在臺南、一在鹿谷、一在坪林、一在新店，有說茶葉來自凍頂，有說茶葉產自文山，茶味甘香，水也清洌，說不定與我喜愛的清茶有關，也未可知，這是我旅居臺灣喝茶最深刻的印象。

一談喝茶，想到：「寒夜客來茶當酒，竹爐湯沸火初紅，尋常一樣窗前月，纔有梅花便不同。」好友相逢，以茶當酒，暢敍別愫，多麼富有情調的雅事。再想到：「茶、泡茶，泡好茶」。「坐、請坐、請上坐」。人情冷暖，趨炎附勢，又何其庸俗不堪？其實都是一個茶字，而由於人心不同，變易自然有別，給人的感受，又何啻天壤。

茶的妙用，吳稚暉先生說得很透徹。他說：「茶之原產地爲中國，飲茶爲國人一大嗜好，亦爲中國文化一大特色。飲茶有益無害，緊張之後，工作之餘，休閒之際，享受無窮樂趣」。

人生若要一切順乎自然，即爲合乎自然。基本的是：飢則食，渴則飲，倦則睏，那是日常生活不移的道理。渴則飲，倘或喝茶成爲習慣的話，它比任何一種飲料來得止渴，且能醒酒，有助健康。提神醒腦，奮發精神，更是喝茶的一種妙用。至於茶的其他功效多多，苦無實證的只好從略。

在我來說，生活上嗜好很少，唯一的就是喝茶。茶葉固不求上品，劣茶我也懶得進嘴。茶具用壺的時候很少，只是大小俱備，備而不用。經常用青花瓷盅，或是裝有一百西西的大玻璃杯，那是日本福岡朋友送的。晨間起來先泡好一杯茶，漱洗既畢，邊看各報，邊吃點心，邊飲熱茶，其樂融融。辦公室桌上的一杯茶，邊想，邊看公文，邊喝。晚飯後獨坐書房，愛妻送進一杯茶，看書、寫稿帶喝茶，消磨專門屬於個人的時光，除去小孫偶或闖入，誰也不來干擾。

喝茶在我來說，眞是妙用至多。（民國七十二年十一月三十日）

日本初旅

五月間。中華民國書法教育代表團一行十四人，應日本教育書道連盟邀請，在日停留八天，備員其中，出席中日書道教育振興協議會，幷參觀訪問學校及博物館等。來去匆匆，浮光掠影，雪泥鴻爪略誌一二。

東京紀行

既往服役空軍，搭乘各型飛機，逾四百架次，此次首度出國，所乘噴氣客機，出海後飛行於高空間，白日青天，翼下白雲朵朵，特具寧靜舒適的感受，自覺趣味無窮。初履東京，印象最深者，莫如交通，次爲巍峨建築與匆忙之市民。市區交通，以公私轎車與計程車爲多，行車速度，平穩適切，具有安全感，摩托車與其他手拉脚踏的幾不可見，但是計程車每一起步卽是二八〇元，逾午夜雇車，車資較昂，無臺北市日夜雇車的方便。交通重點置於地下，市內地下鐵道有國鐵、私鐵，尙有地下鐵銀座線、丸之內線、日比谷線、千代田線、東西線，以及都營地下鐵線，另羽田機場至濱松町有單軌電車聯接，縱橫環繞，無遠弗屆，車聲隆隆，快捷無比，乘客均須身手矯捷，稍一瞻顧，卽會錯過一次搭乘機會，車內乘客雖衆，靜靜無聲，或站或坐，少見高談濶論或妨礙他人之情事。而上坡下階，俱匆匆疾走，無人踱方步作消閒狀，畢竟不是老年人的天下。他如交通工程，交通教育，交通管理，有條不紊，一切趨於正軌，堪供我人借鏡。日本警察在國家安全與皇宮警衞，居於重要的角色，值勤警察衣銀灰制服，着黑短皮靴，戴大盤帽，佩領章以示階級，軍警似難立分，佈崗裝備頗多，警笛、手鎗、警棍爲習見，另人人手持無線電對講機，尙有手持類似我國童子軍所持之長棍，我無以名之，稱之曰齊眉棍。便衣警均西裝革履，領間佩有小型徽章以資識別，態度從容，守望認眞。我等在東京，住於新太谷旅社，四週警衞森嚴，三步一崗，四步一哨，灰色警車停滿街頭巷尾，雖非專爲維護我等而設，但對我等佩青天白日滿地紅之徽章人士，咸表友愛虔誠之風度。尤其在東京通衢要道，遍貼我總統蔣公遺像，四角各繪我國青天白日滿地紅國旗，另貼有我國大幅國旗，下則附有撕成兩截的汚腥旗，行路問道，日人稱我們中華民國，懇切指引幷領往旅社，購買什物時，笑容可掬，禮貌週到，民間處處表現對我國之友好態度。

東京爲世界主要都市之一，街頭雖不寬濶筆直，但特別注意綠地之保留，又遍植行道樹，綠楊垂柳，銀杏蒼松，足跡所經，大有春到江南的風味，樹葉綠得令人特別可愛可戀，其感受似乎重又回到三十年前的故鄉春暮。只是烏鴉成羣，絮聒不停，初聽頗不習慣。

奈良京都

一行去京都，係搭新幹線火車，時速平均一八〇公里最高速二一〇公里，東京京都間，距離五〇〇公里，三小時即達，途間細雨霏霏，農人正忙於挿秧，丘陵農舍，鄉村景色怡人，僅在名古屋稍停，其他各站均不停靠。此種火車每十分鐘一班，其優點在於快速，另車上可直接對東京撥通電話，餐車女侍服務週到，其他與我國莒光號相比，服務與清潔，仍有缺失。

東京，這古時的江戶，如今雖繁華似錦，冠蓋雲集，但除去皇宮舊景，以及陽明儒學理念尚在日本家族道德中殘留，至於戰國風習的武士，女性的韻味，去時已遠。在日本若要發思古之幽情，重溫兒時大陸故鄉的幻夢，奈良、京都尚能從異國儒教與佛學的思想淵源裏，重拾一點往事陳跡，聊慰一點鄉愁離緒。

一到京都，在鐵路餐廳用饍，壁間懸有一幅明人沈周山水圖，頓有親切的體會，吃的是「中華料理」有台北的清茶，苗栗的榨菜，一換數天的西餐口味，眞是受福不淺。飯畢坐遊覽巴士去奈良，東大寺的銅造大佛殿，有銅鑄如來莊嚴佛像，高五丈三尺五寸，固給人一種肅穆莊嚴的誠敬心情，但日本人民當時鑄造大佛的心理，遠非現時觀光者嘆爲觀止的思緒所能領會於萬一，不過奈良寺院之多，堪與揚州相伯仲，但無可否認的，日本佛寺建築，仿承我國形式，當深受我國的影響所致。而其佛教經典，也幾乎由唐代移植而來，可是，佛教原有精神的正覺開悟，在聖武天皇（紀元七二四—七四九）

後就是背道而馳，只作爲鎭護國家的工具。更從奈良國立博物館中陳列佛像羣中發現，與其說模仿我國北魏初唐佛像面貌，古拙嚴肅，不如乾脆說是繼承我國彫塑特色。唐朝揚州龍興寺和尚鑑眞，經過海上四次挫折，終於使奈良東大寺成爲佛教界重心，導致日本佛教的興盛，信仰宗教所發揮的力量，這對中日文化交流而言，已經樹立不朽的功業。

京都繼奈良建爲國都，那在日本史上的平安時代。我曾利用深夜，在東寺古城甬道漫步，城堡壯大堂皇，濠溝旣廣且深，緬懷豐臣秀吉原爲出身農民百姓之家，內對天皇示意修好，更直接控制全國土地與人民，一五八七年，於京都山地營建奢華壯麗遠勝皇宮的聚樂第，且曾迎天皇蒞臨此第，藉天皇權威以自重。而且，曾經企圖先征朝鮮再侵我國而遭敗北。以一個中國人的我，深夜在此徘徊，寂靜無聲，萬籟俱息，思古懷往，怎能不思潮起伏，感慨良深。

白天在京都，曾去京都御所參觀，該項宮殿建築，始於一八五五年，所見承平門、紫宸殿、清涼殿等，雖爲木造，彫梁畫棟，重閣飛簷，仍具我國古代建築雄偉之美，而其池庭佈置，除石燈、小橋有點礙眼，而翠柏青松，溪水潺流，題名「迎春」、「聽雪」，這座御花園，却也別富情調。舊二條離宮，更有德川慶喜等臘像十六具，栩栩如生，自可想見當年。更去金閣寺（鹿苑寺），該寺隱藏在山谷林樹間，有石彫扁舟，視爲神物，柏樹經人工盤成的帆船，也成了一景。池畔水色澄清，與金碧輝煌又稱舍利殿的交相映照，後山有夕佳亭，相傳是水尾天皇獻茶勝跡，是日遊人如織，恍如兒時在鎭江南郊三寺之景況。遊京都博物館，瀏覽繩文、彌生、古墳、奈良、平安等時代，考古史料，以及陶磁、彫刻、繪畫、書跡、染織、漆工、金工等，其陳列之歷史文物與美術品，以及在東京國立博物館所見，無一不與我國文化發生深遠之淵源。（有關博物館、美術館部份，容待另撰專文介紹）。

書道墨跡

日本文明是先模倣我國，然後模倣西方；無可否認的，是深受中國文化的影響，但我們却不必以日本文化是中國文化的一支而沾沾自喜。由於紀元六三〇—八九四年間，日本遣唐使盡力學習唐朝的學術與制度，以拓深學識，增廣見聞，吸取中國精神文化的精髓，使沒有文字的日本，由於歸化人使用文字，因此開始使用漢字，而書道的講求，也應從留唐學生與僧侶研究漢學與興盛佛教所作貢獻。在京都國立博物館所見平安時代的妙法蓮花經，以及滑石所鐫刻經文，固然說明唐代一切佛教經典全部移植，而書寫經典更促使書道的精進。此次應日本教育書道連盟邀請，我國中小學校長暨擅長書法教師等十四人，出席中日書法振興協議會，日本出席代表三〇〇人，有遠自北海道與鹿兒島而來，名流星島二郎、安井謙、小山天舟等均親自與會，我國馬樹禮、林金莖、鍾振宏應邀列席，極獲熱忱歡迎。會場懸有我青天白日滿地紅國旗，日本代表發言，對我總統　蔣公逝世莫不同聲哀悼，感恩圖報的心理溢於言表。參觀訪問日本書道美術館，五樓屋頂，我青天白日滿地紅國旗懸於高桿，迎風招展，至感欣慰。見其所展，有「犬養木堂翁遺墨展」，「歷代首相、議長、文相墨跡展」，「日華現代書道代表展」，犬養在扇面所書「立誠」兩字，岸信介手書「士不可不弘毅，任重而道遠，仁以爲己任，不亦重乎，死而後已，不亦遠乎。」三木武夫手書「無信不立」。田中角榮：「晚花藏密茶」，我國名書家于右任亦有草書數幅陳列其中。在訪問的學校，有東十條小學及跡見學園。日本小學對毛筆書寫基本原則的指導，在於姿勢執筆法，用具使用法，同時，着重指正文字的筆順，理解正確的字形，幷重視文字書寫的工整，各年級目標容有不同，而對點畫的橫、豎、撇、斜、捺、折畫……等，在書字時都特別重視。而作品欣賞，無論是古帖、名家作品，甚至兒童本身作品，都有一番詳細的指導。我國在發揚固有文化之目前，聘請專家研擬一套完整的書法教材及教學指引，實爲當務之急。

訪問跡見學園，內設女子大學，短期大學、中學、高等學校，學校創設人跡見花蹊女士䂓辦於明治八年，已近百年，迄今仍重漢學，書、琴、畫、茶、花、裁等科目。花蹊女史精通漢學，書畫俱精，見其半身塑像，令人肅然起敬，而其遺物與遺作中，幾乎件件與中華文化息息相通，手繪四季花卉圖，功力深厚，枝葉生動，更見其手書「鶴巢松樹不知年」，瀟灑自如，蒼勁如鐵。在其所題梅花詩有句：「風送清香拂几來，月升枝上影徘徊，模糊如雪滿窗白，寫出横斜一樹梅」。而花蹊爲一大教育家，在其「跡見女子書」：「爲子則孝，爲婦則貞，爲母則慈，擧止嫻雅，志操高潔，女子貞也」，即可見其一般。當其創校五十年，適逢八十六歲，明治皇后曾以織錦外衣相贈，白花藍菊，亦珍藏於校史室內，睹物思人，跡見花蹊李子女史教育精神，將永留青史。

日本重視書道墨跡，比比皆是，卽其東京國立博物館亦復如此，特闢專室陳列我國歷代書畫名蹟，而對趙子昂、何紹基的書法，尤多偏愛。在其唐風文化的漢詩、漢文以及書道藝術的發揚，這些學養對於日本社會的安定力不無具有深厚的潛力，雖然爲省略漢字字劃，而有片假名，照漢字草書簡化而有平假名，這也說明日本民族的一種創造力，對吸引外來文化幷不是完全生吞活剝的。

畢卡索的繪畫

在東京上野公園，國立西洋美術館，也是我參觀的主要對象之一。繪畫與雕塑，使我目不暇接，能從美術圖集，複製品，畫卡，進而見到眞蹟原作，內心的欣悅，難以形容。世界名家作品，如羅丹的雕塑，莫內、雷諾爾、畢沙羅、高更、塞尙的繪畫，盡入眼簾，誠是人生一大快事。尤其，我此來日本，對於本身業務多少有點關聯，畢卡索的繪畫，也成爲重視的焦點之一。說來可笑，我自從事博物館事業以來，對於畢卡索生平及其終身在藝術的造就，略有所知，而看到畢卡索的原作，是去年隨同浩天何先生在基隆參觀董浩雲旗下的東方翠華號客輪，初次看到一幅大不盈尺的畢氏原作，三根小草，一隻螳螂，生趣盎然，不同凡響，其藝術價値固高，而金錢價値亦令人咋舌，是世人所知爲中國人藏有畢卡索繪畫的第二人，另一位則是張爰大千居士，據他自己說是一幅「鬼臉子」，可惜，我只見過畢張兩氏的合影，諒在畢卡索畫展之日，當可在國家畫廊見其眞相，那總比看複製品更具眞實感了。

畢卡索是一八八一年生於西班牙南端海濱，從小喜愛繪畫，在十四歲時，所作油畫卽有非凡的表現，在他一生，精力旺盛，作品衆多，涉獵廣遠，面目常新，而風格多變，任性奔放，表現誇張，正足顯示畢氏雄偉的力量。晚年所作「生活自畫像」，使繪畫變成他的一種遊戲，也成了他的生活寫照，一幅幅即興之作，反映出他晚年生活平靜無波。被人譽爲二十世紀最偉大的畫家，由於嚴肅的工作態度，不斷地奮勉創新，以及永遠年青的精神，誠是卓然不同尋常，畢氏活到九十二歲高齡，在其七十五年漫長作畫生涯中，遺留人世的油畫逾一萬五千多幅。

據知，畢氏不僅繪畫而又喜愛創作雕塑。在繪畫中，有油畫，水彩，水墨，鋼筆，鉛筆，還有銅版、石版，利用不同的繪畫工具，寫出他們意境、工力和技法。由於一九〇七年時當二十六歲手繪「亞維濃的少女們」一擧成名，奠定他藝術史上不朽的盛譽。我在東京國立西洋美術館，在大廳顯要位置，看到他的兩幅巨構，其一男的抱着女的，隆乳肥臀，其表現清晰，誇張，而線條極爲細緻美妙，不亞於我國明代仇十洲的春畫，而立觀注視的男女不知幾許，若在我國公開展示似不可能，因此，國立歷史博物館將在畢氏繪畫取捨上，硬是規定：「所有作品應爲中華民國人民在藝術觀念上所能接受，并不違背中華民族善良風俗爲限」，這也可以說，超藝術的觀點乃是不得已的事。其它一張是具象的，有奇異的線條和色彩的變化，構圖還是脫離不了人和物的組合。另外，在柴原雪女士處，看到畢氏彩色的石版畫，也是難得一見的怪人面孔。其他，珍藏在美術館以及私人手裏的畢卡索的繪畫，有的遠在九州，有的在關東，均以時間和空間的限制，未得全觀，不免可惜，但在新宿一家專售美術書籍的書店裏，買了一本特大的畢氏畫集，欣賞竟夜，不知東方之既白，稍稍補償一點遺憾。

畢卡索原作繪畫將在我國首次付展，主其事的辛酸與艱困，不是三言二語所能道盡，做一件事并不那麼簡單，何況又是一件破天荒的創舉，更需要社會人士鼓勵與熱心的贊助，俾這世界上大大有名的藝術家眞蹟，給予國人有一欣賞機會，也算是日本初旅的不虛此行。（六十四年六月）

歐胡島上的情懷

國人提到檀香山、夏威夷，多半耳熟能詳，若說歐胡島，就比較有一些陌生。

夏威夷是羣島組成的美國一州。而夏威夷，昔時曾是一個王國。以夏威夷島最大，如今還有火山不時的爆發。第二大島茂宜，國父孫逸仙博士的長兄德彰，曾在島上經營農場。歐胡島位列第三，成爲八個有人居住的島羣中心。

歐胡島上有高山峻嶺，有深浚港灣，有通航的運河，也有面積不大的平原，人口七十二萬二千四百人。繁華而居要津，成爲州政府所在地的火奴魯魯市，人口就有三十五萬二千五百一十六人，也就是國人慣稱的檀香山。

從人文觀點看歐胡，有著斑斑可考的歷史陳蹟可尋。

我由飛機下來，踏上阿羅哈國際機場的地面，我歡欣父子家人的重逢。尤其慶幸世界偉人孫逸仙博士一八九四年組織興中會的檀香山得能光臨，一九四一年日本偸襲的珍珠港就在眼前。還有比夏普文化遺產博物館、波里尼西亞民族文化中心，這些無論是靜態的，抑或是動態的，給我從歷史餘燼中，找回若干追憶，使我這一過客的情懷，多多少少頻添一點感慨，有甜美，也有酸楚。

晴朗陽光，如春氣候，藍天白雲結合著碧海微波，棕櫚樹梢羽翼似的長葉搖曳，格外感覺這兒的景象婀娜多姿，活潑生動。加之，雜花生樹，白的，紅的，紫的，五彩繽紛，朵朵成串，還有吊鐘花，天堂花，點綴著這一座島嶼，美艷絕倫，充滿浪漫情調。而在一個中國人來說，眼看海上孤立的小島，狀似斗笠，被稱是「中國人的帽子」，地面更有五人方能環抱的枝根錯綜的大榕樹，青翠一片的綠竹挺秀，還有飄揚在國際機場與威奇奇海灘大道的青天滿地紅的國旗，這有關我國的由古到今事事物物，給我無限的快慰。

姑名中國城的「老街」，店舖都是二層或三層的舊式洋樓，有的還懸掛著漢文市招，也有象徵純中國式的古典建築。往來的人不多，一些閒著無事可做的老華僑，斜倚在街旁石階上，無目標的東張西望，似乎一種無奈與落寞的情緒，難以排洩的抑鬱在心頭。有的屋子裏空寂無人，任它長期的閒置，一樓一底的中國國民黨總支部的舊址，火燒的痕跡依然在目，現用木板遮著大門和窗戶，也沒有人來拆除改建，甚至重行裝修，令人覺得那是一件棄之可惜的憾事。新中國城是方型二層的建築物，白牆黃瓦，倒有點氣魄，與日本城隔河而居，中間有橋來往，鄰近通衢的右邊隙地，恭立一座 國父孫逸仙博士的銅像，長袍馬褂，手捧書本，神態自然，像後有一株榕樹，葉蔭如蓋，只是環繞像座的四塊大理石俱已不翼而飛，因此，紀念文字也就失去蹤影，使人興起殘破的嘆惜。我們一家行禮留影，此行不虛。右邊登樓，看到興中會紀念堂，掛著「中國國民黨檀香山總支部」長條木牌，旁邊是「中華新報」小牌，裏面隱約供奉著關帝神像，還有一堆零亂的書報，壁上貼著國民革命史蹟照片。大概是星期例假，益顯空洞洞的，門邊的垃圾，自然也就沒人清理。對面的「文化廣場」，牛皮紙粘著玻璃窗戶，無從得窺全貌，但仍清晰看見堆置一些傢俱，相信它是雖設常關的，另一邊有胡琴伴著一位女性在唱「汾河灣」，聆來引起我「他鄉故知」的興奮，樓下市場裏，富麗華大酒樓門前一對石獅，康孫笑嘻嘻的躍上要求拍一張儷影。商店不多，光顧的不甚踴躍，停車場位置不小，幾佔中國新城的四分之一，停滿各式轎車。

在阿羅哈國際機場的一角，也有一座小型公園，有花木、有小亭，有著國父孫逸仙博士銅像。由於孫先生的生前與檀香山具有深厚的淵源，所以，一些紀念物事易與讓人關懷。孫先生幼年讀的中學，靠近運河旁邊，如今還是一所著名的學校，我知道所在方向，却無緣前去瞻仰。

夏威夷大學是傳播文化的所在，設有中西文化中心，有中國的、韓國的、日本的房屋建築，韓國是別具東方之美。而中國館伏著的一對石獅，它就象徵那是中國的。校園遼濶，遍地綠茵，更有許多茶樹，盛開潔白的花朵，鳳凰木也綻放著串串的紅花。火樹夾雜瓊花，使這近山的高等學府，顯現著寧靜、秀麗的幽雅環境，就讀的學子，他們眞是幸福。

珍珠港在歐胡島南的中間，入港分有三個泊地，很像一支白珊瑚，它是我國對日抗戰轉捩的歷史遺跡，美國遭受瘋狂的日本軍閥偷襲所在。事隔四十三年，珍珠港和其他海港一樣，水深浩瀚，煙波渺茫，已經了無戰火的悲慘遺痕。美國人並不敢健忘，將它經營成爲一座「野外博物館」，終日遊人如織，從親目所睹中，看到往昔遭受羞辱的眞相，從徘徊低顧裏發現一個結論：人類和平首在於用力量去遏阻侵略。我們先看史蹟館，再看紀錄影片，然後順序坐著由女水兵操縱的汽艇，乘風破浪，駛往對岸島邊亞里桑那號沉艦水域，逐一步入橫列的白色長方紀念堂。頂端一面美國星條旗在空際迎風招展，告訴千萬的遊客：「這是美國的」。堂內兩端，一是遺存的沉艦大吊鐘，靜默沒有聲息，一是隨艦犧牲的逾千官兵列名其間的靈位，有一對美國年邁夫婦在低首啜泣，一個年青男孩半跪奉獻一束鮮花，或許，在陣亡的將士當中，就有他們的親人。我們夫婦帶著中兒、蘭媳、康孫，隨著無數旅客悄悄地繞行一週，在欄杆圍著的空隙處，瞭望所有當時炸沉的艦艇標誌，潮起潮落，永無休止，英靈不泯，浩氣長存。站的位置正靠著巨艦的右舷，炮塔露出水面，堅強壯偉，油花還不斷漂浮著一絲絲青綠。那是與大海同伴的亡魂熱淚，爲專來憑弔的人們表示感激。

保存夏威夷與波里尼亞民族文化的，有比夏普文化遺產博物館，波里尼亞民族文化中心，兩者距離很遠，一靜一動，各具特色。前者由比夏普就私邸在一八八五年創設，後者是百陽翰大學近年建設經營的。

博物館展覽的，有夏威夷王國皇室的遺物，島民既往衣着、住屋、生活用具、捕魚工具、手工藝品。相與夏威夷既往關係較爲密切的國家，如日本一八九二年贈與布哇國王的「寶冠勳章」。韓國新羅王朝瑞鳳塚出土的「金冠」複製品。我們中國的，相信都是在這羣島上所蒐集來的，神像最多，樂器其次，還有二件像樣的清代官服，一是藍色繡金龍袍，一是藍底白花緞繡女襖，另有零碎的漢文書信，單據。

文化中心只是看看跳舞。舞台設計別出心裁，有椰林，有草地，有火山，有土著茅屋所構成。燈光，音樂適合每次的舞蹈需要，觀衆坐在有著高低層次的扇形敞廳裏，一覽無遺。一節火把舞，抛來丟去，火球舞飛，眞是功夫。另一節草裙舞，扭腰擺臀，搖手頓足，舞來輕盈，動轉巧妙，觀衆屏息注視，獲得不淺的眼福，當然也舒暢了我這過客的情懷。

環島三日紀行

人類確是一種奇妙的高等動物，在對事物的觀感上往往喜新厭舊，也會思古懷舊。在都市住得太久，人潮車流，無一刻寧靜，想到鄉野裡的山環水繞，叢竹茂林，若是置身其中，頓覺輕鬆愉快、趣味無窮。

久雨初晴，風和日暖。我們夫婦隨衆作環島三日之遊。從台北出發，沿著高速公路北上。下八堵交流道，穿越兩座隧道。藍天碧海，頓現眼前。順著東北角的濱海公路東行，人坐車中，急馳行駛，右山左海，一片靜靜的無窮碧色隨同相伴，享受著大自然的舒適，特感自在喜樂。

濱海近山

東北角的濱海公路，近年在不斷的改善，路面整潔。由瑞芳東經鼻頭角，有著金瓜石的山嶺挺峙在南，深深感到海的遼濶。無風無浪，只是海面近處微微有著漣漪，盪漾微波，輕柔起伏，逗引人們對這藍海寄予無限的喜悅。澳底漁港與三貂角間，是一處天然形成的港灣，漁村沿山散落，而金碧輝煌的廟宇，具有莊嚴肅穆的堂堂貌相，形成終年向海討取生活人們的中心信仰所在，對我們這些一瞬卽去的過客來說，在精神上也獲致一些慰藉。過三貂角卽見公路與鐵道併行，直到頭城。林樹森森，村舍點點，東望海上的龜山島、龜卵島，猶如池中數點浮萍，在水上漂動。蘇澳港外的三仙台，南方澳兩隻臂膀的擁抱，使它構成築港的自然條件。如今港濶水深，鐵公路的交通利便，促使成為臺灣東北的一個良港。

留宿花蓮

蘇花公路是臺灣東部的交通要道，是遠東最長的最令人驚險的一條臨海公路。車過蘇澳港就在爬山越嶺，爬得越高，俯視港區愈加清晰，愈加縮小，終於在視野裡消失。這時脚下的太平洋廣濶無垠，相與山嶽地帶的峻嶺互爭雄偉，公路就在腰際開鑿出一條通道來，有的地方開挖隧道或是半隧道，蜿蜒曲折，似蛇紆行。柏油路面，護欄橋樑已經相當的週到，只是地質的惡劣，落石坍方，在遇到地震與颱風大雨的時候，依然難以避免，迄今還有四個路段，仍得定時管制。行經其間，只感人的渺小，在心靈裡，面對着宇宙間的巨浸崇山，自會產生險阻有待克服的踟躕。

在群山繞行中，遠遠就看到橫在太平洋裡的黑黝黝一座屏障似的側峯，那是著名的烏石鼻，大概是其黑似墨，其形如鼻所致。過此便是谷間平衍的南澳，住有很多人家，北迴鐵路在此設有車站，我們一行也稍作休憩。

和平是山海間的小小平地，鐵路與公路緊傍南行，有鐵路車站靠太平洋濱，行人車輛往返較多。再行駛經清水斷崖公路，滿眼大理石的荒山，加上浩瀚無際的汪洋，一洞又一洞，一彎又一彎的，我們乘坐的四十八座高廂遊覽車，終於在平穩安全的情況下到達太魯閣。回想若干年前的蘇花公路，碎石舖道，彎曲特多，剛剛駛進隧道，突然一轉又是曲徑多彎，那穿越大山，瀕臨深海的驚險，無不教人有著心悸的感受，目前寬廣坦平的公路，快速駛行，兩相對照，已經是不可同日而語。

折入橫貫公路的天祥，雖說只有十九公里的去程。沿著怪石崢嶸的立霧溪溯流上行，山險谷深，或左或右的賴著橋樑溝通。燕子口、九曲洞、長春祠等等，榮民們用血和汗開山鑿石構成的康莊大道和建築成堂皇祠宇，穿越險阻的崇山峻嶺，闢建成世人賞心悅目的勝景奇跡，留給人們無限的讚嘆和懷念，它將永遠是值得頌揚的歷史紀錄。

花蓮是臺灣東部可愛的地方。高山聳峙，大洋橫列，在這山水之間的一塊平原上，聚居無數來自粵閩各省，以及先住民的精英，他們胼手胝足所留的成果，帶來花蓮不斷步入繁榮富足的途徑。近年來的花蓮港開拓，鐵公路的闢建，大理石和水泥工業的興起，證實著交通事業、礦業、工業的不斷開展，是養民最好辦法的說明。

花東行旅

從花蓮去臺東，既往、我曾經是由北埔機場轉飛馬蘭落地。在陸地上北及宜蘭，西走天祥，南邊沿著鐵道旁的公路，到過鳳林。這一次的花東之旅，順著濱海公路向南，是平生第一遭。因此，我特別有著興趣，來印證古人所說：「百聞不如一見」的眞實體驗！

沿著海岸的公路，經過花蓮縣境壽豐和豐濱兩鄉的地境，在納納山下的大峯村與臺東分界。這條新走的公路，依舊是右靠群山，左臨汪洋。只有一段駛入重山群壑中，蒼翠的林木，坡間的莊稼，散落的農家，清澈的溪流，予人有身入景色如畫的詩境。在脚下的，太平洋卻那麼遠遠的欲隱欲現，雲樹煙波，臨風招展，此景此境，我們絕大時間的行程，所見純是山青水綠，彎彎曲曲的橫列在窗外左側，目不暇接，終日就在山與水的邊沿奔馳。

浩渺蒼茫的太平洋，大概受著天氣變陰而呈現著灰暗，濛濛已經消失一片湛藍。捕魚在波濤中的漁船，載浮載沉的從事撒網，讓我們得以親眼見到沙魚成群的迴游躍浪，從望遠鏡裡看得更夠眞切，也就洗刷這漫長單調行程的氣氛。

淺淺的沙岸，受著海洋不停的輕吻，吐出綿延的雪般小小浪花，將長長一段不規則的海岸沿線，形成一幅修長的天使飄帶，鑲嵌於綠野、碧海與黃沙之間，不斷的舞動在旅人的眼前。我們幸好有著動感的多樣彩色，隨伴着行程，因此，在這稍覺荒涼和寒傖的環境，我們也就并不過於在意，實在，我們迷戀著這一地帶初次接觸的原野。

長濱鄉的山脚有著八仙洞，約在二千萬年前海底火山爆發形成的。考古學家經發現舊石器時代先民賴以生活的石器遺物，足證曾是先民居住的古蹟。目前坡間有著大小三洞，更上又有五個，可惜、石器遺物固然不復保存，還被個人據爲牟利的所在。僅僅較比深濶的第一洞，還有些佛教的承傳，洞外、有著老年夫婦互相憐愛的銅像，以及一座沙彌的座像，塑造的技巧與傳神的手法，俱有藝術的價值，爲這古老的洞穴，增加不少生色。

石雨傘是峙立在山海邊緣的巨石，似香菰，其實柄粗蓋沿狹小，說它像傘，未免宣染誇大。還不如美國夏威夷州歐胡島的海濱那塊「中國人的帽子」巨礁動人。當然，在觀光資源缺乏的臺東海岸，若是聊備一格的話，周遭環境大力美化，是決不可少的應有設施。

三仙台是躍出海上的三座巨石，高低大小不一，說是八仙中的呂洞賓、鐵拐李、何仙姑曾經垂釣於此。神話無背善良民俗，只可惜的，架橋迄未接通，以致遊客空勞凝視，無法登臨其上，一覽海天一色的風光。

臺東鑛產有都蘭山的寶石。再由於卑南、知本多條溪的冲積成的一個平原，大米特別著名。鄰近的大鎭成功有一新港，柴魚的名氣，更是名聞中外。其他若與西岸相比，貧瘠有待開發，實際還是受着地狹山多的地理環境限制使然。

知本之晨

在花蓮是寄宿海濱大飯店，位於美崙海岸。信步徘徊，靜聽花蓮港內挖泥船的隆隆聲響，晨昏未停，海港寬弘，富有新興氣象。顧慮路遠，不僅未能走訪舊友，也未便電知以免有勞往返。所幸，在花蓮的邊沿，只是留宿一宵。過臺東也是如此，日漸繁榮市衢，以及市內的鯉魚山、貓山等處，僅僅是掠影坐車飛馳，順著南迴公路越過四條溪流的橋樑，右轉入山，決定在知本溫泉村住夜。

本來，未晚先投宿的話，大可在知本森林游樂區玩個痛快。誰知駕駛的目的正與我們看法相反，舉例說，天祥沿途可稍停留，飽覽奇景風光，但往往帶著我們去拜仙訪道，大異其趣。而團體中的個我，實在不便提出抗議的。

知本溫馨雅麗，的確是東海岸一處不可多得的風景佳麗所在。目前的南迴鐵路，日有班車由台東往返。公路直通山的盡頭，路面雖稍曲折狹窄，柏油舖得非常平整，沿山傍溪，山野花木疏扶，溪水清清淺流，多家甚具規模的大飯店，就在這兒風光明媚的知本溫泉區內建築起來，為旅客增添很多遊樂趣味，也給地方上帶來一些財富。

我們一行住在溫泉村的東台大飯店，算是入山較深的一隅。環繞周圍的群山，覆蓋著滿眼青翠的林樹，飯店門前，建有不俗的庭園，入夜彩色噴泉，恍如火樹銀花，潺潺水聲終夜不息。且有地熱游泳池，好讓旅客享受玩水之樂。晨興散步，高聳的椰林，遍植的雜花，佐以進入眼簾的青山綠水，鳥雀爭鳴，在初昇旭日普照下，呼吸著清新的空氣，體會到人生能夠得此悠閒，何嘗不是一種難得的享受，不期然地，想到曾經在日本牛伏山南麓的泉鄉晨昏。

信步的沿著山道前去，藝品與飲食店舖尚未開門，一些趕去上學的兒童，在路邊候車。當我們走到森林遊樂區的門前，欄柵阻道，啟放尚未到達預定時間。只好從旁眺望它有一座小型吊橋，若由橋上通過，就可進入森林掩映的曲徑。河谷建有欄水小壩，盈盈碧波溢壩奔瀉，形成白色水花，使得知本溪流永遠涓涓不休。

在飯店附近值得遊樂的處所不少，甚麼木蝶谷、鬼湖、大峽谷、清覺寺、白玉瀑布，顧名思義，俱是人工加以天然所構成的，只恨時間的不充裕，惟有待諸異日。

六點半就催促登車，據說日行六百公里，好在未夜抵達臺北。雖然大家很想多停留一些時間，事實上那能如願？過去，我在泰國曾經由清邁到曼谷，有一日車行七百公里的紀錄，心中總有長途漫漫的預知，侷處車廂內太久，滋味幷不好受的，於此，歸心就由此開始。

南行越太麻里山到太麻里，免不得休息購物，再越溪流和高山，大武是台東又一大鎮，山產較多。折向壽卡，是最高點，也是台東屏東兩縣的分界。再經獅子等村落，山勢漸低，樹林稠密，楓港已是海濱。由此北上，過林邊沿著沿海公路，從東港、林園、小港，跨入高速公路，將我們又載回原地的台北，結束愉快的三日環島行程。

雨中古寺

春逢微雨，綠遍江南。紅桃、碧柳、李白，點綴得大地猶似錦繡，那麼顯明的，春之訊息，傳遍原野。

江南春色，睽違太久，相信它是零落的，或許只剩一點殘紅，再也逗不起往日的情懷思念。有人說春雨如油，多麼令人喜戀。昔時談雨：「農人喜其滋潤，商賈惡其泥濘」。雨所給人的感受，是多重的。詩人墨客如果感情不是那麼敏銳的話，也絕不會詠出：「窗外雨潺潺，春意闌珊，羅衾不耐五更寒」的由衷詞句。

雨，春雨，綿延不斷的霏霏落著，眞使人爲之搔首嘆息。陽明山的花季該已殘落，櫻花謝了，梅樹梢頭已萌翠葉青枝，只有玉色的茶樹，階前的杜鵑一片嫣紅，萬綠叢中點點，洋溢著蓬勃生氣，這就是臺灣之春。

在雲層低迷，雨絲乍停的辰光，有興一探圓通寺。

記得圓通寺原在鄉野鄰近山間的所在。那時曲徑通幽，傍著一條土路，穿過相思林和幽篁翠竹，拾級登上寺門的。我還清晰地憶起，在小樓一角，尼姑們正在聚精會神傾聽法師的授課，講的內容，我無法完全清楚，但在黑板上却寫着一首詩：「白日依山盡，黃河入海流，欲窮千里目，更上一層樓。」那時正是傍晚臨近黃昏，展望淡水款款西流，茫茫蒼海，無邊無際，當時曾經引動我些許鄉愁，心境爲之波動不已。看到一些年僅及笄的比丘尼們，靜心恭聆，了無雜念，我眞暗暗道一聲「慚愧」。

如今，柏油路面直達寺前，半環古寺的山嶺，林木森森，萬籟俱靜。從朦朧中看山下，層層的高樓，掩映在細雨形成的薄紗裏，隱隱約約，難得看個究竟，無以瞧見大臺北的眞正面目。曾幾何時？自然環境的變易，有如此繁複，而人呢？相信歲歲年年各不同。

圓通寺的建築稀疏，具有規律。步進山門就是一尊彌勒石佛，慈眉笑口的迎人，在我內心就有不虛此行的感受。石階分成左右，更上一層，向外眺望自如，又能躲避風雨。在沉靜穆然中，沒有一絲干擾的外來影響，只聽心房的跳動，還有，就是雨的淅瀝，其它，什麼都沒有透進我的心靈。

粗石鋪的大院，粗石砌的城堞一般圍牆。雨天沒有人跡，空曠開濶，置身在這樣難以尋覓的佛教淨土。輕輕地踏進大雄寶殿，老尼奉香獻燭，在三世佛前，燃香明燭，合掌膜拜，不知祈禱什麼，抽籤竟是一支上上，但希望永遠美滿，人生永遠就是幸福，心靈永遠的舒暢、安謐。

客堂小憩，一杯熱呼呼的香茗，啜飲著。世間勞人，能有稍許閒暇，在這明窗淨几的僧，肅坐片刻，讓一切煩人的思緒遠離，聽雨珠灑落花樹間的淸唱，任憑天空那麼灰暗，將不會帶來半點憂愁，我心似鏡，不著塵埃。

載著雨來，依舊載著雨歸去。道旁林樹，光潔青翠，無言的讓著來客一步一步走著，山間清泉，淙淙細語，緊伴著旅人的寂寥。若是倆人撐著一把雨傘，在渺無人跡的山間漫步，你緊靠著我，我緊靠著你，步步踏實，邁向回程。該不是愛惜衣衫被雨淋濕，也不在乎黃昏向晚的伴行，心心相印，欲訴還休，怎能不算是在一個雨天裏的奇遇。可是，人間離合聚散無端，又那裡會有如此綺麗的巧合。

（民國七十年三月三十一日）

頓開瞬謝的花朶

廊前廊後放置大小不一的花缽，四季皆有花開，算得上五彩繽紛，滿眼錦繡，增添家居的無上的情趣。這些名花的養植。都是女兒近年的辛勤培育的功勞，每日清晨和黃昏，她都興致勃勃的，一邊忙於修剪、鬆泥、噴水、施肥，一邊像是在塑造藝術品似的，左顧右盼，欣賞撫摩。她的內心的喜悅在追求一種美的永恒存在。所以，她甘心將一股情感投注於芬芳的群花之中。

四季常開的花卉中，經常綻放著紅、黃、紫、白的花朶，散出輕淡的芳香，具有誘人的無限魅力。我對花卉的常識有限，牡丹、月季、玫瑰、茶花、以及菊、蘭，我還認識，其它的，我概不知其名，只是日日賞花而已。

在競秀群芳叢中，有著大盆栽植的兩株，莖高葉肥，碧綠蒼翠，和廊間的花卉有著不同的姿態。女兒告訴我們，這種瘦枝大葉的就是曇花，夏秋的時候開花。所以，她天天灑水除蟲，眼巴巴地盼望著它開花有著綻開花朶的一天到臨。

那時近中秋，萬里無雲，夜色特別的清爽，感覺上月白風清，異常皎潔。當我倚枕假寐的時候，女兒在窗外喚我：

「爸，曇花開了，要不要起來看看。」

聽到女兒的聲音，充滿喜悅和興奮，我也爲她欣慰，這是耕耘得來的珍果，辛勤獲致的代價。

扭開廊簷的燈光，賞花格外眞切，那綠葉堆砌的莖梢，在不斷開放著花朵，看著看著，如玉的花色，纖細的花瓣，微微地張開，像玉盤一般顯現它的嬌柔，有的還在含苞待放，有的正是瓣瓣萎落。一株就有十朵頓時開著的花，潔白微香，確實是難得的賞花機緣。

古人說的「曇花一現」倒是事實。曇花栽培不易，平素只見它的枝葉繁茂，開花需要經年累月，偏偏它選擇在夜深人靜的時候，開得很快，謝得也快。曇花的名貴在此，曇花不爲蒔花者普遍喜愛，或許也是如此。

花開花落，歲歲年年，本來就是一件很平常的事，假如，我們從整個宇宙來看世界，萬事萬物，成盛衰毀，何嘗不是興廢匆匆，又何在乎於曇花的頓開瞬謝？（民國七十六年十月二十四日）

暢遊九族文化村

青山、綠野，蔚藍的晴空，和煦的天候，正是一個令人心曠神怡的初春，宜乎投入大自然的懷抱，享受樂趣。

駕車從王田交流道離開高速公路，那是車道複雜的一個所在，稍不留心很容易駛向歧途。我們沿著彰化北邊的八卦山麓向東行進，道路寬廣平坦，標誌燈號齊全，經過草屯再向埔里方向奔馳，這條公路是剛剛重修完成，只有幾處隧道尚未開放。沿途丘陵蜿蜒，田野的農作物，有玉米、香蕉、煙草、老葉、檳榔、草莓。適巧是草莓盛產期間，道路兩旁撐著多種色彩的遮陽傘，俱是兜售草莓的攤位，那一粒粒鮮紅的果實，吸引著行車人士的垂涎而停車購食，形成國姓鄉民一大收入，也成爲這條公路上的盛景。

過魚池不久，道路彎曲狹窄，不久就到達距王田七十二公里的九族文化村。

來自台北的我們，由於九族文化村是一處新近開放的旅遊勝地，它又鄰近風光綺麗的日月潭。加之，交通暢達便捷，慕名前來觀光的如過江之鯽，絡繹不絕，即以車輛來說，大客車、小轎車、機踏車蜂擁而至。雖然設置六處停車場，預計可以同時停放大車三百輛、小車一千輛，但是從目睹中，還得利用原先種植樹木和草皮的地方，臨時停放著不少。從魚池到文化村車車相連，由頭到尾啣接成一串長長的車流。到處俱集結大群的男女老幼，甚至洋人也到此來湊熱鬧的。

表現著國人唯恐落後擠軋精神的，莫若用餐的地方。餐廳面積很大，桌椅又多，假如不去爭先，倒是綽綽有餘，讓大家在安祥中吃一餐飯。可是那出售盤餐的處所，黑壓壓的人群擠得水洩不通。大家頭頂冒汗，再有西洋熱門音樂的響得過量，更夾雜著國人公共場所的大聲喧嘩，相互配合而形成一種噪音，眞是令人既煩且厭。我們一看苗頭不對，只有叫菜吃飯，四菜一湯，有魚有肉，還有當地出產的小蝦和乾筍，吃得津津有味，不然至少須要忍耐排上一個小時的長龍。

既稱九族文化村，那是包括雅美、阿美、泰雅、賽夏、布農、卑南、魯凱、排灣、鄒族山地同胞文物爲主。日月潭的邵族幷未設村，或許是就在鄰近，也或許邵族人口太少，既有「毛王爺」已夠號召，因此，未納入在內也未可知。

値得一看的，這兒佔地廣濶，利用兩山對峙的中間高低有致的溪谷，加以整建闢設。靑山綠野、茂林修竹，大自然的景觀，深具氣魄，幷且發出一種誘人的媚力。

最先映入眼簾的歐洲型式的宮廷花園，稱做「水沙連」。越發呈現著爭奇鬥艷的群芳競秀，好使瀏覽的人群流連不已。尤其，黛色嶺峯映帶左右，景色更加瑰麗。特別點綴著一座多層巴洛克式的麗宮，兀立在園的左邊盡頭，來供遊客餐飲和休憩場所。噴泉散佈在六公頃之內的花園各處，水柱凌空，灑落如瀑，愈饒盎然生趣。在我個人來說，這是九族文化村的野外徜徉徘徊最佳最美的所在。環顧園內，就原始環境的造景而言，實在是比不上它的。

山地文物館、雷射音樂表演館，兩者算是九族文化村的重點所在，來顯示山地文化的特色。陳設在文物館內的山地文物，衣、食、住、行、樂俱都包括，使用的工具器物、獨木舟，雕鏤精美的住屋裝飾，給予遊客有耆耳目一新的感覺。而這些山地文物，有原始的，也有經過複製的，開放式的雜陳，館內照明不夠明亮，說明欠缺，販賣紀念品的攤位混亂滿室，服務人員既少，因此，來自四面八方湧進的遊客，摩肩接踵，擠在一堆，只見魚貫，毫無限制，孩子們亂敲與摸觸文物的自難避免，要想靜下心思細細欣賞也就勢不可能。至於千變萬化，奇妙魔幻的「水之舞」，既然强調雷射、音樂與噴泉的綜合表演，聲光色彩，頗具科技效果，而歌與舞的水準，怎樣達到一個令人欣賞陶醉程度，似乎還得多下一點工夫。美國夏威夷洲的土著民族村的歌舞，以及他的經營與管理諸種措施，實在值得學習。

九族部落雛型，星羅棋佈的，分列在山坡地帶。茅屋籬舍，棕櫚林竹，遊客進入山林野地，卻似已身已經和小村各族融成一體。惜乎各村室內黑漆無光，難以久留。所見村外的石雕、木刻、編織、織布的操作，約略表現原始藝術特有的優美與細緻。最能引起衆多旅客興趣的，還在搶食米糰，一鍋剛好，捷足者已經搶前一掃而空，累得那位侷處斗室的老山胞，不停地在忙於炊事，揮汗不止。相信這位煮飯的老山胞，算是九族文化村裡從事表演工作最勞累的一人，無怪他要提早打烊。至於那些跳「豐年祭」的舞者，也都有點意興闌珊，不勝其旣跳且歌且舞的消耗體力。

觀山樓是九族文化村內的制高點，有說海拔九〇〇公尺。樓有三棟，中間的高有五層，棟棟相互通達，視野開濶，登臨其間，眼看層巒疊嶂，原野綿延，翠綠深黛，賞心悅目，大自然的神奇美妙，盡入眼底。宜於遠眺，也頗適合近觀，不是「氣象萬千」四字，就能概括這「觀山樓」的美景所在。所謂景隨心異，像一些四方作客，飄零終生的旅人，一旦站在欄邊舉目前瞻，多少會勾引起故鄉舊園的相思。

村裡有遊園車回程服務，給予老弱婦孺遊客興盡思歸一大利便，專用車道迴旋於青山翠谷間，林樹茂密，菁郁滿處，左顧右盼，任其自然，也是一大享受。另外，尚有輕軌鐵道的舖設，在「水沙連麗宮」的入口右側，停著牽引車和二輛客車，縱有很多遊客坐滿車廂，始終未見它的啟動開行。我仔細看看所有經行各處的鐵軌，從無駛行的摩擦痕跡，只是有備而却尚未運行，假如一旦在村內奔馳，汽笛唔唔鳴叫，穿過林野丘壑，橋樑隧道，在青翠的大地上蠕動行進，定然頻增無限瀏覽的風光。同時，小火車的起站，還應該重加考慮，目前緊靠大水溝邊停放，行走諸有不便。更令人詬病的，水溝臭氣冲天，大概是乾涸沒有水流的原因，若是在這裡要做火車的起站，必須重行加以規劃一番。

南投縣境，有著絕佳的觀光資源，九族文化村剛剛闢建的遊覽勝地，它有秀麗的日月潭相伴相侶，南及竹山、溪頭、杉林溪，北達霧社、幼獅、谷關。路路相連，構成整個的觀光地帶，確實有其遊覽的價值。一切事在人爲，假如九族文化村能在內容上多加充實建設，工作人員注意服裝儀容和服務態度，每一處所重視顯明標示和簡潔說明，環境更加著重清潔衞生，遊客能夠自愛自重，相信，每一張門票現售新台幣二〇〇元，有人是不會嫌其太貴的。

「小人國」小記

歐洲的荷蘭「小人國」，很久就聞名於世。想不到，在亞洲的中華民國也有「小人國」，而且世界最大。天下事眞是事在人為，只要認淸目標不斷努力，總該有所成就的，說是「一眼看盡五千年華夏文物」，那多少含有誇張意味。

記得我國的「小人國」創設之初，在開幕前，曾經應邀參觀。當時環境荒蕪，一無樹木，驕陽在肆虐，風沙滾滾，給我留的印象，對這「小人國」的前途，幷不過分樂觀。

誰知多年不見，「小人國」畢竟括目相看。那在冬日勝似陽春的天候，台北陰霾滿佈頗有雨意，車近中壢已是雲開天藍，和煦爽暢。過龍潭沿著柏油街道駛行，一片茶樹碧綠滿野，再有靑竹和相思樹的點綴，愈益使農村充滿盎然生機。

轉進一條稍寬的筆直柏油路，「小人國」赫然在目。

廣濶的停車場就在門內，大車、小車、機踏車劃分區域，井然有序，淸潔做得特別徹底。亭園建築物，使得「小人國」的設施與外界隔絕，增加遊客亟待觀賞的心理作用。屋邊路旁，蒼翠的樹木遍植週遭，再也沒有荒涼不堪的感受。亭園建築，曲榭迴廊、假山水池安排得疏密有致，白牆紅瓦，具有自然雅靜的風格，院內竹木花卉欣欣向榮，頗收造景的美趣。五彩的錦鯉悠游水中，等待著遊客投食，那爭逐群集的大小魚類，格外增添園裡的生動活潑的氣氛，讓來遊的孩子們，尤覺歡暢，樂不可支。而這些幢幢房舍，不是餐廳，就是販賣各種裝飾用品的商店，壅塞來自東西兩方的男女遊客，幾乎成了一個市集，也似一家百貨公司，作爲「小人國」攬客駐足的重點。

走出亭園，一片密密麻麻小小的廟堂古宅，在「迷你」林木掩映中呈現眼前，頓覺自己是在高空鳥瞰著錦繡河山。

最令人矚目的，蜿蜒在山坡上面的「萬里長城」，堡堞巍巍，猶如巨龍盤旋在我國北方的丘陵地帶。雖說是雛形的製作，我們依然有著一萬華里最偉大防線的內心驕傲。臺灣近代經濟建設的成就，擺在眼前的，具有動態的雄壯感覺。水深港濶的高雄港、中國造船廠、港埠營運設施、鐵路電氣化、高速公路、石門水庫、中正國際機場、貨櫃裝卸設備及貨櫃船隻等等，唯妙唯肖，在每一個人的心目中，毫不以其過小。更教人嘆爲觀止的，那就是石門水庫的洩洪景象，奔流雷鳴，勝似浪花迸放，實在是一奇景。還有電氣火車，成列環行，穿越隧道橋樑，鳴笛飛馳於廣大原野之間，活像是你我曾經乘過的那一次列車。國際機場各國飛機的起降，高速公路的國光號、中興號與大小車輛的循序駛行，東西交通南來北往的客貨交流，構成繁榮似錦的復興基地眞實寫照。

橋、塔建築，是我國固有的發明，也顯示著中國人在這一方面的智慧與氣魄。不僅有隋代所建的河北趙縣的「安濟橋」，北平市內由元代構築的妙應寺的「白塔」、遼代山西應縣木造的佛宮寺的「釋迦塔」、宋代河北定縣開元寺「磚塔」。代表皇室權威的建築，有統稱天壇的「圜丘壇」、「皇穹宇」、「祈年殿」，象徵藝術上的崇高價值。午門、中和殿、保和殿，固足一窺帝王昔日辦公處所的雄偉壯觀，而中國傳統社會的宗法觀念的等級制度也約略可見。且用衆多的小人小馬，旗傘車轎，來顯示公卿兵丁群相與皇室的威武。

佛道的寺觀，過去在大陸各地，是吸引旅遊與瞻仰的所在。「小人國」裡既有五台山的「佛光寺大殿」、「南禪寺大殿」、大同的華嚴寺的「薄伽教藏殿」、洛陽「龍門石窟」的莊嚴佛雕、芮城的永樂宮的「三清殿」，俱足說明寺觀建築的崇高氣質。

富有園林之美的，南北風格的異同，精巧與雄樸有別，皆在細緻末節處值得聚精會神的欣賞。江南有威尼斯之稱的蘇州「拙政園」、北方風貌的清代「熱河避暑山莊」、宋代山西「晉祠聖母殿」。正有：「半日遨遊十萬里大好河山」的神會。

深具歷史文物意義的建築，如：「居庸關雲台」，那自古以來兵家必爭的關口，精緻的石刻，其秀麗歷歷在目，冲淡很多昔是戰場的觀感。最古的「盤龍遺址」、「咸陽古城一號宮」、「二里頭遺跡」，由於型式與色彩，或不爲遊客的重視與追溯，但在「小人國」裡能夠匠心獨具，從湖北、陝西、河南三省考古發掘中，得使殷商時代與秦始皇時代的宮殿模型重現，既能發思古的幽情，復證中國文化的博大精深。

臺灣全省的古蹟，建築物、林園以及民間活動，有著代表性的很多很多。類如：彰化永靖鄉的「餘三館」、秀水鄉的「益源大厝」、台中縣潭子鄉的「摘星山莊」、神岡鄉的林宅、桃園縣的范姜祖堂，以及台北縣板橋林家花園，十足顯示著富戶的巨宅建築精美。國人傳統信仰所在的彰化孔廟，新竹鄭氏家廟、鹿港龍山寺、澎湖天后宮、台南武廟，雖在這兒是小模小樣，畢竟使之宏偉外觀與歷史性的價值，均從立體模式中聚觀無遺。甚至，以教化是尙的彰化和美鎭的道東書院，在「小人國」黃金地段裡佔有一席地位，啟發國人重視文教應與經濟建設並重的聯想。

富有國恥教訓的一級古蹟「聖多明哥城」，是今人俗稱的淡水紅毛城。兀立於「小人國」的一隅。西班牙人始建在明代崇禎二年，後由荷蘭人佔據，繼經鄭成功與清朝所有，日本據臺後又轉租英國。直至民國六十九年六月三十日完成交接手續，我國的青天白日滿地紅的國旗，得在紅毛城上空迎風招展，國人爲之稍稍揚眉吐氣。

「大甲進香團」的民俗，是最具規模的自動自發活動，國人對媽祖虔誠敬仰，信男善女浩浩蕩蕩步行，其力量於此也可得一明證。

其它，國父紀念館、中正紀念堂，還有基督長老教會、鹿港民俗文物館、臺灣省立博物館，具有各別的價値，這些林林總總的各地新舊建築物，都會讓遊客停足俯視。

在所有大陸和臺灣省境的建築物中，引人特別注目的客家住宅「承啟樓」，一種堡壘式建築，在福建省永定縣境，它是客家人團結力的堅强表徵，具體而微的聚族而居產物。從這裡不無看到防守重於攻擊的昔日國人軍事思想脈絡。

「小人國」的經營有成，環境清潔，一無攤販的干擾，却不是一件容易的事，值得遊客一致的好評，只是範圍狹小一點。另外，小樹小花，培植得那麼鬱蓊茂盛，陪襯這些模型建築物的林園盛況。這裡且有深澤巨瀑，散佈其間，更增動態。因此，遊人如織，男女老幼闔興乎來，我們夫婦帶著小婿的全家蒞此，原由在於度過一個輕鬆愉快的假日。

毛驢、洋驢

現時代的孩子，無論是鄉村或城市的，到遊樂場所去玩樂，花樣繁多，各選所愛，各取所需。近年迷你馬的引進國內，孩子們更是有福，不致要乘高頭大馬，令人擔心。

昔年在大陸，長江以北各省，毛驢特別多，用途特別廣，對孩子們來說，騎毛驢比騎山羊要過癮得多。養驢拉磨人家，在驢兒工作完畢，常常繫放在村邊空曠地上啃啃青草，藉此來使驢兒休息驅除疲勞。這正好天賜頑童一個大顯身手的機會，毛驢試騎，成爲放學回家的學童們一個餘興節目。

毛驢身材雖小，但很頑劣，是頗不易駕馭的走獸。而且很會欺生，有時要得你皮破血流，哭笑不得。可是，孩子們不信邪，總喜歡騎在驢背上耀武揚威一番。要騎磨坊裏拉磨的毛驢，一人難以奏功，先得有人拍拍驢臉，抓抓驢背，萬萬不可站在驢後謹防脚踢，等把驢子站好，藉他人之力，或站在凳上跨上驢的後部坐穩，切勿坐在驢子的腰中央，然後解繩控在手裏緩步徐行，享受乘騎的樂趣。無韁的驢子，不易任人擺佈的，只要讓牠放脚行走，自會向主人家裏奔跑，有時緊貼牆壁，有時靠著橋邊，使乘者擔心受怕，更甚的一陣陣狂吼亂叫，不抽後腿便是故失前蹄，跳跳蹦蹦，再頑皮的孩子，也會從光溜溜的驢背上栽了下來，狗叉屎，四脚朝天，算是便宜了你。毛驢却一溜煙的飛奔得無影無踪，呻吟喊疼的却是愛騎的小頑皮。

付費供人乘坐的毛驢，有牠們的習慣，有著一定的規矩，千萬勉强不得的。婦道人家一定騎雌驢，跨騎或側坐要看騎的人自我本領，有的趕驢的促狹鬼，故意用雄驢讓女的乘坐，特別選擇大姑娘來做戲謔的對象，引得旁觀者的笑談，惹得黃花閨女羞赧不已，罷乘他去。

老驢識途，到站卽停。有時聽「趕脚的」吆喝，有的並無「趕脚的」隨行，能夠知道已到目的地卽止，再經乘騎者如何鞭策，也硬是不前移一步。毛驢不左右隨從乘騎者的命令，不知是否訓練有素，還是自有其個性使然。

記得抗戰勝利前夕，我在皖北。那一帶毛驢特多，馱載、騎乘、拉磨、耕地，用處不少，殺驢賣肉視爲當然，俗說「天上龍肉，地下驢肉」，質細可口，人所爭購，更殘酷的殺驢吃肉的方法，聽說山海關外的錦州尤其出奇，惜未親見。有驢就有小驢，滿野跳躍，非常讓人喜愛，小女當時三歲，硬是嚷叫要買，結果以十二元法幣買條剛滿月的小驢，活潑天眞，只是不聽話，餵養也有困難，結果只留在院子裏玩了三天，仍然還給原主，依舊隨著老驢自由自在的去度不知天高地厚的悠閒歲月。

今天在臺灣，固然騎不到毛驢，要看牠還得到動物園裏去專程拜訪，這就是此一時彼一時的地空差池的因素。

洋驢是什麼？外國的驢子嗎？不是。相信很多人答不上。這洋驢到底是什麼東西的別稱。

我們中國人有一個自創名辭的本領。凡不屬於中國原有的東西，慣喜加一「洋」字來做區別的。

驢有前後各二足，慢步快行都可聽人驅使，所以，有的地方鄉下人，初初看見脚踏車兩輪快慢駛行，就名洋驢。既然，毛驢可行小徑，洋驢何嘗不可，雖然名實不盡相副，倒也彷彿形似。洋驢其名，不脛而走，捨脚踏車，單車之名外，稱做洋驢，確實風光一時。

我第一次看到所謂洋驢的脚踏車。是在民國十七年北伐完成的時候。鎮上一位就讀東亞體專的學生，寒假返家騎著脚踏車在鄉村小道行走自如，並且，還敢騎著駛過木頭小橋，看了只覺驚奇，又直羡慕他的神乎其技。十八年到鎮江讀書，踏踏車已不稀奇，我們也就利用假日租來學騎，跌了幾跤，竟然能夠上下自如，彎行直走，一無阻礙，有一天騎著到彌陀寺巷找阮姓同學，巷狹僅容一車可行，正好一位喊磨剪子菜刀的，扛著磨刀石和板凳對面迎來，撳鈴不讓，撞個正著。胯部被碰的磨刀匠蹲在地上哀嚎，把手失去控制的單車撞上電燈柱，我也跌下車來。我瞬即扶起磨刀匠。幸無大礙，磨刀石斷成兩截，賠了錢道了歉，方始了結出師未捷的小車禍，成爲開始騎脚踏車的第一次撞人紀錄。

脚踏車在當時不僅成爲快捷的交通工具，並且既經濟又便利。抗戰前我在宿遷縣境服務，就賴它走遍每一個鄉村角落，有時一跑幾十里的青紗帳，渺無人煙，從未未撞上「瓢把子」的嚕嗦，或許是我的工作，只在爲民服務所致。

由於體力好，年輕好勝，單車是英製三鎗牌的，性能特佳，經常一天以內從宿遷的大興集，經泗陽地境，到了淮陰，第二天又到了漣水，毫不覺得吃力。雨天在雪地又是逆風，騎車可有罪受的。不僅無法騎乘，推車在泥濘中，逆風中慢慢移動，既寂寞又惱火，領受孤立無援的感覺。有時還得放在肩上，一步一步的扛著向前走去，那眞是車子騎人的相反怪異的一幕。

騎脚踏車，雙輪滾動，風馳飛駛，較諸步行的，推獨輪車踽踽而行的神氣得多。唯一的，它怕輪胎洩氣，以及風雨交加。還有危險的，走水濱曲徑，與顧慮行進向安全，常常在前輪裝有保險鐵條，臨水，或是爬坡，只有下車步行，以防萬一。

如今，交通工具隨著時代在變，時代也隨著交通工具在變。在這些相互激盪的演變中，意味著人生榮辱顯通，悲歡離合，使人產生許多懷想，往往在思念之情裏，慢慢老大。

誰也料想未到，昔年以騎脚踏車做爲交通工具，馳騁各地，流行且稱時髦。在臺灣的今天，偶爾看到幾部老舊脚踏車，讓懷念它的中年人代步過市，另外，一些少年和幼兒們來作爲嬉戲的工具。它的黃金時代，離開得似乎就已經很遠了，不要去嘆息，也不要去追懷，這是宇宙運行的一種現象。

（民國七十年七月二十六日）

小玉貓

我擁有一隻小玉貓，對它的喜愛，甚至視同我的生命。我須臾不能離開我身邊的小玉貓，曾經有人以同等重量黃金和我交換。可是，黃金算不了什麼，我非拜金主義者，我是一個不愛黃金的人，我所以愛我這隻小玉貓，它是有其來由的。

三十八年春初離開我的雙親，遠向難以預測的前途去開創。年老的爸爸，他說無以爲贈來壯我的行色，隨卽就由他身邊的一塊佩玉——小貓，轉交給我佩帶。而它的年代是非常古老的一項紀錄，它並非金錢所可代替的，它有著深厚的親情，誠摯的無限希望，隱藏在這裏面。

我有生以來，從來不大愛惜這些身外之物的，而我獨獨鍾情這一隻小玉貓，這也算是一種緣份。小玉貓的質地堅實溫潤，光彩瑩輝，乳白而透露一點淡黃，當我初初接觸它的時候，它就發出一股撼人的力量，令我迷戀它的玲瓏、柔媚。碾工精細，非出於揚州或是蘇州的巧工莫屬。貓身那麼勻稱，顯著精神煥發，雙眼剔透圓睜，嘴部三根鬍鬚，尤爲神態畢露，頸部刻紋特深，使貓的細腰有著明顯的分野，脚部五趾也那麼强有力的伸展，使這一隻小玉貓，顯現著和順與親蜜的美姿，但有時我端詳細覷，它似乎又有點像是一隻小老虎哩。

雕刻精美的小玉貓，你說我怎能不喜愛，我怎能不把它當著至寶一般的珍貴，就由於這是長者所賜的一塊玉雕，我將它視爲無上價值的聖潔稀品，不讓人指染，更不願有一點點的褻瀆，我是無時無刻不能缺少它，經常佩戴在我的身邊，跟隨著我走遍天涯，跟隨著我飽嚐世間的冷暖，化解我的痛苦，增進我的歡樂。

我常常在想，假如有一天失去這一隻小玉貓，或許，小玉貓一旦失去了我，將是一種難測的結局。

本來，世事多變，何止是一隻小小的玉貓，相信，得時也會有著失去的時候，假如有那麼一天，只是如何從心底抹去陰影——自我安慰，我就沒有一隻讓我深深喜愛過的小玉貓。

可能嗎？一些過眼雲煙所留下的點滴痕跡，瞬卽抹煞得一乾二淨，談何容易。何況，它是得來不易，由玉質雕琢而成的珍寶！

清明時節

又到清明，春雨綿綿，似乎沒有間斷。這個節令，特別會使人有著異於尋常的感受。歡樂與哀傷，想望與追憶交織的滋味，抑鬱縈繫在心底深處。

基於手足的親情，在臺北逝世十多年的先兄，每逢清明時節，無間風雨，我總得到他的墓地，專程爲他拔拔雜草，燃點香燭，焚化一些冥紙，默默鵠立墓碑前面，沉思禱告，理理迴繞腦際的既往情愫。

位在山坡南邊的墓地，正面對隧道，往來車輛穿梭脚下，相信他在九泉之下是不會寂寞的。何況在臺灣結褵的大嫂，也在旁緊偎伴守，倆人異棺同穴，朝朝相處，暮暮爲鄰，再不致有形單影隻的悽楚，共度天長地久的永恆安息。

每次我去掃墓，總得踐踏著萋萋荒草，走過泥濘沒脛的小道，甚至還要跨越纍纍的孤墳，才能找到兄嫂長眠所在。事實上我不能藉口託故，無論怎樣事務冗忙，總要去他倆墓前拜掃一番，了却我一年一度的些微心意。

滿山不知埋葬多少離開人世的男女老幼，各式人等。其間有叱咤風雲的將軍，有顯赫一時的政界名流，有萬衆捧場的熠熠明星，也有達官貴人的如花寶眷。當然，那些無名的、庸碌一生的，甚至默默盡己之力，曾經貢獻國家、社會與家庭的人，如今死後俱已成爲埋葬在這塊土下的一堆白骨。豎立墓碑的，還可讓一些來此憑弔的人，約略知道他們生前姓甚名誰，仙鄉何處，生年死月，有無後代，而只賸一坯黃土的，誰也不知道這兒埋葬的究竟是誰。尤其是無主的孤墳，蓬蒿一片，沐在淒淒涼涼的細雨霏霏中，只有青山翠柏遙遙互相依偎。假如靈魂有知，怎不慨嘆陰陽雖然殊途，而世態的冷暖往則一。

兄嫂的墓地，有著我這一個親人，不致淪落到荒寂的境界。因此，不期然地令我想起幼年家居的片斷情節，兄弟姐妹歡聚的生活。

故鄉當清明來臨的時候，欣欣向榮的紅桃綠柳，傳來春息。父親就會帶著我們兄弟二人，並有一位長工跟著，讓他肩挑著一端鐵鍬。一端網籃盛著紙錠祭品和紅色毡毯。遠在數百里及幾十里的祖先墳塋，沒法年年祭掃，只在莊邊五里半徑的，逐一步行掃墓。大概是在上午十一時早中飯後動身，直至傍晚歸家。每到一座祖墳，長工先芟雜草，再就隙地挖出墳頂的堆土，用手將那兩堆圓錐形的新土，尖尖對合，兩尖隙處鎮著紅黃藍的多色紙條，然後依序跪拜，舉火燒錠，眼看飛舞如蝶的化成灰燼，其事乃畢。父親常常利用空隙時間，訴述祖先的名諱生平，尤其談到始祖當朱洪武兵破蘇州，貶成「頑民」，率同仲叔兩祖落難的過程，說來歷歷如繪，卽便訓勉我們兄弟，前途是靠著自己開創的，艱難困苦的人生，正可磨礪個人的意志。

父親最後領著我們，是到祖父母、大伯、二伯以及前母的墓田。眼看楊柳青青，生氣盎然，一些黃色和藍色的小花，點綴在如茵的草地上，美麗似錦。我和哥哥慣愛一邊摘著小花成串，並且嚼著芬芳甜美的茅草，增添野外生活的無限樂趣。父親在這一片墓田裏停留較久，無言的靜靜凝視著每一座墓丘，蘊含著追念與深思，眼眶裏總是盈滿欲滴的淚水。

父親從幼年到青年，過的俱是孤苦伶仃的歲月，九歲失母，十三歲喪父，我的大伯、二伯，還有前母，均在十年當中相繼死於非命的。父親獨力撐持著家務，終於突破險阻而擁有一個小康的家庭，四十歲時才有我這一個生命入世，生母只有三十，一家大小歡歡樂樂的過著鄉居生活。當父親爲先他而去的親人掃墓，引起旣往慘痛的舊事，那是很自然的，無怪父親有點觸景傷情。

我爲先兄掃墓，不期然地也會有着「往事不堪回首」情懷的襲上心頭。民國三十八年的巨變，一切的一切頓改舊觀。最近旅居美國的表侄，曾赴大陸探親返回紐約，來信告訴我曾經被清算鬥爭掃地出門的我家，父親死時無棺成殮，草草埋葬。母親隨同大姊一家逃匿上海，也就病死滬上，如今屍骨竟無下落。大陸各地人家的墳墓早經剷平，欲想祭掃也找不到踪跡。二姊全家迫遷山東落戶，依賴兒女做工來維持她風燭殘年的生活。大嫂和侄兒一家住在安徽，聽說侄兒已經四十年從未到過家鄉，有一次路過距家只有二十里的小鎭，還是未便貿然返鄉探視。據他表示，家園寥落，親人離散，沒有什麼值得留戀的，不去看看老家的遺跡，至少免却很多的傷感和不必要的麻煩。

兒時情景猶如昨日，想到雙親在世的劬勞，眞是點滴難忘。列祖列宗遺下的家園，早已成爲幻境。愼終追遠，毋忘先人，是做人的本分。縱或是春雨綿綿，沐著風雨，踏著泥濘，我得走向兄嫂的墓前，一了心願。

端陽話舊

浪跡江湖，天涯過客，有時仍不免的，夢中恍惚猶在故鄉，童年往事歷歷在目，久久還是難以忘懷。

在我心裡所刻劃的，故鄉是唯美的，童年是唯美的，似乎我的思維和觀念中，沒有其它能夠改變的意識。

故鄉在淮河南、長江北，運東海西，那裡沃野千里，水流若網，港汊分歧。我的寶貴童年，得到雙親的呵護和教之育之，幸福的在荒僻農村中慢慢度過。

曾記得五月天，綠桃粒粒在樹，柳黛似烟；湖畔荷葉田田，紅的白的蓮花，漸漸從梗端出現，風也飄飄，蝶也翩翩。駕著一葉扁舟，或是坐著木盆，打槳撐篙，疏理水濱菱角藤般的串串枝葉，陣陣清香，撲鼻而來，讓人浸沉於和煦微風裡，忘却忙碌終日的疲勞。

莊外遠處的水田，葱翠的稻秧是茂盛一片，專事灌溉的風車上白帆方篷，迎風飛舞，翻轉不息，猶如成群的白羽騰空，翺翔無已。著名國際的荷蘭風車，就沒有這般的姿態優美，尤其在樣式上：古典的環繞團轉，風吹篷動，不時發出咿咿呀呀的悅耳聲音。新型的上下廻旋，若鷗似燕，使得藍天白雲與綠野平疇，加添無限活潑生機。旱地裡的麥穗纍纍，滿野金黃，鷓鴣聲中，正等待著人們的收割。農村大地，點綴著錦繡似的色彩，恰如一幅抽象的畫圖。這個時候，顯示著端陽佳節來臨的徵候，給予兒童們更是無限的歡樂。本來，寒冬過了，便是春暖花開的季節，清明既去，忙著播種揷秧，另外，又得準備收割小麥，這是故鄉「一季田」和「二季田」農家一種共同具有的現象。

忙著，忙著，端陽恰好帶給人們一點調劑。

故鄉差不多家家有船，但就沒有人提倡過什麼龍舟競渡。偶爾兩船划槳或是撐篙，比較誰快誰慢倒是有的，那頂多是豪興，是趣味而已。裹粽子是年年不可缺少的應節食品，家鄉沒有寬濶的竹葉，卽使院裡幾莖瘦竹，它和芭蕉同植，就像栽種繡球與牡丹一般，只是供人玩賞的園藝；就地取材，是我們老祖宗留下的天大本領，利用蕩裡的蘆葉，一樣的包裹、一樣的芬芳，糯米是不成問題的，原就是魚米之鄉的出產之一。浸泡粽葉，是我媽媽分內的事，家中人口多，孩子們又超過成人，裹粽子倒要挽請鄰居老奶奶代勞的。她裹得又緊、又漂亮，有時運用技巧包成四方形的，八角錚錚，眞是絕活。童年在家，我是不吃粽子的，如同我不愛吃猪肉一般，爲了應景，勉强也得吃上半隻，假若不加上一大調羹白糖，是無法下嚥的。

菖蒲、艾梗、桃枝，無須外求，只有紅綠多彩的「百索」，是先要向搖貨郎鼓的小販購買的。

端陽那一天清早，在門框上繫牢一束菖蒲、艾梗、桃枝，甚至枝上還帶有靑靑的小桃。大人告訴孩子，那是辟邪的，能夠驅鬼，鬼是何物？誰也弄不清楚。

我家廳堂裡懸掛鍾進士像，那是爸每年端陽要做的事，從五月初一開始，直到月底結束收藏。兩幅鍾馗巨畫，算得傳家之寶。依稀記得，東邊掛的立軸，水墨繪成的立姿判官，手執著的寶劍，頭戴飛纓的帽子，脚踏長靴，兩眼圓睜，滿臉鬍鬚，眼球是用鴨雞血塗的，另外再加朱紅顏料，赤色耀眼，看來令人恐怖，難怪一個小鬼匍伏在他的足下。西邊一幅較小，橫式，看來不怎麼怕人，那是騎在老虎背上的判官。面部有鬚，手中有劍，座騎老虎乖乖的，活像我家裡經常乘坐的老騾那麼馴服。

中午的活動，是端陽佳節的高潮，原本五月五亦稱端午。盛夏的陽光，午時相當炎熱，家戶緊閉，焚化牛糞餅，據說有殺蟲驅蟲的效能，滿屋烟霧繚繞，氣味難聞。這時，還到處找尋，捉來一隻倒楣的癩蝦蟆，將一錠黑墨塞進牠的大嘴裏，讓牠口涎浸漬到溶化的程度，才縱放他去，取出的墨錠晒乾藏好。一旦有小孩子腮膀紅腦、發熱、疼痛，磨墨成汁，沾滿毛筆，在患部寫上一個「禁」字，再加劃一圈，自然就會腫消痛止，百試百靈。原因何在說不清楚。

晒大蒜頭，泡雄黃酒，飯時菜蔬少不了一盤炒莧菜，例須放點蒜頭，還得喝點雄黃酒，順便在孩子們的額頭，用雄黃沾酒寫一「王」字，並且，還在肚臍眼塗滿雄黃，搔得孩子們癢得笑呵呵，加深不少歡度佳節的樂趣。

風土記有說：「仲夏端午，烹鶩角黍」。流風所及，鴨蛋、粽子，成了家家端午必備食品。另外孩子們的手腕足踝，扣着絨絲彩線；有時，採用五顏六色的絲線編織成網，盛着一枚鹹鴨蛋；或是編織粽形飾物，更有黃布縫成的老虎，一道懸掛胸前到處走動。本意是辟邪的作用，倒給孩子們用來炫耀；端陽的玩藝多是色彩繽紛，這些應景飾物，又是這般的神氣活現，引動鄰舍孩子們的無限羨慕。

如今，每年端陽，我儘量讓我的孩子們歡娛，將一些善良的風俗習慣，維持下去，使他們知道木本水源、一脈相承，好好地秉持着繼往開來的精神，不斷地開創新的天地。可是，我那懷鄉的心情，童年端陽的樂趣，唯有我來獨享，甘苦的滋味，容我自嘗。

端午節那天

楊樹飛雪，榴花似火，杜鵑鳥啼，割麥揷禾，正是故鄉農忙季節，也是端五卽將到臨的時候。過年過節，都是孩子們最快樂的享受，有吃有喝有玩，而且，無須上學，落得輕鬆自在。五月初五，旣稱端午，又名端陽、重五、重午。端是始，歲時雜記：京師市廛人以五月初一日爲端一，因此，初五謂之端五。

過端午，裹粽子，是難以免俗的大事。故鄉竹瘦葉小，就地取材，採用湖蕩裡的新鮮蘆葉，先行浸泡，用來裹的粽子，透出一種淸香，吃來又香又粘。殺鵝殺鴨倒不一定，而吃醃過的鵝蛋食用，倒是有的。孩子們用綵線編織成的網子盛著，懸在身邊，和香包一併掛著作爲一種端午的點綴，也是一種炫耀。頗類風土記所述：「仲夏端午，烹鶩角黍」。至於隋唐地理志所稱競渡之戲，我還是到鎭江讀中學，方在江邊看過一次龍舟競賽，那是端午節。

鄉間家家掛菖蒲、艾草，還有桃枝，是有避邪趨吉，與健壯康寧作用。午間，炙熱的陽光，曝晒蒜頭和雄黃，更有燒酒滲雄雄黃，家人共飮，幷在孩子額頭書寫「王」字的，更在小肚臍眼邊塗擦雄黃帶酒，惹得孩子們哈哈大笑，還有事先捉牢一隻癩蝦蟆，將一錠黑墨塞入蝦蟆嘴裡，一直等到軟化再取出晒乾，做爲無名腫毒寫著「禁」字來消腫，據說這種磨墨非常靈驗，信不信由你。

過節加菜，也是農家不可或缺的。炒莧菜，軟兜鱔糊、蒜苗燒肉，煮黃魚，是少不了的應時新鮮菜數。

婦女、孩子要繫百索，實際是五彩的絲絨線，有的繫頸，有的繫足，有的繫腕，說是有僻邪的作用。

最有趣的家鄉端午風俗。中午飯後，家家戶戶燒著牛糞搗成的圓餅，原先都貼在牆上，煞像一幅圖案畫，剝下當柴燒的時候已是乾透發脆，毫無一點臭味。燒著、燒著，煙焰迷漫充塞屋內每一個角落，家裡所有的人，都先趨避屋外，讓牛糞餅自燃直至餘燼全息，方再打開門窗散盡烟霧，然後家人陸續回到家裡，收拾死灰。

牛糞餅是不化本錢的經濟燃料，有滅絕一切害蟲的功能，比目前殺蟲劑噴灑并不遜色，至少，蜈蚣、蠍子能夠殺盡。鄉間的牛糞餅，在冬雪瀰天缺柴燒的寒冷日子，用它來燒火煮粥，火候特强，據說，粥味還特別可口好吃哩。

喜逢端午憶故鄉

在我的心裡，故鄉是唯美的，許多兒時往事猶歷歷在目，難以忘懷，尤其是端陽佳節來臨的時候，更帶給農村兒童無限的歡樂。寒冬過了，緊接而來的是春暖花香的季節，農村裡的人們，清明既去，就忙著播種挿秧，另外，又要準備爲收穫而作一番忙碌，這正是故鄉「一季田」和「二季田」農家所共同具有的現象。

端陽恰好是給予人們一種忙裡偸閒的調劑。

故鄉差不多家家有船，但是就是沒有人提倡過什麼龍舟競賽，偶爾兩船划槳或是撐篙比較誰快誰慢倒是有的，那頂多是豪興，是趣味而已。裹粽子是年年不可或少的應節食品。那兒根本沒有寬濶的竹葉。但蕩裡的蘆葉，一樣的用來包裹，一樣的散發淸香，糯米不成問題的，本就是魚米之鄉的出產之一。浸糯米、泡粽葉，是媽媽分內的事，家中人口多，裹粽子還請鄰居老奶奶代勞的，又緊，又成樣，有時運用技巧包成四方形的，和一些三角形的迥然不同，八角錚錚，眞是絕活。童年在家，我是不吃粽子的，可是爲了過節，勉强也得吃下半個，那白糖就得去了一大調羹，否則是無法下嚥的。

菖蒲、艾梗，桃枝，無須外求，只有紅綠多彩的「百索」，是要向搖貨郎鼓的人去買的。

端陽那一天清早，先在門框上繫牢一束菖蒲、艾梗、桃枝，甚至枝上還有幾枚碧青的小桃，大人告訴我們，那是辟邪的，能夠驅鬼。鬼是何物？誰也弄不清楚，在家鄉談鬼色變，活靈活現的，許許多多的鬼故事，至今，還深深印在我的腦海。

中午的活動，算是端陽的高潮。本來五月初五亦作端午。家戶緊閉，焚化牛糞餅，烟霧繚繞，有殺蟲驅蛇的效果。仲夏的陽光，在午時相當灼熱。這時，不知從那兒捉來一隻倒楣的癩蝦蟆，將一錠黑墨塞進牠的大嘴裡，讓牠的口涎浸漬到溶化的程度，才縱放他去，取出的墨錠晒乾藏好，等到有孩子腮膀紅脹，發熱疼痛，於是磨墨成汁，沾滿毛筆，在患部寫上「禁」字，加劃一個圈，自然就會腫消痛止，據說百試百靈，原因何在？誰也說不清楚。

多束大蒜頭，一碗雄黃泡酒，莧菜燒炒時放入蒜頭，是少不了的一盤菜，還得喝一點雄黃酒。孩子們額頭，用雄黃沾酒寫「王」字，並且，還得在肚臍眼上塗滿雄黃，搔得孩子們癢的發笑，加深歡渡佳節的樂趣。

另外，吃枚鹹鴨蛋，好像也是少不了的。風土記有說：「仲夏端午，烹鶩角黍」。流風所及，鴨蛋、粽子，算是應景。而孩子們，手腕足踝扣著絲絨彩線，並且，更會採用五顏六色的絲線，編結網狀，盛以鹽蛋，或是編結多枚粽形飾物，黃布縫成老虎，懸掛胸前，到處走動，炫耀著端陽是多麼地五彩繽紛，而特有的飾物香包，又是如何的神氣活現，引得鄰居街坊的孩子們無限羨慕。

台灣縣市各地的慶祝端陽，每有龍舟競渡，鑼鼓喧天。街頭的端陽飾物，華麗美觀，愛不釋手，粽子的種類，式樣繁多，鹽的，淡的，豆沙的，棗泥的，肉加蝦米的，有一種白粽加鹹水的，聽說可以促進消化，惜乎我是不敢嘗試，不過，台南市的各式粽子是遠近聞名，很多人喜愛它。

來台多年，早失去故鄉的音訊，「每逢佳節倍思親」，這也是人情之常，回首往事，只是頻添無限鄉愁罷了。

粽葉飄香話端陽

農曆五月五日的端陽節，是我國民俗最大節令之一。有稱五月節、午日節、端午節、重五節、端午節、端節，而且，著重午時過節，自與中秋節賞月拜月迥不相同。

在故鄉有一諺語：「吃罷端午粽，就把棉衣送」。過了此日，氣溫穩定和暖，將屆夏天，不致細雨霏霏，乍寒乍熱，農民正開始忙於耕種，將整個鄉野帶來一片忙碌。

粽子是端陽不可或缺的食物。故鄉竹瘦葉小，裹粽子的粽絡，取材於湖蕩蘆的新鮮蘆葉，摘下浸入清水泡透，糯米淘洗後也得經過一番浸泡，紮粽子却是用的苧麻絲。粽之大小型式不一，習見的是一種三角型，四角型比較要費一番工夫，因爲，必先造型然後慢慢塞塡糯米，吃起來非常堅實。蘆葉由水煮沸剝食時，特別溢出一股淡淡的清香，正如新鮮荷葉包排骨，吃來芬芳飄送，增進食慾。

民俗因地而異，端陽的一切習俗，多爲避邪解毒，尙有納福的另具意義。家庭懸掛鍾馗畫像，深切記得我家掛的一個持劍，另一幅騎在老虎背上，不是脚踩小鬼，就是手心捏著小鬼的脖子，而且，判官的眼珠是血紅的睜著，據說那是公雞血塗點的，形狀非常的恐怖。門楣掛著菖蒲、艾草、桃枝、毛桃，用來避邪。孩子們掛香包，絲線作纓，內中塞有雄黃或是香草，相傳祛除邪魔，驅逐五毒的。這香包習俗的流傳，從長沙馬王堆古墓出土的金鑲彩繡的香囊，證明漢代就已存在，非自近代開始。飲雄黃酒，塗雄黃在孩子的肚臍眼上，甚至在額頭寫上「王」字的。手足繫五彩絲線名「百索」的，無非是祛邪納福。

午飯的菜肴，有莧菜，是揀紅的。尚有鱔魚，并且，大蒜瓣也不可以少。大概是既要應時，又在避邪。吃鹹鴨蛋，似乎端午節不可或缺的食物，孩子們還用絲線編結成網的盛著，掛在胸前搖搖晃晃的，在與香包爭寵。說不定這是古時宰鶩烹食的遺風，也是水網地區的故鄉端午佳節的一種特色。

另外，爲著驅五毒的蝎子、蜈蚣、蛇、癩蝦蟆、壁虎，有著一種燒「牛屎巴巴」的習俗。故鄉農家蓄飼水牛助耕，平昔餵飼禾草青苗，牛糞臭氣不濃，挖坑儲存，等堆積相當時日，氣味消失，加拌乾草，使用簡單工具塑造成餅，一個又一個的，整齊有序的粘貼在宅院的牆上，遠看倒很像一幅圓點的圖案畫，煞是有趣。日久陰乾，寒冬缺柴，用牛糞餅燒鍋，火勢熊熊非常耐燒。端午置放屋角，點燃慢慢冒烟，薰及到每一角落，保險一年沒有五毒的侵擾，土法的消毒殺蟲，至少，在荒僻鄉野是聊勝於無。

還有，端午使得癩蝦蟆遭殃的，節前就得動員孩子們，在田畦水濱尋找，當然，愈大的癩蝦蟆愈好，好好地將它放在水盆裏，等到午刻由成人們來處置。癩蝦蟆體大多涎，有著一個闊嘴巴，人們就用一錠備好的黑墨塞進牠的嘴裏，另外，麻繩拴著牠的雙足讓牠動彈不得，在毒辣的陽光下，只有吐涎化墨，直到墨軟涎盡，取出黑墨晒乾。折騰老半天的癩蝦蟆始得赦免縱去，是活是死，誰也不去關心。而那一錠浸涎的黑墨，卻似寶貝一般的爲人珍藏，拿它研磨來治孩子們的「榨腮」和無名腫毒，據說頗具神效。

年俗的情趣

風俗習慣的養成，是一種自然的力量，年深日久，牢不可拔。縱有大同小異差別。若是完全廢除，却非易事。例如中華民國成立，就改陰曆爲陽曆，國民革命統一全國的第二年，也就是民國十八年，國民政府曾經雷厲風行，不准過農曆年的元旦，硬是要各學校照常上課，可是老習俗無法更改，弄得老師學生無心上課，天寒地凍，大家冷冷清清坐在教室裏發楞。後來陽曆美名「元旦」，農曆巧稱「春節」，你過你的年，我過我的年，中庸之道，並行不悖，皆大歡喜。

農曆春節，正是秋收冬藏的農閒時候，在農村裏過年，視爲一件大事，以敬天法祖爲先，給予人們享受的是甜美無窮情趣。

臘八粥熱呼呼

冬天進了臘月，濱湖地區的家鄉，衰柳黃葉飄零，到處白茫茫水天一色，只有野鴨成羣，點綴荒寒的原野。農家忙好醃魚、醃肉，還有雞鴨，就用米類來蒸方糕，做年燒餅、摟炒米、製粉團，用綠豆粉來做水粉條，青魚做魚丸，糯米釀老黃酒，或是碎米溜碧甕酒的。

在準備現成吃的，還有就是醃大梗鹹菜。先從菜園裏拔出高達尺許的大白菜，洗淨晾乾，一層層疊進大砂缸裏，層菜層鹽，用石磨緊緊的壓著，要吃時擰一棵，切碎加點麻油，香脆可口，佐餐無異盛饌佳餚。

一般陳菜和過年點心事得備妥，那臘月初八就跟著到了。本來臘八是佛教重視的節日，家鄉信佛的人特多，庵堂寺廟每一村莊都有，臘八吃臘八粥，不僅應景，也是孩子們進入歡樂年年的開端。顧名思義，粥是用溫火煮的帶有黏性的米，裏面放有桂圓、紅棗、白果、薏仁、花生米、青豆等等乾果，吃起來又香、又甜，熱呼呼的，較諸平日喝稀飯，吃鹹菜煮小魚，要來得快活得多。因爲，這臘八粥的口味與往常有別，何況，一年到頭，只有一個臘月初八，大家方有如此豪華的一餐。

小和尚吃灶飯

過年的香燭紙馬，鞭炮火花，糖果糕點、瓜子茶葉，必需到街上採購，鄉裏人到鎮裏，是搭幫船去，俗稱「辦年貨」，購買以前，得斟酌開具採購的單子，萬一遺漏，又得跑上一趟，來去就是一天，這時大人孩子都忙，空閒時間很少。至於年畫，都是遠從上海販運挑擔兜售的，有的珂羅版、有的石版印製，五彩繽紛，故事饒有趣味。「封門錢」、紅紙等項，隨著年畫出售，本小利寬，一年一度非買不可，家家都討個吉利。這些年貨辦好，送灶老爺的日子就來了。

「上天言好事，下界保平安」，是灶神龕邊的對聯，橫額是「司命府」，平常供奉在家裏磚灶煙囱上面。送灶的日子，是官三、民四、龜五，我們鄉裏都是二十四日，所謂「送灶」，得備紅紙摺疊馬形，另放寸餘稻草數根，另外有鹽、米少許，更有一塊麥芽糖，那是讓灶神甜甜嘴，上天啟奏玉皇大帝多美言幾句的，這倒是頗具人情味的非貪污行爲。一家之主燃香點燭跪拜禱告既畢，灶神被請離座位加以清理，等到除夕再回歸原位。

村裏在寺廟寄名的孩子們，老和尚稱做「小和尚」，每年到臘月二十三日中午，無間風雨陰雪，廟祝挨戶喊著：「小和尚吃灶飯啦」！不吃白不吃，一經吆喝，那些已經放假的孩子，一窩蜂的成羣結隊往廟裏食堂湧去，爭先恐後的找到位子就坐。其實菜蔬很簡單，四菜一湯，有水芹炒百葉、青菜豆腐、炒綠豆芽、紅燒茨菇，加一道豌豆皮子湯，紅米糙飯吃得津津有味。大概是大鍋飯，素菜是麻油炒煮的，而且吃的都是孩子們，無拘無束，比在家裏健飯得多，油多手滑，砸破碗的再來一只，老和尚只是哈哈笑，在旁照料的道人們，更是無話可說。這些吃飽的孩子們一抹嘴，喊一聲「師父再見」！一溜烟似的跑出門自找樂趣了。

「除夕」送神迎神忙

一年最後一天的除夕，正如門對子寫的「爆竹一聲除舊歲」，在這一天可夠忙碌的。婦女們在廚房裏忙著弄吃的，還得預備新年吃的喝的。男人的事情，從早到晚也是忙得沒有完。一早將寫好的春聯以及選購的年畫，先找好適切的張貼地點。那個時候氣溫特別的低，漿糊得用爐火保溫，還須爬上爬下的將這些春聯、年畫、封門錢，貼得穩穩當當。我家大門，非逢喜事或過年，很少開啟，平時都從店門出入。記得大門的對子是：「南臺世澤，翔鳳家聲」。有些不識字的人家，常將「六畜興旺」，當著「木本水源」貼在祖先神龕上的，這些笑話在鄉裏層出不窮。室內戶外該貼的貼好，就開始掃地，裏裏外外打掃得乾乾淨淨。其次就到浴室去洗澡，水熱人衆，跑堂的招呼特別殷勤，泡元寶茶，紅糖開水加二枚紅棗，是孩子們喜歡吃的喝的，還不斷送來熱騰騰的純白毛巾；主要的希望一年一度多得一點賞錢。

傍晚的時候，就見到手提燈籠的，來去匆匆，那是討店帳的夥計。穿一襲單布長衫的窮秀才，滿臉酸相，夾著一對「狗頭包子」到老東家送禮辭年，這種人情不僅不能接受，反而趕緊加倍還禮送到秀才娘子的手裏，鄉俗算得上寒士打的一種「抽豐」。

入夜多寒入骨，屋內紅燭高燒，香煙繚繞，燈火輝煌，銅盆裏松枝燃燒得劈劈拍拍，香氣四溢，充滿和暖溫馨的感受。全家大小衣冠齊整，先拜天地，再拜神佛，以及「天地國親師」牌位與歷代祖先的神主。除夕特別將祖先神龕的一扇扇小門打開，孩子們也可利用時機，看看亡人的名諱暨生死的年月日。

祭拜既畢，全家入席吃「年夜飯」，孩子們破例可以喝點老酒。遠在外鄉不及趕回的，用瓷碗盛好糯米飯，上面嵌著紅棗、白果、栗子，等到清明以前回來再吃。整鍋的飯皮，拿來放在笆斗上，中間挿著松柏長青枝，枝梢貼著金紙，嵌著白果，供在神櫃的一端，那是代表聚寶盆的，圖一個吉利，有時還貼著紅紙寫的「大發財源」四個楷字。

除夕例須守歲，一直等到新年元旦萌明迎神過後，在不斷鞭炮聲裏方去休息。抗戰以前，殷實人家都有自衞槍枝，利用過年大好機會，你家也放，我家也放，混雜在鞭炮聲裏特別淸脆響亮，沒有想到彈貴如金。一些孩子們是熬不過成人的，在和暖室溫中極易入睡，一覺醒來，又是一年，有新衣新鞋新帽，還有黑棗、雲片糕，更有一封沉甸甸的壓歲錢，那時「中、中、交、農」一元以上的鈔票很少，孩子們依然喜歡著銅板，拿來打錢堆，那是最好的媒介。

初一到十五的歡樂

新年元旦，年初一，我們全家茹素，除焚香拜祭，不作外間活動，村裏人家大都是靜悄悄的在享受休閒。可是，孩子們是閒不住的，偷偷的溜出家門，唯一去處就是廟宇，賭錢的，踢鐵球的，拉扯嗡的，熱鬧得很，賣豆腐腦的、餛飩攤、玩具舖等等，也都擠滿孩子和一些莊稼漢。

初二到家祠祭祖。至親近鄰拜年，先向人家祖先神位叩拜，再向長輩施揖，互道恭喜，有時入座吃點盒裏的糖果糕餅，飲一點糖茶再到第二家。

初三、初四，路上都是着新衣的男女，拜年的、廟裏燒香拜懺的，熙熙攘攘，洋溢著喜悅的臉色和神態。入晚，鞭炮聲此起彼落，家家在隙地豎立木桿燃點天燈，點綴著新正的寒夜，從點點微弱的紅燈影照中，帶來與往常多季的日子有所不同，增添著不少新年夜空的欣喜景象。

初五是財神日，做生意人家今天開市，我很早起床，冒著凜冽的冷凍，提著燈籠隨同父親到財神殿進香，廟裏並且特別準備著桂圓茶招待香客，當然香火錢是不能少的。我離開以後的若干年，不知誰替父親掌燈的？可惜我是永遠無人可以查問了。

初六，俗稱六子夜，有人鳴鑼打鼓送「棹樁」，那是爲著尙無子嗣的人家帶給他們一種希望的喜訊，這個夜晚不亞於除夕，只是鑼鼓替代了湯沸似的鞭炮。

初七到十四，家家戶戶依然上香拜祀神佛，還有就是春敍酒，「家家扶得醉人歸」。不醉無歸，是農村人際之間的一種歡樂，藉酒聯歡，藉拜年來敦親睦鄰，昔時鄉野成長的人們，似乎較諸今日都市的鄰舍，更具有濃厚的情誼。

十五元宵節，家家吃元宵，慶賀團圓。孩子們在這月圓的上元節，大玩花燈，有巧匠的地方，紮得花燈，格外引人欣賞。沒有的，只好自己動手，四方的、八角的、扁圓的，點亮讓孩子們高擎着，遊行村里，跳躍歡呼，使得孩子們充滿樂趣。成人們的跑馬燈，裝扮「昭君和番」，韃子一角等於小丑，有他的一手，拉大頂，翻跟斗，花式百出，炮竹越響，賞錢越多，要得越是精采，一些騎馬燈的；等於舞龍，跟著領頭的王墻穿梭搖擺，載歌載舞，瞧得你眼花撩亂。至於打錢枝的，送麒麟，送財神的，舞龍舞獅的，也會在元宵節那晚有著高潮的出現。

年復一年，這種甜美的年俗週而復始。只是，如今家園荒蕪，好景難再，唯有偶在追憶中，記起童年的快樂往事。（民國七十三年二月）

媽媽永遠活在我的心底

「北堂幽陰，可以種萱」。時至今日，陽臺一角的萱草，開始綻放橙黃或桃紅的花朵，它是象徵母親的花。這是女兒的孝心，爲着母親節讓她母親歡樂而種植的。

金針花也好，康乃馨也好，雖是用來表示對母親的崇敬。但是，我的母親呢，到那裏去尋找她老人家的踪影？只有從我思念之情裏，在婆娑淚眼中，彷彿母親在我的眼前重現，可是，那只是一種幻影，空留無法捉摸的永恆懷念。

記得媽媽比我父親小上十歲，一個城鎭的小姐下嫁到窮鄉僻壤的荒村，而且，我們家庭正遭逢大的變故以後，均賴爸媽艱苦的支持。媽的身體較胖，又是纏足，又不善言辭表達。而爸爸幼年既失母又喪父，學武中途又去從軍，基於家庭責任唯有屈居鄉曲，來承擔一切痛苦的折磨，有時發洩在媽媽身上，也經常紓發飼養的騾馬和看守門戶貓狗。這些情景，聽到姑媽們講的很多，也有的是我的零星記憶。

等我就學的年齡，爸已近天命之年，終日在外奔波，媽在家裏燒火煮飯、洗衣補窮，總是忙得睡遲起早、蓬頭垢面，還得爲著一年一個的，我們這些小蘿蔔頭張羅衣履鞋襪、照顧疾病疼痛，付出她最大的心力和愛心、耐心。

從我記事開始，我有著幸福的童年，在家男孩子我是老二，和哥哥年齡相差一大截，所以，我也得到很好的關顧。讀書我從來不偷懶，就是不願受著無味的管束。因此，在爸媽眼中是一個頑皮搗蛋的小傢伙，在老師眼中是一個桀傲不馴的小「爬柴」，爸是經常不在家，媽又無從教誨，等到闖了禍，倒楣的不是我，反而是我的媽媽，受著外人的閒氣，也受著爸爸的無理責罵。有時，媽媽對我痛哭流涕，想揍我幾下而又不忍心似的。有一次，甚至提著我的雙足將頭浸到水裏去嘗嘗冷水的滋味，我仍頑皮如故，直到我十二歲以後，將我交付堂哥跟隨外出就讀，方始收斂我的劣根性，開始慢慢明白父母所花的一番心血。

從此，天涯海角，南北奔馳，總以對得起國家培植的恩惠作想。總是，對於爸媽教育之恩未報絲毫存念，尤其，對我的母親，思之惘然，言之心痛，實在感覺我是罪人。

民國三十八年，家中經過「清算鬥爭」「掃地出門」後，父親死去無以爲殮，媽媽被迫宿於豬圈裏，一被一碗，他無長物，幸得村裏好心人，偷偷地在夜深人靜送飯送菜，照料生活，方始苟活了幾年。善良的大姊，將媽接到上海，在危難中讓哭瞎雙眼的我媽，直到民國四十八年始行升天，最不幸的，目前在上海已經無法找到媽的葬身地方，落得屍骨無存的悲慘，怎不哀慟？

我所持有的，只有媽所留給我一顆善良的心，一副健康的身體，一腔樂於助人的精神。現時，留存的只是媽一張晚年的小影，依稀認識媽的慈祥福相，以及，那一雙全瞎的已經沒法看到我兒孫滿堂的眼睛。

我是多麼的懷念，又是多麼的悲痛。媽媽一生爲我們的家，爲著子女，只有貢獻與犧牲，沒有一點享受。生時的劬勞，死時都沒有一坯黃土埋骨，爲兒女的我們，焉能不刻骨銘心的悲切？怎麼不永遠的追懷？

零陵瑣憶

我思我寫的零陵，是昔日的永州舊治，唐代柳宗元曾經被貶爲永州司馬的所在。他的文思雄深雅健，尤善於撰述游蹤，在他的永州八記中，如：「鈷鉧潭西小邱記」、「小石城山記」、「始得西山宴遊記」、「袁家渴記」等不朽之作，流傳後世，萬古誦讀，就由於他曾步履蠻瘴，堙厄感鬱，心益苦而境益閒，藉著山水抒解胸中的悶氣，幷寓於文筆之間，予人有無限的懷想。

在一千年以後，我追隨子厚來到零陵。柳老詩文幷茂。早已見重於當時，況他又官拜監察御史，是貶謫到此的。我呢，從易俗河，經南嶽，過黎家坪，到零陵，無間風雨陰晴，一步一步的，脚著芒鞋布襪，肩背槍械彈藥，是走過此處稍作駐留的。南行不遠，越東湘橋，栗山舖，就是廣西地境。

零陵的山水、嘉木、美竹、令人喜悅。四季氣候溫煦，生活特別曠達。而民情的堅強純樸，表現著湖南人的個性，在我生活史上，留有深刻又美好的印象。

綠油油的湘水，終年由南朝北悠悠流逝，西門外用木船架設的浮橋，成天有過往行人踏著橋面來去，引發隆隆的聲響和微微的顫抖。我每次進城出城，總會在橋面上對著江流作深深一瞥，覺得它像寶石那樣翠綠，非常可愛。有時，我會沿著山脚的崖岸，或站或坐，或臥或倚，看得一個飽，陪襯碧溪的遠山近樹，和散佈在空中的雲彩，也顯得特別誘人。難免的，偶爾會引動我的懷鄉情緒，家鄉的水流常常是混濁渾黃，澄淨的時候極少，卽有樹木，榆、柳較多，壓根兒就沒有山，一片綠野平疇。眼前的峯嶺重疊，清水奔流，想將一切思念，突破羣山，付諸綠波，帶向那海角天涯。而征人的心胸，點點滴滴無從傾訴，唯有每逢瀟湘夜雨迷濛，或在瑟瑟秋風吹染楓紅的時候，萬千思緒，百結愁腸，在輾轉難以成眠時，度過秋涼似水的長夜。

古老的城牆，幾乎有三分之一，是與湘江併列的，倒影的綺麗，尤其日正西斜，水波粼粼裡，有著生動的感受。有時，我就坐在大樹環抱的柳公祠的石階上，癡癡地凝視著對岸城牆波影，以及羣峯晴嵐，消磨我操課空餘的時間。北東兩方，城是依著山勢建造的，有點類似鎮江的鐵甕城，這裡蒼松翠柏的枝幹挺秀，勝過後者要多。城市山林，是我喜歡的所在，一卷在手，叢樹濃蔭，有時我幾乎充耳不聞集合的號音。

城外石條鋪的小徑，沿著山勢的高低，曲折蜿蜒。在這些剝落的斑痕上，有的被磨的光光滑滑的，它不知踐踏過許多人的脚印。山坳谷間，建著歇脚亭，石柱石櫈，頂上蓋著黑瓦，壁間柱頭，留有墨跡，歪歪斜斜的題詩留字，訴說遊子心聲，離人別緒，浪蕩人塊然獨處的感喟。每當分岔的地方，總豎著矮矮的石碑，刻著右走那裡，左走那裡，俗說指路牌，給予荒山無人問徑的行客好大方便。更有「泰山石敢當」、「南無阿彌陀佛」，「萬惡淫爲首，百行孝爲先」的碑刻，分立道旁，讓行路人等，興起振奮自強的信念，兼具勸善的寓意，至少，漫漫長途，行來不致寂寞。

我喜愛零陵鄉野的林壑優美。當春天降臨，坡間茶花盛開，滿眼嫣紅。峯嶺木竹芃蘇，菁菁密密。涓涓細流，穿過層次井然的梯田，帶給農家灌溉的利益。更使得菜仔黃花愈加嬌艷，蜜蜂成羣的終日糾纏。水磨這時跟著潺潺流泉，以及嗡嗡成音的蜂羣相互唱和，自晨至暮，咿咿呀呀的不絕。春天的光輝，照耀著村野，一切的一切，充滿蓬勃的朝氣，就連牧童也難以綰著大大小小的水牛，放任牠們跳躍的跳躍，啃草的啃草，有的甚至浸潤在溪流中悠然自得，雌雄牛隻各自發出嗚嗚的呼叫，這該是發乎情的一種愛之呼喚。

城當瀟湘合流處，爲楚粵水陸的門戶，是歷史兵事上重地。北有冷水灘，當湘桂鐵路與湘江交會。西有桃江冲，是公路通越湘江的渡口，這一帶固然很多殘壘歷歷在目，而破牆頹壁上還遺有斗大的紅字標語，隱約的看出是些欺世的謊言。可是，大自然的景色，翳薈蓁茸，山水特秀，我無法領略子厚千年前的遊蹤所至的西山風光，微感遺憾。我的收穫相信是優於子厚的，說不定還比他多。

人情的溫煦，「到了湖南到了家」。但另一方面嫉惡如仇的民風，我也深深地體會，不信邪的堅強個性，我有同感，恕我不一一例舉。就這樣，我在零陵開始我的初戀，魚雁相通，畢竟湘女有情，數年以後終成神仙眷屬。更巧的是，如今我的親家母，翔兒的丈母娘，竟是零陵出生的。

永州舊治的零陵，刻劃著我許許多多的記憶，留置在心坎的深處。有人比喻人生甜、酸、苦、辣，五味俱全。我在零陵的那段時日，甜的要我發笑，酸的令我懊惱，苦得落淚，辣如心焦，還有一些無名的嘗試，那該屬於所有當時人們的，這些，都已經成了往事，但是仍堪追憶。

綠波清溪任嬉游

人生只有一個童年。當人生開始的階段，無論遭遇孤苦，或是過的幸福歲月，總堪追憶，俱還值得懷念。

童年雖已逝去那麼遙遠，而我記憶猶新，恍如目前。我的童年優遊自在，從快樂無邊的生活中溜走。我該感恩雙親賞賜我的一切，家鄉自然環境給我的美好陶冶，我師我友，我親愛的兄姊予我的關愛提携。

我的童年歡樂，在無憂無慮中讓我成長，使我獲致過多的甜蜜和佳趣，也影響到我的人生觀與生命價值和生活意義。

如今，我仍享受著快樂的人生。追根窮源，這種豐富的人生，還是得力於童年時代的種種。因此，我該稍稍回想生我育我的雙親劬勞以及長我活我的故鄉周遭的所有環境。生活背景往往構成童年的愁與苦，歡與樂的源泉，誠如涓涓細流，由西徂東，或者經北到南，滙成江河也好，豬爲海洋也罷，人生似長實短，其中不知幾多變化？有的歷經風霜，飽嘗艱辛，抑是福分無窮，歡樂融融，就在童年萌芽開端的。這，怎不令人想起那可珍可貴童年生活的片斷。

我出生在一個農村小康的家庭。由我存有記憶開始，父親性情剛烈好俠，確實是一家之主。母親溫柔敦厚，是一個生孩子，操勞家務的管家婆。我有一哥一姊一妹，據說媽生有十三個孩子，活著的僅僅我們五個寶貝。生我的那一年，爸是四十，媽剛三十，從此我們的家庭逐漸興旺，過著豐衣足食的日子。爸早中晚必定焚香誦經，誰也不敢有所干擾，虔誠的一心禮佛，他是懺悔既往的魯莽和粗暴，還是祈求寧靜與平安？當時實難體念。如今想來：爸爸期求性靈慰藉的日課，相信對懷有英雄豪傑思想的人，是具有莫大意味的。媽終年爲兒女辛勤。日日在廚房裏燒火煮飯，這樣一位妻子，常常仍不爲做丈夫的體諒，孩子頑皮跌跤，甚或病痛發燒，總是歸罪於媽媽，不是惡罵，就是痛打，媽和孩子只有呑聲飲泣，膽戰心驚。雨過天靑，爸是默不作聲的，丟下所有的大事，帶著孩子去看醫生，一而再的，直至孩子活潑玩耍，他才安心處理他分內應該處理的一些事情，似乎對媽的暴虐，早已置諸腦後。我家住在淮南水鄉。綠楊、板橋、河流、平疇、村舍、小船，時時刻刻留在腦海裏的習見事物。不及百戶的集子，只有我家是旺族人丁最多，他姓極少，彼此都有著沾親帶故的關係。始祖在明初被朱洪武目爲頑民由蘇州强迫遷來的，葬在家鄉元代創建的大廟左側。寓居揚州先後五代，到十一世祖方又回歸此地。集裏七座花園巨邸，等我看到的時候，已是破瓦頹垣，殘破不堪，僅供孩子們捉迷藏，戲弄瘋子的所在。唯一遺留的，尙有九口廢井，一棵巨大的黃牙樹，數枝翠竹，一些太湖殘石，另外，幾將倒塌的畫棟雕樑的破樓，其餘的都是荆棘叢生的滿眼荒地。

孩子喜歡玩水，好像是一種天性。我的童年，基於生長在河港地區，常見浩浩波濤，向未一見崗巒。因此，清溪、綠波、水流，自幼卽爲我的良伴，時時接近，刻刻撫摩，水很愛我，我親弱水，在我童年印象最最深刻的，莫過是水了，不問水的靜止或是奔流，都曾培養我的生活樂趣，而我與水相親相近的故事，實在太多太多了。

早上皮包水，晚間水包皮，跟著父親養成的一種習慣，視爲當然，無須再形於筆墨。戲水弄波，內中蘊藏無限生機樂事，它點綴我多采多姿的童年，永遠難忘。

洪水成災，千年如是。有一年稻穗纍纍，將到收割的季節，村沿農田一片汪洋，「搶割」構成農家活命的來源。許多人隨身繫一隻木盆，只見頭部冒出水面，雙手在水裏利用鐮刀撈割著稻穗，一把一把的丟放盆中，哥哥幫忙農事，要我騎在他的背上，游到田裏，順便將我放進盆裏，連人帶稻，再游回村邊，來來往往，我是樂不可支，甚至喝水嗆嗓，滿不在乎，跟隨哥哥在水中游來又游去，領略到水的樂趣無窮。有時，竟然大膽的，坐在木盆裏，用手作槳，划來划去，一陣狂風，將一隻無舵的小舟吹飄得遠遠的，要想回轉也是無計可施，最後幸好得人拯救，方始脫離了困境。

在大水的年頭。村莊困處白茫茫水域猶如點點孤島，四圍築堤防水，那些散居的獨戶，都得遷避水害，往還還必須靠船。而蔬菜的缺乏，逼使家家撈捕小蝦作爲副食。每逢夜晚，我常常跟隨家人，提著一盞風燈，帶著竹篾編的淘籮，在屋邊近水的地方撈捕。蝦見燈光就羣集似蛾，一籮又一籮的，都不會落空，數量的衆多，眞是令人咋舌，晒乾儲存，味道特別鮮美，上天有好生之德，算是人們受到災難後所得的一點恩惠。

鄉野大地，平疇無垠，溪流交織有如蛛網。世居這兒的人家，日出而作，日入而息，安詳、平靜的度著光陰。每當柳綠桃紅，鴨羣戲波，帶來春的氣息，隨著耕耘，換來秋收的倍形忙碌，跟著冬藏的閒散，等待著又是一個新年。孩子們是不甘寂寞的，童年好動，是我的特色。父嚴母慈，父權夫權有著絕對的權威性，便是我家的倫常。可是，父親經常外出，很少管到我，媽却管不著，因爲媽太仁慈了，一遇責罰，我會趕緊的逃脫。但有一次却例外；大概胡鬧得太過分了，被媽提著雙腿將我倒浸在水缸裏，等到一離開水，我哭得更兇，媽含著淚，只好溫言相慰，還爲我更換乾淨的衣褲，那是五歲的時候，我就這樣的倔强。我好惹禍，媽在平常是極少責打的，偶或擰擰耳朵，甚至罰站，來達到處罰的目的。

和煦春日，領著童伴去麥地裏放風箏。落葉的秋天，活動半徑擴展到墓地，捉兔子、刺蝟，還有小狸，冬天落雪，羣兒用雪球開仗。這些頑童惹人厭煩頭痛的事，誰都管不著，只有我的堂哥——我的啟蒙老師，他的一言一行，都對我有著制壓的作用。但我却常常利用機會，巧妙地避開他的視力範圍。

我討厭理髮，實在是理髮匠的技術太差，推剪太鈍，弄得皮破血流，搞得髮根疼痛不堪。礙於堂哥坐鎭在旁，只有咬牙待宰，一旦逮到機會，我會給理髮匠一拳一脚，拔腿就逃，那位理髮匠逢人便說，頭最難剃的便是我。

炎炎夏暑，無須讀書，每日就和清溪流水相伴。一條短褲，一雙木屐，游泳，潛水捉鴨；河底摸魚，甚或在日正當中，河的兩邊草叢，隱藏很多的魚、蝦、蟹、蚌。我就手到擒來，依然我行我素找著一些同伴，徜徉在村邊河流之中，自得其樂。

十一歲那年，離開雙親的呵護，隨著堂哥到離家十里開外的初級小學就讀，從此，我成了少小離家老未回的遊子。臨行媽的默默無言，倚門相送情景永難忘懷。偶爾想到幼年時的伙伴，一家人團聚的生活，如夢似眞，往事歷歷。

庭前果樹

大陸故鄉的宅第較大，院子也就跟著有廣濶的範圍，衆多的隙地，種植著有桃、棗、石榴。春暖花開，點綴得非常的美麗，等到秋收的季節，桃子那麼一撕皮，肉嫩汁多，吃來特別的可口，棗子的個兒不大，白皮酥肉，甜裡泛脆，放進嘴裡咀嚼，也眞齒頰留香。至於石榴，等它熟透，紅潤得異常可愛，尤其外皮裂開的，粒粒石榴子兒，如同水晶珠似的，進入口裡，酸中帶甜，吮吸細嘗，其味無窮。我每一憶及兒時往事，這些常常會縈廻腦際。

在臺灣住的是眷村，屋子小，院子當然也是很小，爲著好讓孩子們享受一點庭院綠化的自然風光，我們特地種著兩株果樹，一株桂圓，一株荔枝，一前一後的植著。慢慢地孩子們長大了，而我們手植的兩株果樹，也像孩子們一般，茁壯挺秀，枝幹繁茂，綠葉成蔭。居然也看到桂圓和荔枝，結實纍纍，年年花開花落，歲歲均可採擷果實，這是多麼令人興奮和欣慰的事情。在孩子們來說，他們格外的高興，晨昏幫助澆水，花落後的青青幼果初現，他們小心翼翼地，趕走嘰嘰呱呱的鳥雀啄食，更要防範鄰舍一些頑童們太早的下手竊食，果實成熟時最多享受的，也就是我家的孩子們，他們總算辛勞已經有了代價，並非憑空不勞而獲的坐享其成。

桂圓樹初植的當兒，尚不足一公尺高，稚嫩無比，等到種活成長，越竄越高，很快齊了屋簷。常綠喬木，羽狀複葉的桂圓，本名龍眼，還有稱做「圓眼」和「荔枝奴」的。果實圓形，外有硬皮，肉質味甘，等到掛滿枝頭，正是孩子們大快朵頤的時候。群芳譜載：「龍眼閩廣蜀道出荔枝處皆有。樹似荔枝，葉似林檎，凌多不凋。春來夏初開花白細，七月實熟，實極繁多，作穗猶如葡萄，每穗五六十個」。

荔枝滋味濃冽，果色晶瑩圓潤，流傳很久的楊貴妃喜食的故事，早經是世人樂道。根據唐史樂志的記載：「師幸驪山，貴妃生日張樂長生殿，南方進荔枝，奏新曲，因名荔枝香」。我到臺灣，不僅吃到荔枝，並且，種植一株荔枝。我國原產的荔枝，又名「離枝」、「丹荔」，不僅產在福建、廣東，唐代的四川也有種植的。詩人白居易四十多歲任四川忠縣太守時，就賦有「種荔枝」詩：「紅顆珍珠誠可愛，白鬚太守亦何癡；十年結子知誰在？自向庭中種荔枝」。我眞想不透，當時的楊貴妃特別喜愛嶺南來的荔枝，是否遠道來的色、香、味三者俱佳？

或許，我幼年就常吃桂圓，殼黃肉薄，沒有荔枝那麼引動我的食欲。我不僅對荔枝相見恨晚，特別鍾情，似乎荔枝比桂圓要早一點應市。看到它那微紫鮮紅，或是黃綠稍帶紫紅等色的熟果，嬌嫩引人的色彩，加之表面那些龜甲裂紋的點狀凸起，就有著果中尤物般的誘惑。剝開的果肉，乳白而又半透明，豐腴充滿水分，甘酸適度，略透清香，未嘗不是教人饞涎欲滴，恨不能吃它一個飽的主因。

桂圓、荔枝是常綠的喬木，枝葉異常的豐密，採果往往傷及枝葉，等到果盡，只剩下憔悴的滿樹殘枝敗葉，顯得無限悽涼的況味。這又何嘗不似人生，在飽經憂患的歷程中，將會留著創痍的舊痕？可是，果樹枝葉明年有再行復甦的時候，而人生青春一去無回，及時珍惜常綠的大好時光，這該是一項最好的親身體驗。

遠近高低皆佳趣

松園是孩子們的天地，是成人們的世界。

郁郁菁菁的遍地黑松，茂密的灌木，萋萋的蒿草，叢叢的箭竹；覆蓋著整個的坡地和峯嶺。在這翠綠的大自然裡，位於七星山與夢幻湖畔的松園，它是陽明山國家公園的寵兒，吸引許多尋覓休閒所在的遊客，來此得到無限撫愛，終日徜徉於溪澗邊，徘徊於山徑中，甚或靜靜地默坐遠眺，享受大地山河寧謐岑穆的美趣。

身入陽明山區的人們，習以爲常的是到前山和後山，那兒的花木疏扶，景物宜人，每年一次的花季，不知有多少萬人爲它瘋狂、癡迷。而松園只是偏於一隅，格局弁不宏偉，却是值得人們流連忘返的所在。

僅僅限於週六、星期天和國定假日開放的松園，沒有便捷的交通，如今，市辦的小型公車偶或經過。最好是要以探勝的情懷，一步一步的沿坡上行，追尋它的蹤跡，置身在岡山遼闊的原野。接觸著遍地花草樹木，抱著「千山鳥飛絕，萬徑人蹤滅」的自我清靜的胸襟，終於會找到松園，那眞是更會感到奇妙多趣的山野之旅。另外，自備車輛駛往這一山秀水清的空間—假日的世外桃源，也可一嘗「武陵人」昔時的體會。

從臺北去松園，有著兩條途徑。沿著寬坦的仰德大道到山仔后，折向菁山路由東向北在狹隘小路上駛行四公里。其次，由外雙溪朝北馳向菁山路，一樣是在密密麻麻的箭竹作籬的中間穿越，彎道爬坡，曲徑通幽。

將近擎天崗，臨崖下望，全被群山環抱的溪谷遮掩，那兒撐張著點點如繁花似的彩色遮陽傘，形成一種別饒特色的標誌，無異在告訴來訪的遊客，這兒就是松園，松園就在這裡。

孩子們的歡娛嘻笑，成人們的畫情詩意，當你身入其境的時候，頓會有著妙造自然的感受。松園得力於宇宙的創造，人工裝飾只是更添加它的幽美。當面是山，右側是山，留在旅人身後的依然是山，而左邊有著一段距離的，卻是巍巍兀立的大屯山，那麼雄偉渾厚的映入人們的眼簾。這裡滿眼葳葳蓬勃的樸木林樹，構成蒼翠可愛的一片盎然綠意，使得四圍的峯峯嶺嶺俱溶入翡翠綠色浸染中。亭閣、橋樑、池塘、小道，串連在這小小天地裡，點綴得卻到好處的藝術境地，令人爲它的景物而神馳。

爲孩子們設施的。小溪旁，曲徑邊，有著兩塊平地，稱做兒童遊樂區，芳草似茵，週邊植著紅紫相間的花卉，內中是些兒童遊樂的器械，讓一些來自都市的孩子們，在山林的孕育中，一無束縛的，去鞋脫襪光著雙足，在跑著、跳著、爬著、躺著，儘情領略著自由活動的愉悅。

成人們眼看孩子們的喜樂，更是自我受到山水薰沐的快慰，享有動靜各具歡暢的況味。信步走到山邊，向上正可進入山林深處，朝下可以聽泉觀瀑，俱從麻石舖砌的石條小徑踏過。登山觀景不若飛瀑溝澗那麼水色溶溶的變化萬端，因此，吸引脚望下走谷底的遊客，遠比穿林攀嶺的要多得很多。有山必需有水，清溪蜿蜒的長流，畢竟令人注目。假如有山缺水，自然覺得有一點單調。

在人形木橋上觀瀑。瀑雖無名，從濃密林樹裡竄出的奔流傾瀉，白茫茫的一股活水，猶似白練素綾特別的撩人。水勢在中間受到磊磊大石的橫阻，使之割裂成多道細流，鑽隙湍飛，依然滙集到谷底瀧瀧有聲的流逝不已。這一條堆滿亂石的清流，聲聲不息的，衝過障礙，迸出雪般浪花，在無止恒動的時空裡，永遠永遠地，呈現著「清泉石上流」的潾潾下注。

山阪水濱，整理出狹長坡地，籠罩於濃蔭的掩映之中。方桌條凳圍坐大大小小，有的靜聆淙淙溪水清音，有的凝視樹梢綠葉在微風中輕輕擺動，人獲偸閒的悠然自得那一份心情，却非任何珍貴物事所可比擬。最難得的，青年男女偎依在樹石蔭蔽處的浪漫情懷，沉迷在山間水濱的忘我意識。兒童們嬉戲溪中，縱或捕捉不到一尾小魚和一隻螃蟹，就是蝌蚪和蚯蚓，也是孩子們心目中的至寶。

二度松園。我都是三代同遊，各自尋覓自我的樂趣。扶杖登山，穿林消遙在叢樹交織的蔭濃處，惠我無量的清涼。拾級下行，蒼翠滿階，隨著曲折的山勢直趨谷底，沒有聽到鳥唱蟬鳴，正還是春色惱人的時候。只有那激越的泉流響徹林間，蓋過一切的一切，其餘的俱是靜寂無譁。使人想到，所處的雖是同一世界，往往出現著相異的情景，而大自然的恩賜，是繁囂還是寧靜，就在乎於自我追求。

倦罷在亭裡小憩。這種別具中國文化特色的亭榭，構築簡樸，它都位置在攬山掬水，展望探幽最佳的地帶。小立亭欄，高低的山勢，遠近的景色，躍在眼前，那壯闊雄偉的氣魄，那如墨深黛的碧綠色彩，在胸襟深處留有無從磨滅的幽麗。無怪李白詩句：「衆鳥高飛盡，孤雲獨去閑。相看兩不厭，只有敬亭山。」在默默中低吟千古傳誦的詩篇，面對大屯諸山的青青一抹，性靈舒爽，早已投入詩的意境。

山泉煮茶，是遊松園的一大享受，烤肉是在絕對禁止之列。既名冷水坑，水質甘冽，雖有溫泉區的設置，大家却爲品茗慕名群至。林間，溪濱都設有遊人覓座的地點，我平生最喜歡的是閒來飲茶，是幼年飽受「早上皮包水，晚間水包皮」的鄉土生活所致。既往足跡所至的大江南北，飲茶習慣向未斷絕，在台灣四十寒暑中，文山包種、凍頂烏龍，成爲我的偏好。昔日西湖南高峯的龍井飲茶，野外據桌就座，讓脚下的波水嵐影映入眼中。慢慢品味杯裡清醇香溢的茶汁，其情其懷頗似松園的今時，但時空的差別，僅能從記憶裡掇拾著陳跡舊夢。而泡茶器具和飲茶的方式，卻已由「蓋碗茶」，換成了小杯的「老人茶」，此不過是變易中的一例。

松園度假，面對群山，耳聽泉音，漫步林間或獨坐小飲，俱能在心靈深處有著收獲。稍稍微感遺憾的，它是非假日不開放，一些「天天星期天」的閒散者，無緣隨興而至，何況交通不算便捷，想來探幽的人，自必多一層顧慮。若是，爲著置身在碧綠的山野，坐領清涼的雅趣，不妨多多利用休閒的假日，來此追尋一些歡愉。

閒人的樂園

忙中偷閒，該是日常生活裡的一種調劑，也是驅除疲勞，愉悅身心的正規途徑。可是，閒時太多，忙得過少，便會惹起閒愁，頓感百無聊賴的。怎樣來消遣空餘時間，倒是煞費思量難以適當措置的事。

當我在台南的時候，作爲上似乎是閒人之一。覊旅異鄉，嘗受作客的滋味。似那無巢可歸的寒鴉，水濱無根的浮萍，悠悠忽忽的，午夜醒來，幾不知置身何處。住處緊鄰着市立體育館，那是我每天必到的地方。巍峨圓形建築物，聳峙在空曠曠的中間，愈顯得唯我獨尊的惹人注目。周邊有寬潤的道路，人車往還，自晨至暮，四通八達，而且，在這兒正在展覽「南北朝隋唐石雕」，古典藝術品帶給南市人們一陣文化的强風，讓他們值得自傲的，是沉侵在具有歷史與藝術雙重洗禮中，見多識廣。民情風俗畫的「清明上河圖」，也出現在環繞場外的牆壁上面，那中國舊有的山河、橋樑、舟楫、建築、事事物物，給人緬懷這些秀麗的景色，不禁夢縈中原。浮雕的技藝，受限於財力人力，色彩有欠明朗，難期動人情懷。但是有此魄力的作爲，總算不是一件簡單的事情。

可貴的場地，還有賴於不斷增添設備和美化點綴，才能使這台南市內心臟地帶—黃金地段，更充實而秀麗起來，使它眞正成爲一個閒人樂園—並非僅是一塊「幸福長壽俱樂部」的招牌所可代表的。

圍著巨竹型的欄杆，鋪著淡紅色彩的水泥地，是兒童們舒筋活骨的溜冰場。愈是日影西斜，場地馳騁的人越多，有幾個男女兒童不及七歲的，他們那種疾飛奔走的動作，生龍活虎，姿態優美，又俐落，又乾脆，眞使人羨慕叫絕，也有極少數蓄鬚的老者，悠閒的滿場溜滑，不疾不徐，自得其樂。不怕跌斷尾椎骨的老傢伙，童心未泯，在鼓其餘勇，顯現早年練就的技藝，也或許在護衛孫輩心情下，來作一種示範的激勵。

我在這兒冷眼旁觀好多天，發現似乎有二組較比衆多的閒人，由晨到暮，不夜不散。一組各有躺坐自便的兩用椅，無欲的躺著坐著，甚至也有受著夢魂牽制的，昏昏在睡。其中一個利用麥克風持書講古，說得很賣力，裝做二個人在對話，可惜講的人，缺牙有點吐辭不清，講些什麼，只有專心聽講的人可以告你。據說：那是每人收費十元，作爲說書講古的報酬。

另有一羣排椅圍坐的人，在他們範圍樹蔭下，還懸掛著無數的紅黃二色三角小旗，有時靜聽收音機裡的輕柔音樂，偶爾也聽廣播電台說書，講的唐代故事。這群人中，有時多，有時很少，也會有婦人們雜坐其間，不過是鳳毛麟角。

場裡場外只有一線之隔，幾乎是兩個世界的寫照。角落邊的樹小葉大，蔭蔽很廣，就是聽不到蟬嗚，難道臺南市區樹上沒有「知了」？這樣，倒反落得個清靜。攜鳥籠來蹓鳥的絕無僅有，而牽著愛犬隨來的是很多很多。但在我看來，這些狗是沒有一隻中意的。不是瘦，就是肥，都是一些髒兮兮的土狗，牽出隨行的主人，卻愛之如命，緊隨不舍，所以，人狗之間還是源乎一個愛字。不僅人若有情，狗雖畜牲，就從狗不嫌主窮的觀點來談，狗還是注重情義的動物，牠會體會到主人是在愛牠，於是，牠也在愛牠的主人，須臾不肯輕易地離開。

聚在這兒一群百態雜陳的閒人，雖然歲月不居，年華老去的最多。他們對國家、對社會、對家庭，說不定曾經有著顯赫的功績，也或許是平平凡凡，依靠祖蔭過一輩子的人。如今，做一個默默無聞的歸隱者，眼看太陽從東邊升起，又見落日晚霞卽將消失，他們就是一日復一日的隨遇而安，度著剩餘的歲月，你能說他們不知振作，其實，誰又甘願當作一個閒人？只是，活著的人，不要糟蹋活著的時光，找工作去做，總比無所事事的閒得無聊强多。

隙地遍植著濶葉的雜樹，毫不勻稱，但却帶來一片片穠蔭，一些老來無事的人眞正有福了。清晨天剛萠明，輕音樂響起，多少人手舞足蹈的跟著節奏跳著，當這一波的女流消失了。從白天到夜晚，俱是老年男子的天下，間或有一、二個婦女，甚至成雙的青年男女，也有坐在林樹蔭影下稍作停留，那只是短暫的，就如同我一般，偶爾一瞥。

藉著樹蔭遮被炎熱陽光的閒人們，各自成群，盤據著自我的一角。有的在石櫈上對奕相棋，車、馬、炮看得緊緊地，站在旁邊必有幾個人，只觀不語，耐心等著雙方出手，瞧瞧究竟是誰有高招。有的在替人觀察手相，算算流年八字，被看的人直伸著手掌，神情嚴肅，目瞪口呆，靜靜地聆聽看相人的眉飛色舞，口沫四濺，滔滔不絕的說著，想必相者有一些話，已經擊中被相的心坎。有的只在品嘗小販售賣的冬瓜茶、楊桃冰，喝得津津有味，如飲甘泉，更有許多人滿頭大汗的擠在一堆，拿著一張張紅紅綠綠的鈔票，那似乎在聚賭，而賭的工具，是用三張撲克牌，晃著、放著、翻著，但賠的很少，賺進腰包裡倒很多很多。另外，那坐在草地上的人，手搗著一張飽經風霜的縐臉，似在沉思又像冥想，……。

這裡都是一些閒人，誰也不注意到誰，誰也不去管誰，到此一遊的人，以及終日在此逗留的人，都有他們自我的自由，所以我說：這位於臺南市立體育館的一隅，算得是：閒人的樂園。

幸好，緊鄰就是「城中之聲」，每到一個小時，就會發出悅耳的響聲，似乎在提醒這群閒人，美好的時辰，又已過去，該移動你的步伐返回家門了，不必等到深夜的來臨。

然而，那些無家可歸的漂泊者、流浪漢、客居者，若是移動自己的脚步，該先問問走向那裡去？也知道閒人已散，夜早深沉，不如歸去。但是、但是，歸向何方？走到那裡？少數閒人中的閒人！

（民國七十二年八月在台南）

慈懷的導誤

國泰飛東京的班機上。當我從中正國際機場登機的時候，誰知班機在香港稍有躭擱，一個人坐在那小小待機室裡，雖然也有冷氣，但那西晒的太陽，火一般的熱度透過玻璃，依然有一點焦灼的感受，只有朝窗外作無目的搜索，甚至跑道那一邊的烟樹迷濛，也想發現一點什麼似的。

等著，等著，等得有點不耐煩的旅客，終於開始魚貫登機。我手邊只有一隻小箱子，提著迅卽進艙，找到我十二號座位，這時鄰座有一位客人，女性、黝黑的皮膚，大大的眼睛，穿著短衫，白長褲，著的一雙海灘鞋，從外形上來看並不夠美，但很健康，面部却籠罩著心情欠爽的神色。

我一落座，她就用手將擱在她身邊是我的安全帶自動幫助理好，自然地我說聲「謝謝」，話匣彼此打開。

從她不純正的國語中，知道是馬來西亞的華人，嫁到美國洛杉磯。這次是回去探望年邁母親由香港搭機先去東京然後返美。她說完她的「簡介」嫣然一笑，笑得很甜，秋水盈盈的眼神向我一瞟，使我心旌微微的一震：似乎她已看出我的神情，很親切的靠著我的肩膀說：

「你以爲我還在美國留學嗎？」

「我認爲你是一個美國大學生，不僅不相信你已經結婚，在我意識裏，你的年齡絕對不超過二十五歲」，我說。

她哈哈一聲輕笑，接著說：「我已三十」。

突然地，她的臉色轉成黯淡，有著不勝悲傷的表情。最初我以爲女性對年齡特別敏感，深怕年華老去，自然會有因感觸而滋生一種不可思議的情緒，我只好默默的不再接談，怕言語不當刺傷她的隱痛。

這時，飛機在高空飛航，平穩、舒暢。

想不到她又側過頭緊貼著我，嚴肅的悄悄問我：「你知道這班飛機爲什麼在香港延遲起飛嗎？」我搖搖頭，表示完全不明瞭眞相。她再跟著說：「完全是爲了我，等我登機發現手提包不見了，裏面有我的旅費，機場人員遍尋也無消息」。說著說著竟然流淚，懇切的問我：「你看怎麼辦？」

我沒有反應，讓有韻律的引擎響聲掩蓋一切。

她從皮包裏掏出一支西德的原子名筆，一本精緻的小記事簿，翻開取出一張名片，在上面寫著在東京暫住的電話，遞給我時，特別說明美國地址和電話都已刋在上面，表示隨時樂意歡迎我的電話。遲疑一下，她有一種哀求的聲調說：「你可不可以暫且借給我五百美金，明晚如數奉還。」

我爲她的眞情感動。人生何處不相逢？救人急難是應該的善行。我計算她到東京轉機，等到美國家中滙款，似乎也需二十四個小時。一個人出門旅行，難免有著空虛，寂寞和無奈的襲擊。慈悲爲懷的一念，我從皮夾中掏出五張百元美鈔交到她的手裏，並遞給她一張名片，註明我的住址、電話，還有在東京的寓所地址與電話。

飛機已在成田機場落地，機門開啟，旅客紛紛下機，她還依依不捨的說：「給我電話，希望我在臺北和你重逢。」

在東京三天、五天也未接到她的電話，我撥過去，對方無人接聽。等我回到臺北，按美國地址撥過去，對方說：「譚怡珍女士去年就已去世，」問我找死者有什麼事？

上當就是學乖，好人是不易爲的，一時的慈懷，往往會惹來無謂的煩惱。

淥水澹澹

王夫之船山先生，忝在小同鄉，既可被人認做湖南衡陽人；而我這個湖南女婿，將醴陵視爲半個家鄉，應該是毫無疑問的。

我對醴陵，愛之慕之，夢寐難忘這水清山秀的地方。

它有北南二源的淥水，有將喚做淥江，又稱漉水的。北源較遠，出自江西的萬載，西向流入湖南的瀏陽。南源開始瀏陽白沙溪。北源淙淙，南源泱泱，那無休無止的常流，奔往西南的醴陵，繞經城廂朝著西方，曲曲折折的流入湘江。這淥湘交會的淥口鎮，粵漢鐵路就從它的身邊縱穿，有水道，又有鐵路，使醴陵和湘潭的貨物於此集散。

淥口小鎮，它雖不如鄰近的株州，却比昭陵、朱亭、下攝司、易俗河、姚家壩，稍勝一籌。乾乾淨淨的麻石街道，黑瓦蓋頂的店舖和住宅，加之，往來熙攘的過客，終日擠滿通衢，留有市況繁盛的印象。

半環醴陵城廓的淥水，悠悠流波，泛着粼粼的水紋，橫跨河上的淥江橋，溝通南北，緊緊靠着南門，形成這一帶優美的風景線。拱形磚造的巨構，據說是一位水泥匠出身的「土工程師」陳盛芳設計建成的。長虹臥波，偉麗壯觀。橋的中央向東造有一座引橋，搭建在狀元洲上，那裏雖是河中泥沙積成的一塊小陸地，如果沒有這一座從高朝低引橋的話，它將永遠孤伶伶的，那又是多麼地蕭條無趣。

狀元洲的名稱倒還不俗，若在洲上略事停留，並不令人失望。圍繞着的碧流清溪，永遠浩浩蕩蕩充滿生機；垂柳柔枝迎風，輕便的逍遙自在。洲上小學教室裏傳來陣陣朗讀稚嫩的童音，琴韻伴奏着高亢的男女學子歌聲。我聽在耳裏，看在眼中的一切，似乎是在我的家鄉，絲絲綠楊，滾滾水流，那兒也曾有着孩子們的歌唱和書聲。可是，我一接觸到眼前的岡巒，認眞辨別這些歌喉書聲，猛然醒悟我是置身萬里以外的異地，遊子飄零，引發我一些無謂的感喟。所幸我已獲致愛我的人那麼週到的照顧，像是回到了家，我該不再想家。

其實，人生到處知何似？總在乎隨遇能安。

醴陵城在浙贛鐵路株萍段的中端，東去三十里的老關，就是江西省的萍鄉縣境。我曾經在軍事匆忙中，夜晚甚或白天，坐在運兵專車裏急馳路過，也曾當這段鐵軌被拆除，路基被破壞無餘的時候，冒着炎暑，沐着無情的風雨，無間日夜帶領着弟兄們，走向前方。

五里牌，鍾家冲這些村落裏，我曾駐留，愛這兒猶如我的故里。眼看原是一座完整的城池，不知從那個時候開始，城牆的方磚已經一無所有，只剩段段的土堆，有的城門更是蕩然無存，就連護城河也被湮沒得了無痕跡。

人們超越近路進城的捷徑，就是爬過城牆殘留的土堆，很快的走上大街。醴陵市面不過分熱鬧，賣瓷器的店家很多，負責營業的女性，少女們的明眸皓齒，腮似桃紅，口辭伶俐，儀態大方，首先給予顧客有着良好的觀感。我在猜想醴陵的軍人特別多，軍官也多，名將也很多，遠戍各地，留在家鄉的男丁自會減少，婦女代替男性部分工作，這是理所當然的事。其實，當地文人學者嚮名的也不少，往往被一些將軍的盛名所掩蓋。

瓷業在醴陵從明到清均有燒造，原本相當的粗糙，清末熊秉三等人，在姜灣創立瓷業公司，附設學校，還聘有日本技師。我所見到的醴陵窯瓷，杯、壺、碗、瓶，釉色潤滑，彩花雅致，雖然有些趕不上景德鎮的產品，據聞近年以來，卻有長足的進展。

另一著名產物，苧蔴紡成的夏布，精緻白細，衣着蚊帳是離不開它的。縫衣釘扣的蔴線，堪稱一絕，嫁女隨帶身邊的，足足是夠用一輩子而有餘。其牢固的程度，不亞於如今使用的尼隆絲線。這項小小的女紅常用物品，算得是湖南人樸質實在的精神象徵之一。

醴陵在漢代就是侯國，東漢開始置縣的。

湘江東岸一帶的丘陵起伏，青松翠竹，漫佈山坡。醴陵列入古蹟的西山紅拂墓，被掩映在城郊的綠谷的一隅，雜花叢樹永伴芳魂，那就是唐朝衞國公李靖愛姬張出塵的埋骨處，由於紅拂女隨夫南征嶺桂，因而遘疾歿於此間的。

任人憑弔的紅拂女千古長眠所在，有一座用磚瓦建築的碑亭，四角上翹。圓形的頂端，矗立長方的白塔，更上是豎著石雕的葫蘆。於此，那美人愛英雄故事裡的女主角紅拂，長遠安息在這漵水之濱的土壤當中。

講起李靖和紅拂一見鍾情的結合，內中充滿浪漫的情調。三原的李靖，最初仕隋拜行軍總督，後復歸唐授刑部尚書，續任西海道行軍大總管，討平吐谷渾（該國在今青海及四川松潘縣東西三千里，皆其故地。），改封衞國公。本名張出塵的紅拂，這位出色的大美人，在偶一場合得見李靖，就目不轉睛的深深愛上了他，入夜奔向逆旅相晤，直接表示「絲蘿願託喬木」的心意隨同出走，共效鳳凰于飛素願。

在醴陵還有一段不經的傳說，水涯山巔，芳草萋萋中，有一「恥石」，稱之「水簾洞的」。終年汩汩長流，永不乾涸，這種類似「生命之門」的石頭，不知誘引多少好奇的旅人一探究竟，當做遊人玩水的奇特另一章。年深日久，竟然被人默認是醴陵近郊的名勝，不無可笑。

乘車、步行，到過醴陵。更有一次，我是有從醴陵坐船到漵口的經驗，印象特別的深刻。

漵江水淺，澄清見底，可掬、可濯、可沐、可浴。淝彎汪汪，駛行平底的木船，往還交會是毫無阻礙。由晨間直到暮合，船在泓泓微波盪漾中緩緩西航，兩岸林綠，接連不絕，每到住有人家的地方，旅客的上落，貨物的裝卸，頗似故鄉訂時航行的「幫船」，專門爲著儎運客貨定期航行的，唯一不同的，只是船型一方一尖，大小差異而已。

客人據坐用竹篾編成篷席遮蓋的船艙裡，艙小人多，不斷地流汗，我索性坐在船頭，領受陽光的曝晒，正好和撑篙的船伕聊天，另外，看看沿岸天然景物，享受一些徐來清風的快爽，這是旅行的難得的機遇。

坐船航行雖是緩慢，總比徒步要自在輕鬆。尤其在淥江上碧水蒼茫，青葱片片的境界中，順流而下，消磨難再的一個整天的時光，總讓我體會到放舟綠野的樂趣無窮。

如今，時空的阻隔，那一段有笑有淚的戰時歲月，不時還會縈廻在我的思緒之中。那澹澹的淥水，是我的又一故鄉，它帶給我幾多愁悵，一些可資記懷的溫暖人情，堪念的事物，依舊刻骨銘心的記取，無法拋捨，不忍忘卻，就連醴陵的清流綠揚，低矮岡巒，青松茶花，叢集翠竹，都曾留著我的點點感情，相信，我將實踐重去探望的宿願。縱或是景物非昨，人事早經變化，而淥江水流不致中斷，它仍悠悠長去，載著旅人無限相思，盪漾不止。

兩個小囡

甜甜的，那麼安詳的在酣睡。

烏溜溜黑髮掩蓋的小臉蛋，閉著眼，抿著嘴，而明朗的眉毛，却使臉蛋分外有著嬌美柔嫩感覺。從外形上，這一對表姊妹輪廓很相似。只大一個月的表姊，穿的是粉紅的嬰兒服，七個月大的表妹，是淡藍的衣服，兩個併肩的躺在床上，手邊還拿著繫有帶子的人工奶嘴，呼吸均勻的享受著乳後的小睡。

我悄悄地走進房間，凝望著這對安琪兒，輕手輕脚的，靠近她們的身邊，看到表妹比表姊要稍肥胖些，表姊雖瘦却長大一點，這是我們家裏公認最幼小，最得寵的小姊妹。

這一對小表姊妹，都是屬鼠的，我常說這是：「兩隻小老鼠」，她們無知還不懂，而他們的爸媽還能體會親心，話裏是充滿愛意和愉快的。

越小的越使人喜愛，相信是普天之下的共同心理。

我們夫婦結婚四十年來，育有三女二男，內外孫已經九個，在今天來說是多子多孫，福氣滿門。

而當年戰亂播遷，生活艱辛，却憑著堅忍不拔的精神和毅力過來的。

較大的「小老鼠」，眼珠如漆般的亮黑，活似兩隻圓溜溜的桂圓核兒，精氣十足。鼻子就是他爸爸幼年時的翻版，嘴角帶著微笑，就像他媽那麼具有智慧與善解人意。稍小的雙眼皮、長睫毛；臉形頗像他爸那樣的敦厚，乖的程度和她媽襁褓時候非常相像。

兩個醒來就沒有入睡時那麼的安靜。一張開小眼，嘴巴就會咿咿呀呀的要說話，兩隻小手自然而然地在空中揮舞著，有時，小脚也跟著移動，踢掉鞋襪，轉換位置，甚至兩個小囡，頭脚倒置接近床沿，再不，就溜到床下，給家人一陣驚詫。

坐室內鞦韆，盪呀盪的，怡然自得，會發出格格的笑聲。學步車倒是她倆的恩物，跨坐上面四平八穩的，想東到東，想西到西，到處亂竄，自在得多。可是亂抓東西，甚至就朝嘴裡送，一不小心，危險就大了，唯一的辦法，就是用繩子繫牢車腿，限制這兩個小人能夠活動的範圍。

雙親都要上班，孩子白天都得委託他人照管，而義不容辭的，外婆帶外孫似乎責無旁貸，其中甘苦參半，帶過孩子的婆婆，心裡最爲明白。

兒子爲國勤勞，乘長風破萬里浪，終年過著海上生涯，小倆口很少有機會帶著他們的小「貝比」到北部來探親。好在有著賢能的外公外婆的呵護，一家生活無憂無慮，過著幸福的生活。么女婚後，接著生有一男一女，男孩子健壯、活潑、頑皮、聰敏，但要個性，鬧脾氣到「老鼠過街」的當兒，有時也不免有點讓人頭痛。孩子畢竟還是孩子，童稚階段是短暫的，使用「家法」和疏導情緒，還得針對情況處置，而雨過天青的時辰，那才是天倫之樂最大的享受。

最小的外孫女，文靜得多了，和她頑皮的哥哥不能相比，却與她遠住高雄的表姊倒是非常的相稱，笑貌動作也很接近。這在我們家中最小的一對小人，人人喜愛，尤其她們的哥哥姊姊們，特別喜歡親近她倆，實在的，活潑健康的娃娃，充滿著生命的力量。

媽媽醃的鹹鴨蛋

中國凡是有養鴨的地方，鴨會生蛋，一定會醃鹹鴨蛋；吃鹹鴨蛋也應該是一件家常便飯的事，無啥稀奇。

在京滬一帶薰燒店，或是賣滷味的攤子上，所賣的鹹鴨蛋，常常冠以「高郵鹽蛋」的美名，甚至，在臺北的西門鬧區，曾也出現過「高郵鹹蛋」，當然，那是假名的。

「黃仁霖回憶錄」，有一段敍述傳授美軍食品學校生蛋變成鹹蛋的方法。他並且告訴該校校長懷特博士說：「中國人在幾千年前早已發現醃製鹹蛋的方法」。黃將軍告訴他：「把鹽滲和在礱糠和泥漿內，攪和成漿狀，然後，將這些泥漿塗在蛋上。並把它們盛放在罎子裡，經過一個月左右，那些生蛋便變成鹹蛋了。吃的時候，只要把蛋煮熟，蛋便是鹹的，不必再加鹽。」

幼年在故鄉，看到媽媽每年要醃很多的鴨蛋，方法並不完全與黃仁霖將軍所說的相同。

故鄉高郵是在淮南，沼澤地帶，水網地區，是江蘇的魚米之鄉。由於港汊分岐，湖蕩處處，農村人家視養鴨是一種副業，僅是規模大小的不同。夏秋稻穀登場，一季田和二季田裡，在收割的時候，都會散落一些稻粒，養鴨人家趕著一群群的鴨子，在自己租定的田裡逐日放食，來充實鴨子的養分，生蛋率也就隨著增加。那些被租定的範圍，視面積大小，訂約繳納「水面鴨租」，作爲鄉鎮公所財政收入的一部份。往往有些養鴨人家，接洽遲緩而租不到放鴨的田地，就得增加粃糠的飼料，蛋自然便會減產。因爲，常年積水的窪田，和四通八達的河溝，以及湖蕩池塘，小魚細蝦，繁殖得快，自然是鴨群最好的營養食料。吃了以後，蛋生得多，蛋裡含油也多，雙黃蛋隨著增多，都是水網地區魚蝦稻粒作爲補充食料的結果。

有人以爲高郵鴨蛋忒大，蛋裡無空隙，都是雙黃的，其實並不盡然。或許，在市面由「蛋行」出售的，當然選擇最大最好的，也說不定選一些雙黃蛋作爲號召，「高郵鹹蛋」馳名遠近，我想，不外這些原因。

小時暑假在家，常常利用下午偷偷到河溝裡游泳，水流清澈緩慢，浮仰其間，快樂非凡。在岸邊水草叢裡捉魚摸蝦，也能在水底摸到鴨群經過所生下來的蛋，自認是一筆小小的意外財富；偶有所獲，在心靈中如獲至寶。

我家住宅臨近水濱，農村家庭免不了飼養家禽的。有鷄、有鴨，更飼養一些白鵝，用來遏阻蛇類，也能和狗一般看守門戶。鴨鵝性喜近水，莊房四週環河，白天悠游中流，鴨鵝易於成長，更增添靜寂農村無限生機。

我家人口多，親友也多，媽媽爲著夏秋的菜蔬不足，慣用鹹蛋煮熟來佐餐，尤其吃粥時拿鹹蛋來做菜，味美異常。我出外數十年，時時還吃鹹蛋來伴稀飯。不過，用筷子掏蛋吃，比較切開蛋殼，味道要稍勝一籌，而且，吃鹹蛋佐餐，夏秋似乎更合適清潔衞生的要求。

媽媽醃蛋，每次數量很多，先在院子裡井邊清洗晾乾再醃。醃的方法有二：

稻草灰、鹽、水，拌院子裡挖的泥，塗滿鴨蛋，一隻隻叠放在罎子裡，塞滿乃罷。

另一方法，用從遠在十里外挖回來的黃泥土，加鹽加水拌和，塗滿蛋殼，叠放在罎子裡，裝滿爲止。

據我所知，除非做皮蛋，是無須用糠來和泥的。

由於稻草灰與黃泥土的色澤不同，醃製的效果並不雷同。爲着存儲，媽媽總是要長工，放置在原先堆置雜貨的庫房裡分開排列。一邊稻草灰醃製的，蛋黃日久浸漬成黑色；黃泥土醃製的，便是金黃。實際吃起來，品質都是一樣。

媽媽每年親手不知醃製多少鴨蛋。有時，我還常常糾纏媽媽，特別醃製幾個鵝蛋，甚至幾隻鷄蛋。可是，享受鹹鴨蛋風味的，不是我們的媽媽，她老人家向來不講求穿著和吃喝的，終年爲着家庭辛勞備嘗。坐享其成的，是全家大大小小以及親友。而鹹蛋消耗量最大的時候，一個是端午佳節，有必要吃鹹蛋的習慣，並且，每個孩子還用「線網」盛著一枚懸掛胸前，就同香包一般。另外，炎夏初秋的日脚較長，進食稀飯用來佐餐。還有外祖父每年從外地回來度假，最喜歡到我們鄉下盤桓，每日少不了的小菜，就是媽媽手醃的鹹蛋，外祖父口味却很特別，他特別喜愛吃由罎子底下檢出來的陳蛋，不僅黃已變黑，白也變褐，臭氣陣陣，這種臭鹹鴨蛋，就是我外祖父的一種偏嗜，甚至，莧菜滷煮的豆腐，以及鹽滷泡的海灘上撿來的小蟹，俗稱「蟹渣」的，味不好聞，也一樣大快朵頤。但這些臭而不可聞的食物，我爸是絕對反對家裡人吃的，若是他在家，誰也不敢弄來佐餐。

天下事就有這麼奇怪，我爸禁止和反對吃的臭菜，媽喜歡吃，我們做孩子的並不拒絕，覺得容易下飯，沒有什麼不衞生，頂多是味道不好罷了。當外祖父來的時候，爸爸只好視而不見，聽憑外祖父吃他喜愛異味的小菜。所以，我們希望外祖父在家多住一些時候，孩子們就隨着有得吃了，媽還不致捱到爸爸的臭罵。不過，外祖父長年在外作客，留在我家吃的機會并不算多。

猶記得每當我外出讀書，臨行媽總得爲我準備幾隻煮熟的鹹蛋。途中旣可佐餐，又可點飢，這都是我媽親手製作的，其間不知飽含幾多愛意和親慈的情懷。

金門初履

我第一次到達金門，那是民國三十八年十月間的事。

當時，我服役空軍，是空總的一位新聞官；有時在臺北，有時在定海，而轟動國際的古寧頭大捷後，我又奉派前往金門，相與駐守金門的空軍官兵共同生活兩個星期，從實際接觸和體驗當中，藉以瞭解他們在戰地的工作實況與心理狀態，據以撰述足資報導的文稿，同時，作爲層峯改善官兵需求的參考。

到金門去，多見多聞，是我極樂願的一項公差。秋高氣爽，不冷不熱，搭乘C-46運輸機凌空御風西行，過澎湖列島，掠水北航，碧波白浪，如花點點，大自然的美妙，眞是令人心曠神怡，恍似一段休假旅行。

金門機場，一條光禿禿的土跑道，只讓飛行員得以辨別與鄰近的平坦草地有別；掛在高桿的兩色風向袋，迎風微擺。這種簡陋的機場，是與昔日在臺灣所見臺中「公館機場」、「恆春機場」、「臺東機場」、「虎尾機場」差不了多少；說句實在的話，那時「宜蘭機場」還有一條水泥跑道，數棟棚廠，金門機場也是無法比擬的；既無機堡，又無棚廠，更無塔臺，連一個辦公的地方，還附設在機場旁邊村莊民房裏，那是絕對不會想到今日金門的尙義機場。

原先「料羅」已經改做牧馬場，而後來的，有著合乎標準的跑道，有著堅定的場站辦公處所，更有掩護的機堡，兩相比較，眞是不可同日而語了。金門建設的進步，由此小小一例，也可舉一反三，推斷其餘。

只有土跑道的機場，許多飛機是無法降落的，更談不上完整的設施。C-46平穩而安全性高，螺旋槳雙發動機；通信設備，航行儀器，夜間航行，都能勝任；而且，假如高空不勝寒的話，它還有化冰的機械。當年飛越駝峯的艱鉅危險，就曾露過一手C-46航行的性能優越。

將我從臺北松山機場，載往金門落地，舒適穩當，這些正副駕駛們，在大陸天南地北，不知飛過多少崇山峻嶺，巨川細流，越過沙漠平原，度過冷熱寒溫，當然什麼蹩脚的場地，他們都有落地的經驗，就金門機場來說，前後是海，三點落地，眞是乾淨俐落，手到擒來。

我被安置在空軍人員招待所，那是一座三合院，由胡璉兵團指派官兵招呼日常生活，同住的，有幾位飛行軍官，他們輪流駐在金門，駕駛T-6教練機，那是雙座的，擔負金門近海的巡邏任務，千萬別小看這種飛機，在當時，它有兩挺機槍，還可以掛著四枚五〇英磅的炸彈，是地面敵人的尅星，尤其是海上匪船的捕殺者；它瞰制著地面與海上，完全掌握着金門制空權，用它密接支援陸軍地面戰鬥，是非常管事的。何況，這些資深的飛行軍官，都曾是P-51野馬式戰鬥機的老手，尊稱這夥是「教官」，確實當之無愧的。在定海，我曾經坐在他們的後座，隨同巡邏穿山半島、六橫、桃花，以及普陀，沈家門；遇敵即攻，所攻的不是敵機，而是封鎖線外的帆船，與匪軍陣地；金門近海上空的飛翔，藍天白雲，任我遨遊；同樣使得金門、烈嶼、大膽、二膽、東碇，在大海怒濤中，呈現著堅强不屈的英姿。

那時的料羅灣，停放著三兩隻木質漁船，沙灘上是空蕩蕩的一片；面海的工事，只有幾座小型閉鎖堡；岸邊漁村駐紮的空軍，只是一個勤務分隊，一個通信分隊，電訊與氣象合一，勤務包括：場站、加油、掛彈、空軍等基勤業務，麻雀雖小，五臟俱全，儼然是一個空軍基地單位；但是駕駛T-6的飛行哥兒們，直接屬於空總作戰署的，配合胡璉兵團遂行必要的任務。而且，採取輪流的派遣。

給我印象最深的，料羅村右邊有一個小丘，石頭露出地面，長著綠油油的雜樹，那時的金門，平野山丘，都是光光的缺乏林樹，公路沒有一條是柏油或水泥舖成的。但是有些村莊，偏多古老的洋房，屹立在紅牆黑瓦的一些閩省特有的民房旁邊，給人有著一種不調和的感觀，誰知那是歸僑替代衣錦還鄉的另一種心理表現。途間的鴛鴦馬、雙乳山、金門城廟的貞節牌坊，田野深井汲水的吊桿，開著小黃花的落花生，綠葉扶疏，點綴著當年荒漠孤寂的海島本色。

吃在金門，是夠單調的，蔬菜還有賴臺灣的補給。而我們曾經不只一次，吃著一種叫做鱟的魚，節足像蟹，甲殼堅硬，尾形似劍，那是產自福建近海的；吃慣淡水魚蝦的我，既不習慣，且有難以下嚥的感受。只有一種酥軟的「貢糖」，絕似故鄉縣城裏的「董糖」，每一進食，輒興懷鄉思親之念，兒時好甜食的喜愛，在金門總算給我有一個重溫舊夢的機會。

我到古寧頭時，戰場早經清掃，激烈戰鬥的痕跡，依然約略可見。海水推積著浪花，讓那些被擊得支離破碎的匪軍帆船，或隱或現，隨波浮沉。沙灘上留著點點脚印，已被潮水淹沒得失去了踪影，人車踐踏被翻覆的泥土，凹地的纍纍彈穴，枯黃無力的野草，尚留著凝結的黑色血漬。一座小學，只剩危樓一角，戰火猛烈，概可想見。這時浪濤躍動，野風呼嘯，但一切的一切，靜默蕭然，那炮火震天，血肉横飛的景象，早經成了過去。

我們那些爲國家存亡、主義成敗，奮戰保衞金門，矢志反共的殉職官兵新墳，我不禁泫然肅立，擧手敬禮，向這些戰死的英雄好漢表達一位遠客的弔唁。無知有知，不在盡其職責的陣亡戰友，而在我們應該追隨其後，去完成尚未完成的神聖使命。如今，大武公墓已是億萬人士崇仰的國殤，豐碑聳立，松柏長青，國魂軍魂，永享血食，萬世千秋，精神亘古，有幸埋骨金門，勝似處處青山。

金門、金門，三十年來，看它成長壯大堅强如鋼，地下金門的偉構，鬼斧神工，超過地面金門建設萬千。我們不難記起：唐代陳淵開闢草萊的牧馬斯島南明魯王棲遲淨主的謀圖復國，鄭成功據有浯州，曾以料羅作爲復明發航的基地之一，抗戰期間，國軍突擊日寇僞軍的光榮事蹟，金門同胞海外奮鬥的辛勤，使它成爲幸福的僑鄉，如今，金門成爲海上長城，反攻大陸的跳板；一些歷史性的創造，有的固然已是陳跡，有的正是發皇不止，仍然有待我們來重寫新頁。

三十年前，我初履金門，巍巍太武，浩瀚東海，萬方多難此來臨，勞勞征人，抱著孤臣孽子的情懷，在此稍有停留；爾後不知有多少次的在金門，雖然形色匆匆，但它的日益進步繁榮，更增强了我的信念；奮鬥的成果，是累積的，現時的金門，就是往昔人們的血汗、智慧與力量的滙聚表現，要開創光明的未來，就在把握今天的耕耘，還須無休止的辛勤苦鬥。（民國六十八年六月二十八日）

海島綺麗風光

橫列在太平洋上的夏威夷羣島，構成當今美國的一州，首府火奴魯魯市，却在第三大島的歐胡。它擁有珍珠港，它擁有阿羅哈國際機場。它有外形醜陋而爲人矚目的鑽石山，它有寬潤的黃沙碧波的威奇奇海灘。它終年讓來自世界各地旅遊人士著迷，流連得樂以忘返，不願匆匆離去。另外，它是經常有如春日的四季，無大冷也無大熱的和煦陽光照耀，更有、火樹紅花的鳳凰木，枝根繁茂的大榕樹，以及黃的、白的、紫的、黃的，各色各樣的花卉，還有一串串的天堂花，更受著人們特別的喜愛。

來到這座充滿南海情調的島嶼，水天一色，滿處湛藍，充沛的象徵著朝氣與生機的青綠遍地。具有彈性而着色紫銅肌膚的少女，戴著花冠，掛著紅綠相間的花串。甚至白髮蒼蒼的老婆婆們，也都滿身錦繡再加花團簇簇，於此重拾逝去的年華。

步入山崖水濱。盎然青翠的山嶺，蜿蜒在島的邊緣，仰不可攀的高峯，狀似桂林的山水靈秀，神斧劈削的橫嶺，就如一座隔離內外的屏風。登山既可遙望大海，也可領略峯迴路轉，進出隧道，自有一種突然開朗的綺麗風光。我發現愛山的人少，愛水的人多。或許、山間沒有引人入勝的古典建築，比如我國的名刹寺院，也或沒有青松翠竹是那麼森森鬱鬱，好讓人深入山林，享受與世隔絕的幽麗雅靜的片刻。縱或是它的三面多有崇山峻嶺，但是無從傲嘯其間，相與爲伍。浩瀚無邊的海洋，最是人們嚮往的所在。藍海白浪，成年累月，隨時隨刻就在你的眼前。划舟、揚帆、衝浪、戲波，給予人們無休無止的歡樂。

威奇奇海灘的弄潮，波里尼西亞民族文化中心的歌舞，輕鬆的、生動的，自由自在，娛人身心的活動，帶給這裏過往行人最大的愉快，也帶給人們樂於駐留。

高梢長葉輕搖的椰林，茅茨搭建的草屋，構成舞臺的特有景物。翩翩起舞，歌聲嘹亮，那些土著男女的純樸表情，加上葩大色艷的衣著，再套有殊色的花串，載歌載舞，姿態美妙，令人陶醉。其中一節是「草裙舞」，鼓聲緊急，咚咚不絕，舞孃扭腰擺臀，手搖脚踏，身體跟隨著節奏，快慢得當，緊在身旁的珮飾，叮噹作響，尤其增强這一場舞蹈的高潮情趣。等到曲終人散，健美身材與妙舞高歌，久久還是縈廻在人們的腦際。更有一節「火把舞」，都是粗壯男子的傑作，由單人的舞動，帶著多人的傳接，當熊熊烈火在夜空飛揚，穿梭一般的遞來轉去，流星似的交織，萬花般的怒放，使人目不暇接，專注於神乎其技的表演。美與力的集合，無怪場場客滿，成爲波里尼西亞民族文化中心最具引人入勝的所在。雖然，在夏威夷羣島，看具有民族特殊色彩的草裙舞的地方不少。所謂「草裙」，是用淡黃苧麻編束而成，絲絲鬆，已夠柔軟，再加手腕也繫著一對猶如「拂塵」的麻帚，在舞者輕盈動作之中，它也隨動而動，格外的飄逸似仙，具有韻律的美趣。尤其，在歐胡島西北一角的濱海臨山的文化中心，地址僻遠，就是由於它的經營得法，歌舞的場地半在露天，建築別具匠心，照明與燈光設備良好，而節目安排緊湊適宜，把握著波里尼西亞民族特有的歌舞本質，使之格外精緻，選拔來的歌舞男女，碩壯健美，樸實純潔，讓那些專程來看歌舞的人們，獲致深刻的印象。

海灘弄潮，是島上樂於娛悅自己的一種熱門活動。

環島四週，開放供人玩水的海灘，眞還不少。有的範圍較小，有的靠崖多石，有的距離市區稍遠，有的浪濤激盪，雖還泳客不斷，總是沒有威奇奇海灘的名震遐邇，著稱全球。從晨曦初昇，直到日落黃昏，遊客如蟻，向不間斷。它的誘人、動人的所在，較諸其他海灘具有不同的因素。

威奇奇海灘位於島的南端，正當冲積的平原，波平浪緩的寬闊淺灘，面對一望無際的藍藍海洋，白日照耀，天水一色，自然景象，就充滿柔和與嫵媚的本色。細膩的黃沙，遍佈整個的灘頭，象徵南海特有情調的搖曳生姿的棕櫚成林，作爲美麗海灘的唯一點綴。岸邊的通衢大道，俱是林立的高樓大廈，飯店、旅館、購物中心，人潮車陣，徹夜不息。海上灘邊擠滿弄潮的男女，密密麻麻，再聰敏的人也無法估算清點。最簡單的衣著，最輕鬆的時刻，躺的坐的，泡的泳的，其樂融融，使人所領會到的，這是人生難再的良緣。

海上還有無數掛著三角白帆的船艇競賽，衝浪的男女，在浪濤裏掙扎翻騰，將威奇奇海灘，粉飾得更是多彩多姿。此間目不暇接的綺麗風光，使人興起人生難得幾回再的感想，無怪世人認爲這就是天堂境地，這就是花花世界，及時享樂，智者當爲的理念，佔滿了尋找幽趣的人們胸襟。

白雲悠悠，藍天高遠，碧波盪漾，浪花點點的海天一色的太平洋上，想不到竟有著一位天涯過客，也曾經在這兒短暫居住，爲她著迷。

天堂花世界

我來到火奴魯魯市，迷惑上它的山光水色，溫和氣候、潔淨環境、似錦繁花。

這兒有著我的親人——兒、媳、孫，讓我得以享受一生戎馬中最歡樂的假期。畢竟它不是我的國家，它不是我的鄉邦，只容許留下我幾許愛意，我可不耐久住。

夏威夷是美國最小的一個州，它由八個大小不一的島嶼所組成。首府火奴魯魯市，國人稱做檀香山的，所在是島羣之一的歐胡島，今日成爲遊客心目中的天之驕子。

檀香山對國人來說並不陌生。檀香木早已經不見影踪，到處得見的只是大榕樹，偶爾出現的菁菁翠竹，中國人昔年聚居的中國城和漢字的招牌。海中一座形如斗笠的小島，它的命名就是「中國人的帽子」。阿羅哈國際機場的一角，中國新城鄰近運河的橋頭，恭塑著國父孫中山先生的銅像。夏威夷大學校園，石質雕刻的兩頭醒獅分踞中西文化中心的左右。「比夏普」文化遺產博物館，展覽著中國古今物品、最多的是中華民族信奉的神像——佛、菩薩、關公、花神、魁星、觀音、媽祖、土地公。有中國人的地方，就有中國的菜館。廣東餐館不稀奇，富麗華、紅屋、東山居、銀漢俱是的。北方館有京津餐廳，賣豆漿、油條、燒餅馳名。淸眞館的東來順，是山東人與河南人合開的，由高雄遷來，桑柳兩家對客親切，菜餚做得眞是色香味俱佳，只是不出售酒類，外菜也不能攜入，客人進門先排隊，由人帶領入座，倒是深深感染著美國的習慣。

在火魯奴奴市區，街道整潔，兩旁行道樹，幹粗葉肥，綠意盎然。巴士，轎車魚貫行駛，井井有條，絕少聽到喇叭聲音，要有，只是救火與救護的車輛急駛飛駛發出怪異喇叭叫聲，引起行人和其他車輛的讓道。

市區到處都有停車場，有收費與不收費的兩種。一家購物中心，二層的停車位置，就在萬輛以上。三十五萬二千五百一十六人的火市，總使人感到從從容容的輕鬆，絲毫沒有一點緊縮迫促的擠壓感。而且，鬧市還有三輪車供人乘坐瀏覽，且有熱門音樂可聽，踏的皆是青年男女，坐的都是一些衣衫簡便的「觀光客」，那是「開洋葷」而來的。

四季如春，雜花生樹，足以象徵北回歸線南的歐胡島上風情。多無嚴寒，夏少酷熱，是那麼和煦宜人，來到島上的人們，正如步入天堂，衣履不整、放浪形骸的，視爲一種當然現象，無人會以怪異的眼神來多瞧幾眼，反而，衣冠楚楚的，倒還惹人注目。在威奇奇的海灘上，男的、女的、老的、少的，男的短褲，不穿鞋子，裸著多毛的上身，女的三點式泳裝色彩艷麗，細沙上躺著、坐的，海水中泡的、泳的，皆是這些葛天氏的子民，無拘無束，樂在其中，通衢要道，難怪都有如此輕便的裝扮。

實在的，藍天碧海，水天一色，那麼澄澈的空域，那麼遼遠的海洋，不斷有各式飛機的東來西往，彩色的滑翔翼，也在白雲綠波間馳騁。海上許多三角帆的小艇，競相爭逐，踏著衝浪板的男女，悠游浮沉，迎著雪白的浪濤。寄身在這南海的島嶼上，多麼自由，多麼舒坦。

和暖的陽光，帶來花卉多采多姿的生命。少女髮際的花冠，頸間串串的五彩花環，甚至，年邁的老人，他們似乎不甘寂寞，也都花團錦簇，穿著繪有花朵的五顏六色的衣衫，更有朵朵艷麗的花串，裝飾著全身成爲花人。

花的芬芳，花的世界，若是將花比作生命，比做人生，在這花花世界裏，的確擁有花的一切的秀麗。人如此，花也如此。人們在坦蕩情懷裏日夜遨遊，盡情領略著這溫煦的日月，而花呢？四時不謝，很少看到花謝的一日。滿眼花開，天堂鳥、吊鐘花，白玉似的茶花、火般的鳳凰木，更有一些不知名的花，紫的、黃的，錦繡遍地，掩映在翠綠的枝葉之間，那麼勻稱，那麼逗弄，人們生活在花的芬芳與艷麗當中，誰都會對它產生一種留戀。

老天造福世人的天堂，現時不再是波里尼亞民族所獨有，夏威夷王國消失得已經無影無踪，島羣在一九六〇年從海外屬地加入美國聯邦。如今，在這天堂花世界的人們，美國人、土著民旅、中國人、韓國人、日本人、菲律賓人，皆可享有幸福自由的生活。至於，那些古老的遺跡，只能從教堂裏、博物館找到蛛絲馬跡，另外，從零售市場的中國人珠寶攤上，日本人劈開蚌殼挖出的珍珠、韓國人用手塑造的彩色蠟燭、波里尼西亞人手工雕製的木偶，去發現一點過眼雲烟的各個民族的特色——他們均是建造天堂的使者。

可是，珍珠港沉艦阿利桑那號上一千有餘的精靈，碗山國家公墓的衆多英魂，永久長眠。而他們生前的犧牲奉獻，對這太平洋上的天堂、花世界，已經盡到他們該盡的力量。

六月蟬鳴時

六月，炎炎夏日，裏下河平原的農村，正是一片寧靜，茂盛的青苗，隨著不斷的柔和微風，輕輕搖曳，恍似波浪；藍天無雲，在朗朗艷陽普照之下，只有旋轉著白帆從事灌溉的風車，發出咿咿呀呀節奏均勻的軸輪聲響，衝破鄉野的寂寥。其它的，堤岸邊莊房的四周，遍植著的柳楡桑槐樹上的蟬鳴，是杜鵑鳥啼割麥揷禾短促尖銳呼叫停止以後，唯一使人深深感覺到，夏日薰風吹得昏昏欲睡的一劑清涼。

蟬在我記憶猶新的腦海中，充滿六月鄉村生活無窮的樂趣，勾起我對暌違巳久的故鄉種種切切思慕與追懷。

兒童們的溪畔戲水，或是捕捉魚、蝦、蟹、蛙，是消磨暑熱的最佳去處，旣刺激、又新鮮，正好脫離父兄的掌握。另外，引起興趣的，莫如將捕蟬列爲一項重要的課題，其他，什麼練習大小楷，溫習課本，早經視作次要而又次要，這眞是頑童們喜樂歡笑的大好時光。

蟬蛻是蟬衣，又名蟬殼，透明微現紅色如同琉璃似的。每日上午，孩子們在林木邊緣，到處用銳利的眼光去搜索，將撿拾到的蟬蛻，拔壹根狗尾草將它串起，一串十隻，聚少成多，旋卽提到中藥舖去出售，所得雖然無幾，而在孩子們心目中的無本生意，却是購買零食的支付來源。

捕蟬也是孩子們樂此不疲的遊戲。蟬鳴樹梢，徒手捕捉往往是徒勞無功的。工具是不可以缺少，還得有一點小小的技巧。不可或缺的，就是一枝長長的瘦竹竿，上面插著竹枝是塗滿黏劑，當時還沒有什麼强力膠，也無法利用糯米汁，而是孩子利用代代相傳的土法，大致有著三種：一是採集多青樹搗碎成膠，一是集聚蜘蛛織成較大的蛛網，還有比較容易得到，但須花錢買來的麵筋。就靠著這些，作爲黏著蟬翼的武器，使得蟬兒在發出短促叫聲中乖乖就範。每當發現樹梢有蟬，放輕脚步靠近樹邊，竹竿悄悄一碰，黏著就成，練到手落擒來的工夫，一隻又一隻裝進布袋裏，或是飼養麻雀的竹編鳥籠中，一個上午，心滿意足的滿載而歸。這種無知行爲的惡作劇，誠不知害死多少鳴蟬的生命，又不知剝奪多少鳴蟬的享受自然的自由？捕捉到的蟬，充其量只給孩子們一種滿足，看久玩厭，便成家禽的野餐，偏偏樂此不疲，年年如此，有著孩子們到處捕蟬。

蟬鳴是天籟的樂章，抑揚頓挫，悅耳中聽，唱出六月的鄉野，在萬聲俱寂頓添無限的生機與愉悅。王籍詠若邪溪詩有句：「蟬噪林逾靜，鳥鳴山更幽」。須知雄蟬腹部有著發音器，方有悠揚的鳴聲，雌的却是啞蟬。蟬類很多，有著寒蟬、茅蜩、蝦蛄、蛝蜩，還有大而黑的知了，鳴聲像是擠壓出來似的，是那麼聲嘶力竭的吼叫。

晴天午後，傍晚夕照餘暇的當兒，柳蔭塘畔，荷香風送，樹樹蟬鳴構成一闋交響樂曲，暑熱爲之消失，使我永遠不能相忘。只有在淡水三年多的時間，我曾重溫蟬鳴的舊夢，臺北植物園，雖也曾有著蟬鳴，畢竟已無往昔的聲勢，而故鄉六月的蟬鳴，陣陣聲喧，似乎仍然縈迴腦際。

縱然，蟬是夏日點綴的昆蟲。嗜食的老饕，視爲珍品異饈。終有一天大去的人們，古時却將軟玉雕琢蟬形，含在口腔，隨著遺屍伴葬，認爲就似蟬蛻，靈魂自會超昇，現今，依然得見許多女性，將這種玉蟬懸掛胸前，作爲珍奇的飾品。更有許多象徵著物形的，有所謂「蟬冠」、「蟬冕」、「蟬鬢」、「蟬紋」、「蟬翼」的。雖然，一般人形容羅衫單薄尙有偶用蟬翼來形容，其餘的，幾乎無復再現以蟬名物的說明。

耳邊難耐久聽的歌喉，不妨當著是蟬的另一種蛁蟟鳴叫，稱之：「蛁鳴喁喁」，作爲舒解一時的無奈，切盼不如寂靜無聲。

一泓方塘揚碧波

擺脫人潮、車流，來到一塊寧靜的地方，縱或是短暫的停留，但這兒的太陽、空氣、水，還有滿眼翠綠的岡巒，却給我是一種無上的享受。在我來說，這就是我的片刻休閒，寶貴的片刻，完全是屬於我的。

無憂無慮的，超脫而又瀟灑，一無羈絆，自由自在的，在開濶的湛藍天空下，廣漠的綠色大地中，讓我儘情地恢復自我的存在，深深體會週遭的一切爲我所有。

我登臨在碧山岩的峯頂，眼看展佈在我脚下的，似乎是內湖的兩隻巨眼，炯炯地對我露著光芒，像在閃閃爍爍的誘引我對它們的注視，愈覺這兩隻眼睛的神采，那麼柔和，那麼深情款款，流露著令人難以忘懷的智慧。在我看來，何嘗不是內湖的靈魂之窗，在散發著內在的光與熱，無限的難以言宣的愛意，充塞在天地之間。

我曾爲內湖巨眼之一所迷戀。

有山又有水，在今天臺北的附近來說，確實是難得尋覓的所在。尤其，森森林樹，盪漾碧波，尚未完全受到人爲的污染，還展露著一分山明水秀的天然面目，若是將它當做仙境來探訪的話，讓你自會懷著滿意而歸。

近處的烏來、碧潭、關渡，在過去與現在，都曾留有我的是足跡履痕。當我每次踐踏著那一邊的土地，發覺那兒在形貌上，多少會有一些細微的變化，也偶爾會使我興起歲月蹉跎，時我不予的感慨。但我總覺得，如果人們經常接觸到大自然裏山與水的綠意盎然，將使一個人從疲勞中恢復勃勃興致，發揮無窮的生命活力。

我來到一泓方塘的大湖公園徘徊流連，迤邐羣峯，高低不一，籠罩著一片菁菁郁郁的雜樹野莽，增添不少秀美嫵媚的景色。塘邊築有古色古香拱形橋樑，開敞的亭榭，便於遊人的瀏覽與佇足。靠山的一邊，有一條小道，荒草沒徑，應是漫步散心的理想環境。臨著大路的一傍，放置著一些白漆鐵椅，供人休息，看山看水，非常方便。

長長闊闊的塘水，被那西斜陽光照射得特別耀著閃閃綠光。再加微風吹拂，使得平靜的、鬆鬆的，看來皺縐的水面，恍似我曾見過的裙幅，在輕輕的擺弄，那樣的輕飄，那樣的柔軟。不禁也讓我聯想到，我曾聆聽過的脈搏欣慰的跳動，這是我曾接觸過的滑膩玉手。清清一色的碧波，招引著我對它的注視，迷惑著我這一顆靜止的心。

背倚綠翠山峯的湛藍塘水，鷺鷥結伴而遊，有的伸著頸，振著翼，在天宇中飛翔，有的跨著長脚，踱著緩慢的步伐，在專心找尋著食物。牠們那一身潔白的羽毛，無論是展翅高飛，甚或徜徉水濱，活像無數白蓮，朵朵開放在蔚藍的空間，若以著色的國畫來描繪山間水畔鷺鷥相親相偎的剎那景象，只要善於捕捉這短暫的一刻，就會留著永恆不朽的藝術偉大創作。以之來喻人生，美好的將無窮無盡的留著純眞至善的美好印象，永不破滅。

叢山腳下有著這麼一方悠悠碧綠的池塘，這是老天賜給勞碌終生的世人恩惠，雨天撐傘漫步塘邊，紅磚舖砌的行人步道，聽雨點灑落水面或傘上的沙沙的聲音，該是孤寂中一闋輕柔的樂曲。如果兩人共撐一傘，邊行邊談，或是佇足靜觀雲雨變化，該是多麼的別具鄉野生活情調。有陽光的日子，來到這山野水畔，看羣峯巍然環繞，一片秀色，綠水盪漾，鳥兒爭逐，漁人撒網，閒者垂釣，靜靜地在領略有情萬物所賦予的情意，或是獨自在這山巔水涯排遣內心積累的塊壘，如與困處斗室百思難得一解的心頭鬱積來作比較的話，寧肯在晴日、陰雨；甚或月白、風清，在此消磨一些忙中偸閒的時光，所獲得的寧靜與安詳，是有著無限的代價。

開放的性靈，坦蕩的心胸，是人生的樂之源，尤以，在大自然的山水之間懷抱裏，愈益覺得海闊天空。

「大湖公園」的名稱，美麗動聽，我將它喻作一泓方塘，便是名實相副。它當然比不上杭州的西子，若與南京的玄武，嘉興的南湖，揚州瘦西湖，武昌的東湖來作較量，在景觀上仍然有所軒輊，就拿日本福岡的大濠相提並論的話，風格上兩有懸殊。至於說，江浙的太湖、湖南的洞庭、江西的鄱陽、蘇皖的洪澤，其壯闊狂瀾，浩瀚蒼茫，這兒的渺乎其小，微乎其微，似乎擬於不類。

最低的要求，我希望這是臺北市郊風光旖旎的所在，讓遊人獲致賞心悅目的更多享有。保持山色青青，水波藍藍，環湖舖砌石板的步道，遍植垂柳桃枝。當春光正濃，柳條輕吻水面，撥動它的漣漪，顯現著生的躍動。柳絮隨風飛舞，恰似飄飄白雪，誘起北國的相思。荷葉片片亭亭，葉下游魚可數，香送鄉野，充滿詩情畫意，樂在其中。

而今，柳樹、桃枝、荷葉、游魚全無，未免有負「大湖公園」的美名，光禿禿的亭榭和拱橋，空疏而沒有花樹的襯托。僅是週邊的岡巒，一泓靜止的塘水，聊供遊人的眺望。

所幸，當我來臨的時候，巧逢一個難得的艷陽天，懷著喜悅的心情，看近山含笑，看微波揚起的湖面，看白羽鷺鷥的振翼，看羣鵝悠遊其間，這難得的機緣，舒暢我心。

假如，有著知己相隨伴行，不僅除祛形單影隻的一腔孤寂，也將益增山川的絢爛與婉麗。

我盼望再次重履此一內湖勝景，享受歡馨。

黃金壩的戰鬥

抗戰開始，我由徐州，鄭州，到達武漢，在日機肆虐中完成嚴格的軍事和政治訓練。二十七年初秋正式參加軍旅，先後在江西，湖南，廣西，湖北，四川，從事軍人生涯。二十九年在重慶接受訓練後，奉派魯蘇戰區工作，是由宜昌經洞庭湖到長沙，沿浙贛鐵路，過金華到寧波，進入上海，溯長江在新港登陸進入敵後，不僅親身經歷日寇瘋狂燒殺搶掠的殘暴的事實，敵後韓德勤將軍率領所屬浴血抗戰的忠勇事蹟，深深印入我的心靈，而假藉抗戰爲名的中共，在泰興黃橋一役得逞後，又曾經在國軍八十九軍軍部所在地的曹甸，展開一週的血戰，幸經顧竹如將軍的智勇雙全，指揮若定，擊敗共酋陳毅部隊猛烈攻勢，雙方殺得屍積如山，血流成渠，國軍能夠堅持到卅四年勝利，讓靑天白日滿地紅國旗始終在敵後自由地區上空飄揚，未嘗不是「曹甸之役」的功勳。

三十四年初春，我因任務由河南固始第三度的進入敵後，運河沿線的日寇憲兵特務到處蒐尋我的踪跡，只得潛往泰東邊境的溱潼水鄉，和抗日堅强的楊夢初的部隊生活在一起，雖然時刻在日寇，共軍，僞軍環伺之下，日伏夜動，但是，我們很有信心，精神很愉快，因爲光明的遠景就在目前，這時德意已經投降，而在偉大領袖　蔣委員長領導下，抗日戰爭一定是會獲得勝利的。但是，日寇、汪僞、中共並没有放鬆絲毫，我們是在四面楚歌聲中堅强奮鬥。

輕舟載着我們這一支部隊，西去鄆泰邊境，叠遭共軍的襲擊，停留原轄的駐地，又遭僞軍的威脅和壓力，爲着堅持最後一分鐘，等待勝利的來臨，我們不得不死中求生，另外開闢根據地，結果又捨舟登陸，日夜奔行，出入在范公提東西的海岸地帶，東台善良民衆的熱烈支持，千餘官兵免於凍餒，更鼓舞起不斷戰鬥的雄心。累遭敗北的共軍黃逸峯，是不讓我們有喘息復甦餘暇的，緊跟着由零星戰鬥進入陣地攻擊，利用暗夜突擊我們宿營的村落，也就是抗戰勝利前夕的「黃金壩之役」。

匪軍大我五倍的兵力，携有迫擊砲，重機槍，是當時共軍蘇中軍區黃逸峯聯抗部隊的主力。我們在形體上是飢疲交迫，所持有的，是碧血丹心和自製的葡萄形手榴彈，加上缺少彈藥與刺刀的雜式步槍。自始至終，共軍一貫採用「人海戰術」，共酋黃逸峯親臨督陣，口口聲聲要消滅夢初統率的一支國民革命軍。一陣女幹部的喊話聲，在夜空裏悽厲的盪漾，接著便是鼓噪猛攻，助長聲勢。砲聲槍聲，炸得黃金壩民房的屋瓦騰飛。當共軍在發起攻擊時，夢初很沉著，照例在燭光搖曳下，和衣斜臥在翻閱他的書。衞士，參謀不斷地向他報告，他還是相應不理，等我向他說明整個情況後，他才一躍而起，交待我督戰西北方面，他逕自走向東南去直接指揮，用火力壓制共軍的猛撲。東南方面陣地，構工簡單，鄰近共軍佔領的村落，又無壕溝阻塞，共軍機槍居高瞰制，情勢非常危險，夢初唯一的秘訣，指揮官兵等待共軍攀圩時機，一律投擲手榴彈，不聲不響地，沉着應戰，使得共軍攻勢頓挫。西北方面原有深壕，寬闊積水，共軍竟然有的利用竹梯潛越突入，我夥同衞士利用二十響快放擊倒，另復指揮部隊利用火力阻止後援，雙方鏖戰將至黎明，共軍傷亡過多難以得逞，吹奏衝鋒號退却。我們草草安葬戰死和失血而死的官兵遺骸於掩蔽部內，在突入我陣地中的共軍遺屍，居然有一個連級指揮員在內，當時也給予仁道的掩埋。牆外溪畔棄屍累累，尙有呻吟等死的，我囑衞士將這些無法挽救的垂危者，一一送上西方的極樂世界。這時東台，泰縣，如臯等地的日寇全部出動大掃蕩，想來一個漁翁得利，共軍先退，夢初與我也就帶領部隊迅卽撤離，一場血戰暫告段落，而黃逸峯企圖消滅抗戰的地方團隊妄想，幷未能夠實現，所遺留的戰後痕跡：是黃金壩的破瓦頹垣，還有一些入土未深的腐肉白骨。

這是我在抗戰過程中的片斷，血淋淋的事實，將留給世人評斷：中共在抗戰期間，是在壯大自己，專門襲擊抗戰的部隊，發展自己的力量。（民國六十四年八月）

消遙到處思鄉無

抗戰勝利那時候

近日偶從舊篋中發現兩張貴州日報，泛著黃色的粗紙，內中有不少漏字。若拿今日眼光來看，紙張和印刷，是無法相比的，從這小小的地方，略可得知那時的艱難。

一張是中華民國三十四年八月十一日的貴州日報，原名革命日報，第一版全是廣告，爲首的是「慶祝全國抗戰勝利萬歲」。第二版九批標題，橫題：「全面勝利全球騰歡」，直題的副題：「倭皇向中美英蘇致達降書」。主題：「日本無條件投降」，用特大特大的木刻字，並且套紅，是史無前例值得重視的這一天報紙。不僅有「第二枚原子彈投下後，長崎已完全毀滅」的「關島九日中央社合衆社電」，也有「陪都歡躍若狂，百萬市民齊趨街頭，高呼抗戰勝利萬歲」，「重慶十日中央社電」。一張是九月三日的，第二版六批標題：「日本降書昨已簽字，帝國保證日本無條件投降，天皇受盟軍最高統帥指揮」。社論：「抗戰勝利日」，特別指明：「八年一個月零十天的艱苦浴血抗戰中，我們忍受了不少的痛苦和教訓」。「侵略與暴力，終於消滅，只有正義與和平才永久存在」。「我們要看到富强康樂的新中國，一定要自我警惕，要一致團結，不獨要爭取抗戰勝利，還要爭取建國的成功，這才不辜負今天八年來血汗換來的勝利」。在新聞方面，有：「濟南大同等地收復，越南敵軍代表洽降，冷欣在京慰問我被俘官兵」。

當日的新聞，早經成了舊聞，若是從歷史眼光來看這些斑斑可考的白紙黑字的紀錄，何嘗不是最可靠的史料文獻，堪供我們今日重溫昔時勝利來臨的後方歡愉，到處也正隱藏著許多即將暴露或已暴露的隱憂。演變成若干不可預期的慘痛事實。今時，讓我們來從記憶猶新中，時光倒流，再從血與淚的教訓中，拾取一些寶貴的經驗與做法。

為著追尋當時新聞背景，「冷欣在京慰問我被俘官兵」，其實際情形是如何？特從傳記文學叢書之二三，冷欣著「從參加抗戰到目睹日軍投降」一書裏找到根據，他說：「部署既定，曾代表何總司令前往南京毘盧寺，慰問我方被俘官兵八百餘人。一個個鳩形鵠面，極為憔悴。我對他們講話時目擊慘狀，不禁流下眼淚，我特別安慰他們，並代委座發給慰問金，一時歡聲雷動」。此一敍述相信是絕對正確的，因為被俘是軍人莫大的恥辱，在敵寇凌虐之下，那集中營裏的俘虜怎會「精神飽滿」？這是全篇電訊中的唯一語病。「態度堅毅」、「益現感奮之情」，至屬事實。由此，報導一語欠實，致有形容過當的遺憾，反會導致讀者誤會敵人還有「人道」。

從冷氏大著裏，他是生於一九〇〇年，現任國大代表，字容庵，江蘇興化人，黃埔陸軍官校一期，陸大十三期畢業，曾經做過江蘇省政府江南行署主任，抗戰勝利時，以陸軍總司令部南京前進指揮所主任之尊，首先抵達南京的重要軍職人員之一，當時是陸總副參謀長的身分。抗日戰爭與對中共發展作亂，都是身歷其境且具深刻的認識。他在八月三十日和今井武夫私人談話，已知「共產黨徒，從中破壞」。和岡村晤談，透露中共代表潘梓年希望「由他接收」，獲致鐵證。更在該書中，披露九月三日江蘇省主席王懋功致何總司令電文：「……淮南地區則寶應縣城，已於未養失陷；淮陰、淮安、鹽城、泰興、如皋、南通，刻在被共軍包圍，危殆堪虞！楊中、靖江、啟東、海門、崇明各縣共軍勢甚猖獗，恐難久守；泰縣、東臺、高郵各縣，無一不在與之苦鬥之中，情勢懸殊，朝不保暮……」。

抗戰八年，我在那裏？勝利那時候是在何處？常常會有朋友在聊天時談起。三十四年的八月二十二日寶應縣城被共軍攻陷時，我正在這一座危城之中。雖是往事，也可明白彼時共軍的猖狂與日寇的軍心渙散，淪陷區的苦難日益加深，使得廣大愛國的敵後同胞，從敵僞煉獄中，又陷入中共的火坑，歷經煎熬。有心力挽狂瀾，豈是少數人的赤膽血忱能可挽回於萬一？

二十六年南京棄守，我從徐州到達武漢，旋即加入軍旅。在武漢會戰時，任職第四軍九十師，防守南潯沿線。到武漢棄守，改派砲兵五十四團，由湘而桂，由桂經湘到鄂，駐守襄、樊、隨、棗。二十八年底，由宜昌到重慶。二十九年夏，再從重慶，經宜昌，過洞庭，沿浙贛路到寧波。當在上海時，從十二號碼頭登輪，曾爲日本便衣憲兵所扣，我手裏提的兩盒餅乾，內中有著一切證明文件，幸經福康餅乾公司裏的工友，事先做了夾底，我很沉著，也慣於隨機應變，加之，巡捕從旁替我講好話，安然脫險混入衆多旅客中，後來又登輪搜索，幸好未再發現我，翌日便在長江北岸的新港，進入敵後，重睹白日青天。

敵後四年，我的職務是軍事新聞通訊社蘇北特派員，三民主義青年團寶應分團主任，包括淮安、寶應、高郵。也先後二度在河南、安徽的自由地區，有著不短時間的停留。招致很多青年學子進入後方就讀，指派人員進入僞府軍校及中共機構，從事滲透與破壞工作，以其入之道，還治其人之身，這是一件天經地義的事情。親聞目睹日寇焚燬村莊，强暴婦女，濫殺無辜。我家住宅，就曾二次被燒，村裡青年婦女受辱，農民被捕的，被抽盡血液活活慘死。還有將國人當著活靶，供日寇新兵練習劈刺，身受千創百孔的酷刑而死。更有灌水、捧跤、狗咬、鞭笞種種置人於死地的花樣，施於國人的肉體之上，眞是例證太多。至於精神上給予國人的苦痛，在人類文明史上所留的血淚紀錄，尤其創痕纍纍。

日寇、僞軍固然殘民以逞，中共的「新四軍」，打著抗日部隊的旗號，到處擴張，以大吃小，它有地方政府，有金融機構，有財稅組織，有各種組訓民衆的團體，目的在發展軍政力量，集財、集糧，敵後的星星之火，竟然燎原，其潛力的發揮，絕不是一些人認爲「共軍幾十萬條破槍算不了什麼」的豪語可以掩蓋，更不是「三個月消滅共軍」的狂言，就此弭兵。從教訓來說，我們人太忠厚，受著蒙蔽欺騙。

謊言欺世，乘虛鑽隙，正是中共的慣技。抗戰勝利那時候，淮南各縣戰火頓起，共軍在戰術上，採取以衆勝寡，卽是不惜民命的人海戰術。在戰略上，以寡擊衆，那就是用兵靈活，以圍點打援，或打點阻援，作巧妙的運用。國軍遠不濟急，救援自有困難，日寇士無鬥志，儘量縮小防區，而僞軍爲我所用的，雖想戴罪立功，苦撐惡鬥共軍日夜的攻擊，正和我方游擊隊一般，數量懸殊，彈藥不繼，往往在壯烈犧牲下，城隨人亡。一些留置敵後的無名鬥士，就在流汗喋血，備嘗艱苦中，未能一嘗勝利的歡欣片刻，所領悟到的，却是日寇殘暴與中共狠毒的陰謀詭計。（民國七十一年八月六日）

不預期的遭敵襲擊

遇到不如意事的時候，我偶爾會說，生命是賺來過的。說眞的，民國三十八年以前，敵前敵後，不知面臨多少次的生死邊緣。比如溺水、遇盜，不同性質的敵人威脅、狙擊，被捕後的倖能脫逃，還有面對面的戰鬥中未死得生，逢凶化吉，總算是我的命大，其實，膽大心細、沉著鎮靜，往往會化險爲夷，挽回瀕臨死亡的生命，而憑持的信念，自己無愧無怍，冥冥中托天鴻福。

這不是在講虛構的故事，我在說一項親身體驗的事實。經過非在海上，也不在陸地，却偏偏發生在空中，幸好人機均安，使我的生命史上堪稱又加一項奇蹟。

我轉空軍服役，正當大陸局勢阽危，上海棄守。金門古寧頭大捷以後，我又回到空軍定海指揮所，駐在定海機場。那時的岱山機場，正在日夜趕修，準備轟炸機羣對上海作强有力的打擊，因爲，偵察機已經攝得中共米格機十五停留大場機場的確實證據，這一批怪物是由徐州機場南調的。舟山羣島空防和海上巡邏，空軍定海指揮所得與陸海軍取得密切的協調，而在定海的空中武力，除去防空火砲，就是幾架T-6飛機，本來它是作教練用的，螺旋槳雙座。由於有機關槍的裝備，也能掛上一〇〇磅炸彈四枚。如果有相對的空中武力可以尅制的話，它能迫使敵人膽寒龜伏，顯示自家凜凜威風的馬達雷鳴，震撼著定海週邊的領空，唯我獨尊。

舟山羣島的北方大戢洋有嵊泗列島、大洋山列島，其中有花鳥島、綠華山、嵊山、枸杞山、黃龍山、泗礁、大小戢山、小洋山等島嶼，江蘇省設有嵊泗縣，是揚子江中崇明、揚中兩個島縣又一海上島縣，鄰近上海市。爲控制長江口外的佘山、橫沙，海上游擊健兒三桅大船經常在這一帶神出鬼沒，弄得中共在運輸上寢食難安。舟山羣島緊接嵊泗的南端，西臨杭州灣、甬江口、象山港，定海築有城池，位在最大的舟山島。北有蘭秀山，我曾在那島上龍王廟的戲臺上睡過一夜，岱山上的滃洲，也曾經乘坐C46運輸機在那兒落過地，附近海濱都是些晒鹽的沙灘。長塗山駐有海軍陸戰隊，滃洲有海軍巡防處，和定海同樣是海軍的基地。東邊普陀山，是佛教勝地，與沈家門隔一海峽，我去過沈家門，相當繁榮，爲著去領回從大陸逃出的一位空軍軍官專程坐車去的。南邊的登步，是在陸軍堅守當中，再前的桃花、六橫兩個較大的島嶼，已經陷落在敵人的手裏，我們就此作爲一條封鎖的假定線。一旦發現船隻，如果不作適時的標示，那就不分青紅皀白，給它掃射與轟炸，眼看火燒沉沒，否則絕不罷休，我們對它稱做「鬼門關」。因此，空軍巡邏任務，白天是要經常監視這一海面的動靜。

晨霧稍稀，海上的太陽，朗照這一羣星羅棋布的島嶼。駕駛T-6資深的教官，檢查我的着裝，背好傘，他在前座，我壓後座，戴好風鏡，大拇指一揚，鐵鳥騰空飛起，繞經沈家門，降低高度在平靜如湖的海上翺翔。我們左顧右盼，偏斜機翼，找尋獵物。島似水塘裏的浮萍，看它是一片死寂，好像都是一些無人的荒島，飛過六横，再越桃花，馬跳頭與蝦峙之間的水道，突然發現有揚帆的一隻木船，點綴在那碧藍的波濤裏，乘風徐駛。我們低飛盤旋，要看它一個究竟。再快的船行，遠比不過慢速的飛機。被我們釘牢的那艘木船，看似很機警，迅卽落帆，料想也是無法逃脫的，不過想藉此鬆懈我們的注意力。船身却儘量朝着岸邊停靠，我們越飛越低，幾乎觸及桅桿，圍繞著飛過來又飛過去，眼看有人泅水逃生，並沒有擺出布版，直覺的那是一艘敵人的船隻，無須判斷，也無容遲疑，扳機就在駕駛桿上，一扣就是一條火蛇，向著船艙掃射下去。座機突然有點震動，翼側有著一小朵一小朵的煙花，在不斷地鄰近綻放，我們感覺到敵人正朝著我們還擊，白天看不到火光，更是聽不到爆炸的音響，這種不預期來自島上的敵人砲火，只有爬昇，再爬昇，以高度來躲避敵人的瞄準射擊。

等我們有著相當的高度，旋卽展開制壓的反擊。雖然居高臨下，猶如泰山壓頂，但敵人隱藏的所在，用望遠鏡窺視，也無法發現敵火發射的確實位置，機槍掃射再掃射，跟著投擲一顆炸彈，眼看木船傾斜起火，索性再向岸邊樹叢裏又接連投下三顆，可是並未發現有什麼成果。

爲著油量，我們很得意的勝利歸航。飛過塔臺，正要對準跑道下降。無線電裏却傳來驚人的呼喚，告訴我們有三顆未爆的炸彈，正在機腹下搖盪。這眞是一個天大的麻煩，保險索未斷，既不能投，又不能割，神仙爲之束手。人在遭遇最大困難的時候，就要當機立斷，立卽設法排除，我們除去爬高再飛，在地無人烟的空間，振翼側飛，想利用搖撼的力量，使得炸彈自然墜失。竟然有效，甩下去一顆，誰知却落入定海南門外邊一家醬園的醬缸裏，僅僅砸爛一缸醬，別的毫無損失。假使再飛一段落下的話，港裏正停著海軍無數的小艇，那我們準是吃不了兜著走，說不定會經過一番調查以後，就在軍法處看守所裏再見。

繞著機場一飛再飛，塔臺苦於無計可施。到底還是資深教官飛行有經驗，眼看燃油將要耗盡，炸彈掛著的兩枚，依舊搖搖盪盪無意脫落，他於是下定決心，短程輕點著陸。並且告訴我，飛機落地慢滑的時候，用最大的勇氣，迅卽跳脫座艙，伏地聽聽有無爆炸，再行爬起快跑，離開飛機越遠越來得安全。

我如法炮製，等到飛機輪子一着陸，我從座艙一躍而下，伏在地上動也不動，等在教官煞車跳下伏地時，看着那二枚炸彈，就像二隻黃鼠狼似的，還在吊著微微擺動。一直讓那架T-6停在跑道上休息夠了，械彈人員才來做一次妥善的處理，更發現在我的座位下面，有著三顆彈頭。

我們得慶重生，但可便宜島上的敵人免於炸斃。

至於醬坊的損失有限，定海居民對軍人很友善，絕對謝絕賠償，還對指揮官親臨致歉，表示無限的感激。可是，當地定海日報刋出小方塊新聞：空軍飛機炸彈誤入醬缸，炸得醬汁四溢，幸未傷人，無異是戰地的一段小小幽默。

關心我的一位湖南胡姓朋友，特地來函提示我，「飛行人員有空勤加給，空中殉職有優厚的撫卹，地勤的倒不必硬是冒險去共甘苦，在職責與責任上應該有所分野。」

雖然我從心底感謝，當時我總覺得冒險犯難，本是軍人應有的行徑，這種小事算不了什麼。以後我仍然有著餘勇，不僅經常和這些飛行教官們混得很投機，有時還樂於志願一同出任務。暇時，喝一點老酒，偶爾大夥吃點警衞排弟兄們紅燒狗肉，其樂融融。

（民國七十二年十月）

上海十二號碼頭的危難

上海十二號碼頭，我永遠不會忘懷，那是我曾經遭受危難的地方。幸好化險為夷，轉危爲安，實在歸功於沉著應變，欺敵有方。否則的話，我早就成了無名英雄，也不致有此機會，讓我爲「生死邊緣」徵稿敍述身歷的境遇。

從重慶出發，萬里奔波，艱辛備嚐。交通工具有川江航輪、內河汽船、火車、汽車。最長的道路，還是在脚掌摩擦起泡，泡又生泡，忍痛步行，涉山渡水，到達我所要去的地方。不過由寧波到上海，坐的英輪阿維瑪麗號，上海到新港，仍是一艘英國江輪。由西朝東，從東折向西，長江的下游、上游只缺中段，歷經川、渝、鄂、湘、贛、浙、滬、蘇八個省市。

溽暑征程，伴我行程的助手，患難相與，終於成爲我的佳偶，天作之合，倒是最佳的解釋。

當時的上海，太平洋戰爭尚未發生，公共租界是「孤島的天堂」。我們先從進入魯蘇戰區循行方向、路線，所應採取的方式研究計劃着手，再在匆忙中準備衣履。另外，密電本、必要的證件、花用未完的法幣，都先塞在從鷹潭買來的瓷器當中。寧波海關的檢查非常仔細，深恐上海搭乘江輪時會有破綻。因此，連夜透過關係，託由福康餅乾公司的可靠人員，用鐵皮銲成夾底，將它暗藏其中，餅乾仍然放置上面。一式兩盒，大大方方讓她提在手裏，在外表上一絲一毫看不出是已動過手腳。我提著一只皮箱，走在前面，硬著頭皮隨同蜂湧的旅客，走上碼頭與航輪之間的跳板。

碼頭上是公共租界的權力，船是英商的，檢查的這一關，就在跳板鄰近碼頭的西端。太陽雖已傾斜，人擠人的急著登輪，特別感覺燥熱，裝得若無其事的，穩步前進，有四位高大體格的武裝巡捕，平頂帽、黃制服、短褲、黑皮靴，還掛著斜皮帶。相對而立，注視旅客。不經意的突然發現一位，站在巡捕身旁年近三十的矮子，起縐的白色洋裝，尖頭無光的黑皮鞋，臉上缺乏表情，架著玳瑁的近視眼鏡，用手將我輕輕一拉，我很自然的走到他的身邊，將頭上草帽拿下向他一鞠躬。他用生硬的上海話開始問答，有聽得不確定的話，由我的她替他重複提示，偶爾也用上海話簡單代答。她雖然是湖南人，小時隨著雙親到過上海，而且，很多至親住在上海。我告訴他是江西來的，職業行醫，新婚回家探望患病的老父，就在問答與打量的間隙，巡捕小聲用普通話偷偷告訴我，這個傢伙是日本便衣，教我不要怕，他們可以保護我。其實，既來之，則安之，我一點也不畏懼，看她的臉色雖然有一點不對，但她很鎮靜，對答如流，兩相吻合，殊不知我們事先已經有過排練的。小日本的鼠眼不斷掃視，問不出名堂，就用手摸摸我的手掌，看看我的額頭，他眞錯了，我那裏還是一個執槍桿的小兵？至於短髮，額臉黑白分明，那是大熱天，戴草帽必有的現象。他遲疑，他不決，對身邊一個著畢挺西服伴著穿碎花旗袍的少女，到底要到那裏去？他們是幹什麼的？思考再思考，就是不表示，讓我們上船，或是將我們帶走？巡捕們眞是着急，眼看街燈已亮，時近黃昏，船將啟碇。一位鹽城籍的巡捕，用滬語講我們應是「良民」，就連推帶拉送上船，要我們趕緊混到人羣裏去，船開再露頭臉。我曾經問他尊姓大名，由於年深日久，只有記得他的籍貫。回想抗戰期間，就連中共盤據地區的一些忠貞愛國善良國人，隨處均可遇到，我相信爲人不做壞事，到處都有好人搭救，不然也就不會有「逢凶化吉」，否極泰來，這些哲學觀念了。

江上清風，驅走酷暑的炙熱，英輪溯江上駛，只有天空星斗相伴，靜靜地僅聽到水聲嗚咽，下入艙中入睡，不覺又是天明。

船泊在新港登陸，過了日本軍隊的崗哨，不久卽進入一個新的天地，我們雇了一輛獨輪車，穿越高粱構成的青紗帳。一所設在古廟的小學絃歌未輟，青天白日滿地紅的國旗，傲然在旗桿頂端飄揚，街邊有張少華的江蘇省保安九旅的部隊駐防，團長是一位獨臂的軍官，頎長身材，談吐不俗，承他代我們向他的旅長報告，使我們得到很大的方便。這兒接近泰縣與泰興之間，中共新四軍已經展開不利國軍的伎倆，隨我們一路走的兩個年輕人，行跡可疑，莫測高深，彼此都保持「交淺不可言深」的警覺態度，他們知道我們內地來的，表面相當尊敬，暗中亦步亦趨的監視，甚至夜宿，睡在隔壁房間，就在黃橋旅社也是如此，直到姜堰電燈廠裏會到張旅長，他的老弟和一位副官熱忱相助，非常感人，我取出證件讓他們過目，表明我的身分。這時，魯蘇戰區副總司令部設在東臺，副總司令韓楚箴將軍，早已接到重慶和上饒的電報，確知我已安全到達他的轄境，特別囑咐張旅長妥爲護送。如果不是張老弟的建議，他的老哥或者不便逕電請示的。我從一個被懷疑的人，一變成了張旅長座上的貴賓，開懷暢飲，談天說地，是我參加抗戰四年以來最快樂的一天。

須知在那紛亂的年頭，無頭無腦送命倒楣的人不知有多少，而且，當事人往往是不知不覺的。護送我們的，有張老弟以及幹練的副官，一直盯著的兩位年輕人，也跟著乘坐汽船同行，到副總司令部稍作休息，即被延見，楚公溫文儒雅，令人心儀，我呈上辭公親筆手書，他看過連說：「既然你是他的學生，我一定給你方便。」笑聲中帶著誠懇實在的風度。

副總司令召見後一身輕鬆，住在一家清爽乾淨的旅館裏。和我見面的，首先是中統江蘇負責人丁子俊，還有一位和他有著俊秀儀表的青年。丁是湖南桃源人。一談就很投機，想不到成了要好的朋友。那緊迫盯人的兩位，是他們機構中一位錢姓負責的單位人員，沭陽人氏。

張旅長老弟，民國三十八年也已到臺，我知道他曾任過團長等職務，可惜我就是未曾和他再謀面，很多武進人都確實證明他在臺灣。於此，我要為他祝福。

萍水相逢的人，往往由於志同道合而成莫逆之交，一生一世永難相忘。我路過上海，瀕臨險阻，得力那位租界裡的巡捕幫助，讓我輕度險關。進入敵後，黃橋途中受人懷疑，若不是張老弟的古道熱腸，坦誠得一見如故，說不定我又會步上「生死邊緣」。

蛻變中的故事

接到王碧霞女士的訃告，已經是她公祭與火化後的第三天，而且，遠在岡山的彌陀鄉，事實上即便趕去，也收不到親臨弔唁的目的。我只有懇切的給她長子去一封節哀的慰問信，聊表我們之間相識四十年的情誼。

按理訃告我應該事前收到，我也應該去一次岡山的。不意我工作的機構，有一不成文的規定，掛號信由收發親送收件人簽收，一般普通郵件，俱是放在簽到處所任人檢收的，那幾天正巧比較忙碌，雖然早晚都會在辦公室稍作停留，處理緊急的公文，就因爲陪同國際友人外出參觀無需簽到簽退，以致沒有事先看到訃告，心中卻留著很深的遺憾。因此，在我腦海中像泛起波濤，讓我追憶，讓我回想，雖然早經成爲陳年舊事，在我來說，這些多少年的往事，是我平生最堪記憶的蹤痕。若由王碧霞女士的生前遭遇來說，的確幷不平凡，雖然說不上是偉大奇特，但在抗戰期間的苦難歲月中，倒不失是一件值得敍述的短篇。

我清楚的記得：民國三十五年二月來到台灣，當時我在長官公署工作。一天上午，有人找我。會客室裡見到一位結壯的青年，帶著一位秀麗的少婦，懷裡抱著一個男嬰。見到我，女的笑盈盈地衝著我說：

「謝先生還記得我嗎？」

我楞了一下，猛然想起這不是我們縣中校花王碧霞嗎？我在想，抗戰期間她認識一個日本憲兵叫高林桂冠的，難不成有情人終成眷屬，他倆雙雙回到台灣是理所當然的。所謂日本憲兵就是原來台灣的愛國青年嗎？姓甚名誰？我已經無法重拾過去的記憶，似乎，我對他強健的體魄，稍帶拘謹的神情，依然有著似曾相識的浮淺印象。

碧霞看我若有所思，迅即向我介紹她同來的一半。

「謝先生，你可能記不得了，這就是在我們城裡日本憲兵隊的高林桂冠啊，現時是江昭明，桃園縣人。我們是勝利後在上海結的婚，回到台灣由於昭明原是學土木工程的，現時在農田水利會當一名工程員」。

他們夫婦帶著襁褓中的孩子來拜訪我。一方面是鄉親，同是江蘇省的寶應縣人，二來曾經有助於我們的地下抗日工作，既是同志，雖然時空有別，大家敍敍舊也好。另外，王碧霞賦閒在家，希望找一分工作，貼貼家用，省得住在鄉裡諸多不便。

無論從那一個角度，替碧霞找工作是不容推托的，並且，我知道她有婆婆可以幫助他們照料孩子，而且，碧霞秀麗聰慧，高中畢業，終於在印刷廠裡覓得一個職位，廠長林先生的熱心促成，我永遠感激這分爲善助人的情誼。

說起來，我這一位小同鄉王碧霞有勇氣嫁到台灣來，在光復初期，是一件引人注目的事。其實有著一段曲折而感人的過程，可是，當時在我們那小小的縣城沒有人理解，也很少同情，總說是下賤無恥，去和一個日是憲兵談戀愛交往。所以，有漢奸的爸爸，才有做漢奸的女兒。

當然，無需解釋，無需說明。勝利後的縣城，不久就被新四軍的部隊攻佔，換了一個世界。王碧霞從此在家鄉失去了蹤跡，很少人再會想起縣中的校花下落。

因爲，王碧霞在我們縣城是一個世家。父親王希林留學日本，讀的千葉大學醫科。第一位留學外國的醫生，更受到地方人士的尊重，盛名往往是個害人的毒蟲，很自然的染上吸食鴉片煙癮而無法自拔。抗戰發生既未逃避鄉間，等到寶應縣城淪陷，瞬卽成爲日本駐屯軍的爭取對象，寶應縣維持會長的頭銜，非他莫屬，一般人當面喊會長，背後罵漢奸，王希林自我解嘲的說辭是：

「我不入地獄，誰不地獄，」似乎自己是一位救世主。其實，什麼都不是，只是仰承日本憲兵隊鼻息的一條可憐蟲。除去和日本人打交道，無須翻譯，其它，購買大烟土較一般癮君子得到隨時供應的便利，失去的要比得到的多多。

王希林以留日學生捨醫從政，却是日本帝國主戰的走狗，自甘墮落，痲木得已經不知自己老幾。可是，他的美麗而又寶貝的獨生女兒王碧霞，受不了同學冷譏熱諷和流動在鄉間的縣政府人員三番五次的傳詢，結果偷偷的溜進縣城。仍在鄉間從事抗日活動的摰友曾淸俊，就因爲碧霞的離去而遭拘禁拷打，認爲有通敵嫌疑，終於繫獄病逝。碧霞回到父親身邊，在一般人來看，是天倫之樂，實際又是如何呢？

佈建在運河沿線的國軍諜報組，指派顧正明同志單線深入王家，爭取王碧霞替國軍做一些盡忠報國的工作。首先，顧正明運用父輩關係，納帖去做寶應縣治安維持會王會長的義子，出入相隨，情同父子，自然和王碧霞易於接觸。到底青年人富於熱情和正義感的。幾番說服、鼓勵，願意待機立功，成了王碧霞的人格另一面。

這時，寶應憲兵隊裡一個軍曹高林桂冠，是王家的常客，同王會長公務聯絡固是正事，欣賞王碧霞的年輕貌美，早夕接近，也是一種作用。顧正明看在眼裡，認爲是天賜良緣，機不可失，他一方面，鼓舞碧霞的勇氣和高林桂冠接近，日漸親密，他也和高林桂冠成爲莫逆之交。一個日本憲兵說日本話是當然的事，而高林桂冠却會說中國話，並且，能背誦百家姓，千字文，只是音調有點怪怪的，說不通的地方，就藉用筆談溝通。

民國三十四年農歷元旦，這時局勢依然混沌，民間飲酒宴敍還是一如往時，高林桂冠大概是多喝了幾杯清酒，正和王碧霞對坐傾談的當兒，突然問著碧霞：

「你認爲我是日本人嗎？」

「怎麼不是？既然你我是親密的朋友，我也顧不得日本人是我最大的敵人，你說是嗎」？

醉眼相對，衷心傾訴。想不到高林桂冠竟然兩眼淚流，反覆地喃喃自語：「我是日本人嗎」？「

我是日本人嗎」？

碧霞看到這一情景非常的納悶，爲著安慰高林桂冠的思鄉情結挨坐在一道，伸手握著他那有力的巨掌，低低親切的安慰他：「每逢佳節倍思親」，「月是故鄉明」。「這是人情之常，我倆既是異國知己，有什麼不可談的呢」？

高林桂冠告訴碧霞，他是中國人，他是台灣出生的中國人，實在不忍心替日本軍閥殘害中華民國的善良百姓，他請她找一條脫逃的路線，決心向重慶政府投誠。

碧霞告訴他需要從長計議，勸他不必操之過急。

透過顧正明向著上級提出報告，得到指示是鼓勵碧霞繼續和高林桂冠交往，增進私情，并另交付任務，考驗高林桂冠的忠誠。接著第一次任務交付是這樣的：

寶應縣東鄉鄰近湖蕩，是純粹的農漁社會，住在村莊人家的子弟均以務農維生，由於地處鄉僻，日寇僞軍的勢力難以控制，從南西北三面逐漸侵入的共黨雖早滲入尚未生根，這是因爲三民主義青年團的組織功能具有深厚基礎的所在。不意在一次日軍掃蕩戰中，三民主義青年團三位基層幹部張阿喜、徐德明、李義準被捕押在城裡憲兵隊裡音訊杳然。其究竟是如何，必需責成高林桂冠軍曹查尋底細好作處理。

日本軍駐在寶應縣城的憲兵的智識程度高，負有安撫和維護治安的責任，情報網特別嚴密，對地方情形瞭解較深，內中成員大致有三種傾向，第一種死硬的相信日本侵略戰爭是會成功的，一切奉公第二種受到馬克斯思想的日共感染，認爲和駐在地中共黨軍聲氣相通，有著必要。第三種厭戰情緒日益高張，認爲中國人的愛國行動，應該憐憫和同情，甚至主張網開一面，寬大取得友好。想不到在日本憲兵中的高林桂冠軍曹，超過三種定型的體系範圍，他雖是遭受日本奴役半世紀的台灣人，并不甘心認同是日本皇民，在他內心深處意識到自我是黃帝子孫，經他們手裡迫害與殘殺的駐在地的子民，都是自己的同胞骨肉，在在想從自我權責中盡到一分人道的責任，自從戀上王碧霞後，更覺得同爲中國一分子，維護中國人的生命財產，是應有的行徑。何況，顧正明要他徹底查明的三民主義青年團三個人下落，正是表白他決心回歸祖國加入抗戰行列最佳的時機，運用自己的機智，運用在憲兵隊的人際關係，更小惠給予一些憲兵所運用的線民，探根尋柢，找出完整的三民主義青年團基層份子失踪的來龍去脈。

狠毒又恐怖的殺人滅跡的暴行，終於獲致具體的眞相。事情是這樣的，共黨蘇中軍分區要在運河東岸的湖蕩地區，建立牢不可拔的根據地，將射陽、天平莊、施家舍、魯家　這些被水圍繞的村鎭視爲共黨禁區，風不灑，雨不漏的就是排除異己，借刀殺人是共黨慣用手段之一，向日本憲兵隊告密，將三民主義青年團的活動，誇張而虛僞的說是「藍衣社」在運東的最大指揮單位，包括淮安、寶應、高郵三縣。有武裝行動人員，還有新式的爆破器材，首腦人物就有張阿喜、徐德明、李義準等人在內。日本軍隊在日本憲兵配合下的突擊，被捕的有這三個人是在黑名單內，其它一無證據可以說明三民主義青年團的指揮單位已經遭受破壞根除。須知，日本憲兵隊的惡名昭彰，在中國淪陷區內婦孺皆知，莫不談虎色變的，而日本憲兵的酷刑，不知勝過多少暴虎。三個人逮進寶應憲兵隊，受過電擊、灌水、摔跤、冰凍的種種酷刑，所得的口供是爲熱愛中華民國，保鄉衞土，誓死抗日反共，別無所知。既然，被捕寧可錯殺，卻不能錯放。日本憲兵隊看到這三個年輕中國人，强硬毫不吐實，身體都很結壯，就一不做二不休，採用慘無人道的抽血手段，來結束這一雷大雨小的所謂藍衣社份子活動案。這種殺人不見血的秘密處死的方式，在外界來說，比較採用砍頭，鎗斃要隱蔽得多，甚至，將中國年輕人用布矇著眼睛，綁在廣場的木柱上，讓日本士兵瘋狂的吆喝，用刺刀一擁而上的輪流刺戳，更是無人知曉。被抽盡鮮血的三個人，在抽搐微顫中喪失寶貴的青春年華，他們身上被抽出的一袋袋的鮮血，竟是日本受傷官兵續命的資源。從高林桂冠的提供資料裡，尋覓到土葬在東門外亂葬坑裡的三位愛國青年屍體，既未著裝，也未棺殮，只用蘆材蓆包紮掩埋的，他們原先結壯的身體，只剩一堆瘦小焦黑的腐屍。所遺留給三位死者家屬以及鄉親親友的印象，日本人的暴行，中國人是世代無法忘懷的。

高林桂冠完成交付任務，見證日本人殺害無辜的另一新招，也透露日本軍方有與蘇中地區共黨聯繫的蛛絲馬跡。上級曾經準備頒發高林桂冠一筆獎金，但他婉言拒絕，認爲這是一個原本是中國人應盡的小小義務。由顧正明同志設宴邀請暢敍，備有洋河大麵，紅燒獅子頭，寶應湖裡的紫蟹、脆溜鱔魚，還有一道銀魚湯。並且，有王碧霞在座作陪，開懷暢飲，既歌且喝，從入晚到夜深，算是一席無名有實的慶功宴，實在比致奉獎金更具意義。

民國三十四年的六月初，我從蚌涎河濱的泰東邊區返回淮陰。當時的共黨卵翼下的「聯抗」黃逸峯，以及新四軍的第一師粟裕部隊，幾乎天天攻擊國軍置留敵後的遊擊部隊。日軍部隊駐在交通線上的城區，汪逆精衛的「和平救國軍」，成分各異，目的不同，都是各有懷抱的保全自己，龜縮在城市鄉鎮的工事內，不敢動彈，也就無能爲力。我從揚州，經過高郵，本想稍作停留，師友親戚路途相遇，視而未見，甚至不敢向我招呼一聲。更談不到有留宿留飯的正常禮貌相待。幸好吳同志開的瓷器店，庫房裡堆滿景德鎭出品的日常生活細瓷，裡面暗門開處，另有洞天，雖然那裡面狹窄，侷促，空氣有欠流動，一床、一桌、一椅，個人獨處，毫不受到外界的干擾，反而成爲我的亡命生涯安樂窩。聯絡完畢，我又搭乘木船北去寶應，廖落的鄉野，孤寂的河堤行人幾無，雲天相伴，孤帆遠颺，在夕陽墜失黃昏來臨的時候，由西門入城，好在我有翟維平的良民證，檢查時捧著良民證，檢查時捧著良民證朝向日軍深深一鞠躬，黑衣的警察一揮手，我又是寶應城裡的過客。在常同志家的二樓，暫作我臨時的住所，夜半有人敲門，心裡有點吃驚，稍作準備後依然照睡不誤。進入的却是顧正明同志，他似乎在鎭靜的微露一絲緊張的神色，我問他有什麼重大的事？他唯唯諾諾的說：

「日本憲兵隊已經知道我將到寶應，但是到達時間和住宿地點還不清楚，正在查察中。」

說著，說著，他從袋裡取出一張白紙寫著密密痲痲的黑字，所寫的字幷不工整，內容也不精確，其中提到我的，只是據傳我已到過揚州，氾水，不日將抵寶應從事反日活動。他特別强調這是日本憲兵軍曹高林桂冠交給他的，要他設法轉告我一切行動務必小心謹愼。我笑了一笑，認爲這是日本方面當然要提報的資料。並且，我無隱的告訴他，在氾水鎭曾遇到一位輾轉介紹的高郵縣憲兵隊裡的葛姓諜員，希望我和他們隊長當面一談，據他表示德國已經無條件投降，日本陸海空軍在中國大陸和太平洋上各島都遭到玉碎的命運，中日之間的戰爭狀態應該怎麼結束，亟望知道。在我的使命和任務上，無權也無必要會見一個日本憲兵少佐隊長，即使是特備汽艇升火待發，氾水是寶應的大鎭，駐紮的「和平救國軍」是傾向中央的，到底不是日本軍力所及的地方，我嚴辭拒卻這一非善非惡難測動機的邀請，得到程同志貽訓的協助，讓我擺脫葛姓的糾纏，無日無夜的，悄悄地來到寶應。

從高林桂冠手裡接到的情報，能夠給我當面過目，是在顯示一片忠忱。我將這個有關於我個人的資料叠好交給正明同志，經過理性的判斷，決心和高林桂冠作一次懇談。囑咐正明同志立卽將手邊的資料交還，翌日下午五時在王碧霞的閨房晤面，只有四個人，其他一切保密。

在正明同志引導下，準時到了王碧霞的閨房。這時，高林桂冠和碧霞已先在座。一眼看到高林，眞是一位標準的日本軍曹，氣宇不凡，身材高高的，面部泛著健康的紅潤，穿著整潔的黃卡其軍服，著馬褲、皮鞋，腰邊還拖掛著一柄武士軍刀，恭謹的向我鞠躬，我迅卽和他熱烈的握手寒喧。碧霞是第二次的見面，覺得她成熟得越加嬌柔嫵媚，慧目流波，難怪高林爲她的美色傾倒。記得第一次見碧霞，是在抗戰前夕，那時我剛從大學畢業尚未投考軍校，我是從南京返鄉探親，看到老友曾清俊身畔的一位女郎，曾經讚譽他倆是天上一對，地上一雙，俊男美女，兩相匹配，萬萬想不到造化弄人，幾年不見，增多無數的變化。她看出我有一點遲疑，慧黠的向我敍述高林是台灣人，非常熱愛祖國，她幷說一句成語：「人在曹營心在漢」，願意忠心的爲抗日反共竭盡棉力。

慰勉他們爲國珍重，要絕對保持隱蔽身分，繼續努力。更從高林桂冠談話裡，證實德國無條件投降後，日本軍中流露著悲觀失望的氣氛。而且，還洩漏運河沿線日本駐屯軍已與共黨軍隊獲得妥協性的約定，日本軍隊准予河西洪澤湖畔的羅炳輝、張雲逸部隊隨時渡河進入蘇中，蘇中的粟裕、張愛萍渡河西去，互不干擾。這樣皖蘇的新四軍，淮北八路軍的聯串，形成勝利以前的最大殷憂，是給予轉報上級的一項重要的情報資料，作爲決策的參考，也是高林卓越的貢獻。

我就把握機會告訴高林桂冠他們：開羅會議業經重慶、華盛頓、倫敦同時公佈由三國領袖簽署的宣言，其中特別指明的：「所有日本竊奪中國的土地，如滿州、台灣、澎湖，均應歸還中國」。臨行我開玩笑的說：

「勝利後我願在台灣與你們重逢，相信一定可以再見」。

以後，由於運河交通線的常常阻斷，我只能留在淮陰城裡，偶爾南下淮安一帶，也到泗陽的豆瓣集，淮陰的順河集、漁溝，很想再到寶應，高郵、揚州去督導，總是未能實現。所好的，寶應的顧正明同志，社會關係特別良好，加之，有著她的義妹寶應縣治安維持會會長女兒王碧霞的合作，再有日本憲兵軍曹高林桂冠的臥底，潛伏在日寇的心臟部位，蒐集日軍和共軍情報，較比可靠。而且，高林已經與我們融成一體，有著同是中國人血肉相聯的親密關係。

抗戰勝利，寶應縣城於民國三十四年八月二十二日，（農曆七月十七日）被共軍陳毅所屬攻陷以前，高林桂冠和王碧霞的下落成謎，即便是負責聯絡的顧正明同志，在九月間逃離寶應縣城時，也弄

不清楚這對亂世鴛鴦是活著還是死亡？但依我的猜測，日本憲兵是會在日軍抗拒共軍失敗前撤退的，

可是，在我內心深處，始終懸念無已。我總祝福這對曾與我共過患難，曾協助我工作的知己安全無恙，吉人天相。

台灣重逢，高林桂冠已經是中華民國台灣省桃園縣人江昭明。從愛人成爲結髮妻子的王碧霞，雖是江蘇省寶應縣人，變做桃園的媳婦。

歲月是無情的，人事是多變的。江昭明在南部水利會工作，妻子王碧霞不久也辭去印刷工作他去，從此很少聯繫。三十八年底，顧正明同志間關萬里來到台灣，多方打探，得悉王碧霞帶同子女住在新竹工礦公司宿舍，我曾經請假伴同正明同志專程探訪，但未見到江昭明。此後，正明也去過新竹多次，直到正明到中國青年反共救國團總團部青年工程總隊服務，遠在東勢、梨山、幼獅、埔里等地，爲著支援開闢橫貫公路而終年累月奔走山間，王碧霞也由於先生在岡山配到眷舍而遷離新竹。

由於正明同志和江昭明，王碧霞比我要接近得多，或多或少瞭解江氏夫婦的家庭生活。江先生是一位沉默寡言的人，極少與人談敍抗戰期間在大陸江蘇省的軍旅生涯，更是不談協助抗日反共的地下工作，只是謹守崗位，埋首本身的工作，公職人員收入有限，生活異常的清苦。幸賴王碧霞自己一份薪給，勉强維持三男一女教養的開支。

在民國六十三年，正明作古已經二十個年頭，遇到軍中舊友兪是同鄉郭君談及，江昭明罹患高血壓業於六十年逝於岡山任所，王碧霞的三男一女先後畢業大學，已經服務社會，不過仍住南部，並沒

有返回桃園故居。

眞是萬萬料不到，在王碧霞逝世前一年的夏天，曾在同鄉趙家匆匆一晤，她已經漸入老境的徐娘，不復再現往年的風采，她是爲參加么女畢業典禮才來台北的。在她來說，是一次難得的出門旅行，在我來說，徒然勾起許多往年陳事。不過，她並沒有一句提起我們之間的抗戰交往關係。這些值得回味的堪資記述的事跡，就這樣隨著她的形體消失而趨於烟消火滅，將永遠不會從她口中傳留半點。

以我的個人體驗所得，抗戰勝利已經是五十個年頭，快近半個世紀。在歷史過程中，大時代裡血肉交融的轟轟烈烈的故事，眞不知有著多少千千萬萬敍說不完，若從個人渺小的生命著眼的話，「國家興亡，匹夫有責」，盡一己之力，能爲國家民族效命，這是義不容辭的事。無名與成名，並沒有過多的區別，現在一刹那就成過去，淡化是一體自然的趨向，實在是不必斤斤計較過往的貢獻。何況，國家多難，正是方興未艾，將努力目標寄託於民族大義的實踐，應該是青年們前瞻的寬宏大道。

後記

蛻變這個故事。是筆者根據老友閒話家常中綴聯書成的。其中人物，老的老，死的死，也有陷身大陸而生死存亡莫卜的。可是故事的內容，是千眞萬確，有其事，有其人，有其地、有其時的。

我要特別聲明的，文中的謝先生，化名翟維平的，雖是稱「我」，但并非眞的是我，爲著便於行文而假託的，筆者認爲如此較比直接了當，好使讀者易於入目。這位曾經奉獻國家爲抗日反共付出極大代價的謝先生，三十五年來台服務公職，致仕後入山削髮爲僧，法名了悟，據聞掛單在南投縣竹山德山寺，過著松籟泉音，木魚梵唱的清涼歲月。三年前他曾以古詩一首抄示：「老年得休閒，深山隱獨身，花鳥爲良伴，寂寞度殘生」。我曾笑覆他「超越凡塵」四字。

顧正明是一位鐵血男兒，性情中人，孑然間關來台，嘗盡艱險悲苦。開闢橫貫公路，覆車身殉，長春祠中供有他的神主。生平沒有留傳，旅客只當做築路殉身的員工之一。

江昭明、王碧霞夫婦合葬在燕巢公墓之陽，墓碑刻有先考的，台灣省桃園縣人，先妣的，江蘇省寶應縣人，還有生卒年月和立碑的子女姓名。誰也不知道死者江昭明，曾經是抗戰時期駐在江蘇運河沿綫的日本憲兵高林桂冠，更無人知曉他在生前曾經協助祖國抗日反共的種種功績。王碧霞以一大陸女性下嫁台灣，頂多有一點驚訝她能開風氣之先。而她隱藏於深處的義行，像是天邊一片雲，早經隨風消逝，了無痕跡，她的人生何嘗不像是一朵瓊花，令人感嘆凋謝得那麼快速。

（民國七十六年九月）

月到中秋

「獨在異鄉為異客，每逢佳節倍思親。」

每讀王維九月九日憶山東兄弟詩，感慨良多，此實人情之常。尤其，年怕中秋月怕半，而中秋屆臨，丹桂飄香，柿子滿樹，金風送涼，不無興起一年容易又中秋的思念。可是，月到中秋分外明，離愁別緒，由於皓月當空，格外的會給人一種意外的感受。

頃覽清代康熙年間，冷吉臣手繪「賞月圖」。一輪明月，冷光淒清。年少文士，手執如意，坐看天際圓月，自在瀟灑，充滿悠然情趣。旁立兩童，一持幛扇，飾有雙鳳。一捧茶具，香茗在盤。地面綠茵疏密有致，旁植巨柯桂樹，花葉鈎勒清晰，彩色雅淡秀麗。令人油然想起賞月的那種景象，該是多麼的快樂——幽光、芬芳，人靜寂。

人們的生活情調是多彩多姿，人生的際遇往往是不一定雷同。記得幼年時候，中秋是一個孩子們喜悅的節日。氣溫不冷也不熱，正是農家收穫的時辰。那一天就是盼望着早早日落，明月快快昇起，庭院中的八仙桌上，供奉的有菱角、芋頭、花香藕，還有月餅，這是年年如此不可或缺的。偶爾還有蓮篷、雞頭米這一類水鄉的產物。更有用紫色的茄子做成的「水牛望月」，白茄子做的「白兔拜月」，茨菰做成的「青蛙」，苦瓜做成的「蟾蜍」，嫩藕做成的「蟠龍」，形形色色，就地取材，做得維妙維肖，顯露出農村的手工藝，成爲中秋賞月爭奇鬥艷的大競賽。而從事評判的，却是一些在學的頑童，挨門逐戶的一一欣賞，做的走獸游魚之類愈多愈巧的人家，越是孩子們聚觀而久久不願散去的所在，當然，這家的主人樂了，這家的孩子們也樂了。

故鄉的拜月月餅，有一種水晶的，個兒較大，是烤熱後切開分吃。另外，椒鹽的、五仁的、棗泥的、豆沙的，大都是素食材料做的。爲了點燭燒香，特別備置兩個「燈塔」，骨子用竹篾紮成，外面糊着五彩繽紛的綿紙，外表印刷成寶塔的形狀，用來遮擋野風，紅燭不致被風吹滅。

在我記憶中。民國二十六年在宿遷卓圩過中秋，當地卓家用一顆大西瓜來敬月亮，這是在淮南從未見過的。我好奇的追問如何保存這夏日的寵物，原來當地家家戶戶都有窖子，收藏農產使之新鮮耐久，西瓜就是放在窖子裏的食物之一。二十八年隨軍駐守湖北棗陽，當地人士竟用收穫的紅棗，一笆斗滿滿的小紅棗，放在桌上專來敬奉月公的。

我的一生當中，難忘的中秋佳節賞月故事，常常會在我的腦海憶起。特別是在抗戰期間的武漢撤退前夕，我坐在粵漢鐵路南下的列車頂上，看到月色皎潔，感到夜涼如水，聽到一個小站上鞭炮不絕，跳下車來一問，方知正是中秋。不期然的，觸動我的鄉思，頓覺人生如寄，爲何飄泊無定，我就決心夜宿汨羅，嘗試作客的中秋況味。在臺灣東港，我也度過一個中秋，入晚銀光灑遍屏東的小平原，東邊遠山似墨，近處海水無波，我們坐在停機坪上，空曠廣濶，夜色迷人，東談西說，一直等到東方既白，那眞是賞月最痛快淋漓的一夜。

賞月，賞月，年復一年，不知多少歡笑，也不知幾許辛酸。去歲中秋，我是從臺北到高雄夜快車上慢慢度過的。倚窗望月，影相幻變，在羣山原野陪同下冉冉南行，我的心湖跟着有一點激動，思潮起伏，久久難以靜止。故鄉、親人、往事，如夢似烟，自然有着異於尋常的懷想。

今夜，又該是中秋。但願人人得見月圓，享受一個難能可貴的秋夜清涼。永遠永遠，不要有人自悲形單影隻，儘量享受大自然的幽趣。而存在宇宙裏的月亮，當你看到她的時候，何嘗不是時有盈缺，甚至，她也會爲浮雲所掩遮，頓然黯然失色。人人渴盼着的，月長圓，花長開，人長久，是希望，也是理想，無須惆悵，只待追尋！

假如，中秋佳節我擁有一幅寄情明月的繪畫，任我瀏覽欣賞，內中蘊含着無限的深意。我所體會到的，何止於冷枚筆下賞月的那位文士喜悅？

北窗風雨轉秋聲

客寓是一棟一底的建築，遠離市廛，寧靜而又安適，是非常合我理想的天地。北面有窗，佔據房間的三分之二，雖然射照不進陽光，由於裝置玻璃，白天依舊室內通明。推窗外望，稍遠是崗巒起伏的小山丘，遍植常綠的杉木，主幹挺直，葉成針形，高度還沒有達到幾丈的程度，將這一帶山陂覆蓋得滿眼青翠，不似芊芊莽莽那般草樹叢雜的蓊鬱，使人有著清爽的感受。近處一條澄碧的溪流，打從山間那邊緩緩的流過來，溶溶汩汩的，無日無夜的長流，繞過住所的周邊，朝向附近寬濶的大河納入巨川。

生活在這一個時代，我既享受社會的文明，却又沐浴在大自然的懷抱中，坐擁青山綠水所賦予的樂趣。

庭院有樹、有花，還有如茵的芳草，終年不凋，陪伴著我，讓我盡情地度著四季如春的歲月，夫復何憾。這樣的美好環境當中，無數的光天霽日，從我身邊輕輕失去，無數的陰霾晨昏，悄悄的溜走，永遠不再回頭。

陽光，星辰，皓月在每一個人的印象中，雖然是司空慣見的，但給人的感受有著深淺愛惡的異同。捨此以外，常常隨伴著人生的風和雨，它是宇宙間的自然產物，有時，它會加惠予人，它也會給人帶來大小不一的災害，它總沒有陽光、星辰、皓月那麼親近可人，視之慣習的。

風依舊是風，雨依舊是雨，愛它也罷，恨它也罷，無論你的歡迎，還是拒絕，當它該吹的風，風會不來自來，當它該落的雨，雨就灑灑而下，想阻擋是阻擋不住的。猶如：白日常見朗朗的陽光普照，夜晚的星辰，閃耀猶如衆人的眼睛向你注視。月亮的盈虧圓缺，又是那麼準確的從你的頭頂慢慢地掠過，原是自然的現象，不是人爲的因素。

風和雨又是無定期的朝你吹落，它不像陽光、星辰、皓月那一般的定時定點的週而復始。狂風不終日，暴雨不終朝，意味著風和雨是有著停息的時候，但它的大小輕重，並不是你所能期望的。

和風細雨，很多人是喜愛著的。微風輕拂，挾著綿綿疏雨，將種子帶向遠的地方散佈與萌芽，將蓓蕾綻放花朶並且使它零落，它滋潤著大地，也帶給生物以溫馨。試看春江水暖，柳條烟波，何嘗不是風和雨的傑作？

我是一個平常人，往往是用平常心來衡量風和雨的。風和雨賜予我個人的苦痛和災害，在我有生之年的過程當中，眞是不勝例擧。

我非詩人，更非詞家，不悲風，不苦雨，縱或勁風、驟雨，打落得庭樹葉落滿地，一片憔悴。若挫折就是磨練，掙扎便是奮鬪，倒下去還得爬起來，依然生生不息，再度欣欣向榮，世間永無弱者，自強憑仗自己，那又何懼風雨？

北窗外。浩浩風起，濛濛雨落，該是秋訊來的時候，閉牖靜坐，一燈煢然，在百無聊賴裡，憶起：「一窗風雨三更月，相伴幽人坐小齋」的詩句，細雨飛空的夜境，知己促膝話舊，敍敍家常，談談往事，盡興處的眉飛色舞，低沉時的頻頻唏噓，夜半客來茶當酒，也是一件快事。或是，「欲將一瓢酒，遠慰風雨夕」，等到酒盡杯乾。恰當雨絲疏疏地落個不停，風勢括得很緊，疲極入睡，酒意猶未全消，回味昨夜風雨中的聚會，是多麼值得追憶。

人生遍歷的甜、酸、苦、辣，有再來的時候，但是已經數易時空。可是，四季的轉換，却是春去夏來，秋走冬到的。在過去的日子裡，一年又一年的，眼看北窗外的風雨，帶來了春天，楊柳就在和煦春風中飄拂，桃杏花開是那麼地嬌艷，夏日的脚步緊跟著到臨，田田的荷葉，秀拔滿池，朵朵的蓮花，開放得香溢遍地，綠肥紅瘦，搖曳多姿。

秋天該是一個敏感的季節，寒山到處蒼碧，秋水潺湲，了無半點悽清況味。一次風雨，一次新涼，正是：「空山新雨後，天氣晚來秋」。青翠的山色，看來愈覺開曠，林中楓葉呈現一片火紅，水濱荻花像是雪浪翻白。中秋已過，月是下弦，不無想念的：「露從今夜白，月是故鄉明」。其實，秋月無知，一樣的皎潔，一般的圓。在漂泊的遊子情懷，心境充滿美好的幻想，就有無盡的懷念。

我那能免俗。身處在自由幸福的環境裡，小樓客居，靜謐安康，兒孫繞膝，生活悠優，我不時還會思念故鄉，一再倚窗北望，重重複複朗誦兒時熟讀的詩句：

「鴻雁幾時到，江湖秋水多」。

此景、此情，臺灣寶島是無法領受的。秋聲在林中，在溪畔隨時得見，却缺鴻雁南征的哀鳴，河海歷歷，但無長江的滾滾黃流，珠湖的浩瀚無垠。只有在魂牽夢迴中，憶起那秋水泛濫的汪洋連天，充滿蕭條肅殺的景色，在我的故鄉。

優美的關鍵

在藏書中偶爾發現一張彩色照片。沒有斑剝，也沒有褪色，還是那麼完整如新。我是嚴肅的，依偎在她的身邊，左手輕輕放置她那抬起的大腿上，而我正經的君子風采，多少隱藏著內心得意的滿足感受。原來，她本是一座白大理石的雕像。

從這裡憶起陳年的往事。

我和這座女性雕像合影的地方，正是日本箱根雕刻之森美術館的室內。同行的俱是一批年輕美術家，青春年少，活潑自在，充盈著用之不竭的活勁。那天的氣溫很低，細雨迷濛，整個的山谷為霾氣所籠罩，每人撐著傘，踏著綠茵的土地，目不暇接的，靜觀如林的雕刻藝品，具象和抽象的所在皆有，一些壯碩的使人咋舌，算是在東京一次愉快的野外旅行。

態度高貴寧靜的美麗人體，是希臘雕刻家們所喜愛雕刻的題材，他們表現姿勢美妙的手法，既工且巧，一眼就令人非常的神往。這一座純白大理石的女性雕像，採取坐姿。右脚半跏，左腿的脚步，輕柔的放在圓形的座底。左臂彎成等邊三角形，剛剛遮掩著挺出的胸脯，雙峯聳立的乳溝，依然隱約得見。手心向內，擋著另一支的臂部，讓人不易看到它的殘缺，五指軟綿的自然微曲，細膩生動，確是難得多見的一隻玉手，所遺憾的，只是獨少了一隻。背、腰、臀的豐腴，更使雙股交併的部分，越發明朗，整個體型的線條之美，簡直無懈可擊，美得到無以復加的程度。頭頂梳著鬈髮，雙眼微張，鼻樑高挺，嘴小唇薄，橢圓的面部輪廓，蘊含著溫柔，文靜、良善、敦厚的個性，更從她那輕盈，健康四肢上表現無遺。

雕刻家獨具精雕細琢的造型藝術才華，非常顯明，否則，那能製作完成這座實在體積形象的圓雕。羅丹曾說：「維納斯像是至善至美」，使女性美洋溢著一種特殊奇妙的吸引力量，透露著女性豐滿的動人心弦的美妙。她具有靈活的雙瞳、苗條的腰枝，前傾的胸部，健康的體態，沒有一處不令人讚賞的。卽便、詩人的吟咏，畫家的寫眞，甚至，以芬芳的花卉，來作比擬的話，相信總敵不過希臘雕刻家的傑作，而其神聖、自然、勻稱、和諧、光潔、晶瑩，神來之筆也無可表達這鬼斧神工於萬一。

我曾經有著如此的幻想。

假如，上帝賦予這座雕像以眞實的生命，使她成爲有血有肉的女性，眞不知要風靡多少瘋狂的崇拜的人，要會惹起多少的讚美和追求。若是眞有其人，她那完美的曲線，飽滿的胸膛，起伏的肥臀，彈性的肌肉，加以慧敏流盼的眼波，柔嫩纖纖的玉手，她就是維納斯雕像化身，教人心儀傾倒，是勢所必然的。

裸像着裝，不致有損她的秀麗。一襲翠綠的洋服，或者繁花素雅的旗袍，既然脫俗大方，也是姣美超群，綜合著力與美的兩者優越，自會將人體性格更燦爛的發出女性無限光輝。

羅馬神話中的司美與愛的女神維納斯，一譯維娜的，她存在於希臘雕刻女性美的具象裡，讓人永恒地欣賞和膜拜，她那美妙的體態，以及青春與美貌，將是常新萬古。

而我們活生生的人呢？有時、女性正如散發芳香和呈現艷俏的彩色花朵，但禁不起幾番風雨摧折，就會枝萎瓣頹。有時正似黃昏將居的晚霞餘暉，一旦太陽西沉，頓會有著不斷的瞬間變化，終於消失得無影且又無踪。

唯一的，至善至美是銘記在人們心靈深處的感情與精神。因此，希臘女神的雕像也罷，世間姣好的女性也罷，其優美的關鍵，實實在在的，仍須靠著藝術的體驗與情意的感應。

迎春慶節且談年

中國人過年的歷史悠久，認爲是一個最大的節日。因爲多盡春來，充滿希望，尤其農業社會，秋收多藏，春種夏收，所以，在大陸上有一諺語：「孩子望過年，大人望種田」。過年的當兒，新衣新帽，有吃有玩，孩子們適度的放任，自然是說不出的一種歡樂享受。而成人們在迎春慶節以後，已經休閑一段時日，正好準備去忙耕耘的工作，期望豐收的到臨。

新年將至，有著許多傳統的習俗，也有很多諺語應運而生，譬如：「王小二過年——一年不如一年」。又有：「年年難過年年過」。從這些俗話中不難體會，大陸各地的過年，絕對不能拿今時今地的歡樂消遙景相來衡量的。雖然，在生活上苦樂程度不盡相同，而年却必需隆重度過，最重要的，莫如大掃除、貼春聯、祀天祭祖，敦親睦鄰，其次纔是吃、喝、玩、樂。喝春敍酒，玩牌賭博，大行於鄉村，成爲農村人們的樂趣所在。

中國春聯源於桃符，始盛於明代朱洪武，經常見的是：「爆竹一聲除舊，桃符萬象更新」。我家大門的春聯年年如斯：「南臺世澤，翔鳳家聲」。農村裡讀書人家不多，貼春聯的笑話所在皆有。僻野荒村裡難得請到代書春聯的人，有僅僅在門上貼著紅紙來作替代的。一些無人識字的人家，雖已請人代書春聯，將應貼在獸欄的橫額「六畜興旺」春聯，誤貼到祖先龕上的，這絕非誇張其詞。更有粗通文墨的人，權充「蜀中無大將，廖化作先鋒」。一請就到，代書春聯，筆歪墨淡暫不考究，會錯意寫錯字的反惹麻煩，其例也有。農家終歲辛勤，總盼望有著屬於自己的耕地，託人書寫廳堂柱子上的報條：「報到今年好，發財買田」，竟將「買」字誤寫「賣」的，一字之訛，意義迥不相同，新年新歲大家都得圖個吉利，這麼一來，就惹起一場有「士」無「土」的風波，寫錯字的人，還得到府鳴炮道歉，另紙重書。有喜歡惡作劇的人，專門找懦弱無能屈居人下的窮開心，欺他目不識丁又愛應景，於是替代吸食鴉片烟的寫下這麼一幅春聯：「報到今年好，渣頭水喝不了！」（按：雅片煙膏榨取其汁，剩餘的廢物，癮發和水吞食聊以抵充。）這位仁兄受此刺激發奮戒除惡嗜好，不幸未到三月，竟致身亡。非筆者故意說此笑話，實是幼年親見確有其人其事。

春聯切題佳妙的，筆者所見不少，這是中國文學上一大特色。姑且提出在我記憶中的兩則。

故鄉鎮上一位賈姓商會會長，夫婦瘦弱，兒女俱皆健壯，他自撰一聯貼在房間門上，其詞是：「滿床兒女肥如狗，一對夫妻壽似龜」。造訪的客人，一見無不發出會心的微笑。

抗戰勝利後還鄉，在縣政府大門上看到一幅尚未清除的春聯，對我的印象非常的深刻，寫著：「中日一家，何分賓主，風雨同舟，共濟時艱。」

這對春聯，書法恭正，對仗不差。可惜是敵我不分，詞句卑微，充分表現出奴隸向主子效忠的心態，一味阿諛，十足的漢奸嘴臉，筆者曾在上海一家雜誌撰文抨擊。

在我們中國過年，有所謂陽曆年與農曆年的分野。記得國民革命軍北伐底定，全國統一。那時國民政府厲行陽曆，農曆過年照常上課。試想久已習慣的大年初一當日，百行休業，人人閒散，街頭巷尾的爆竹和鑼鼓聲喧，而坐在課堂裡的學子，還是弦歌不輟，其結果是老師無可奈何，講的沒有平時那般帶勁，學生默然靜坐的心不在焉，最慘的是挨到中午竟然找不到一家賣吃食的店舖攤販，學校厨房只是冷的飯菜，炊事人員早就自動放假回家度歲。只好餓著肚子苦等日終放學，師生懷著情非得已的苦澀滋味，其所得的教學效果如何，唯有天知道了。

一種善良習俗的形成，年深日久，牢牢不易拔除，要想一下改掉，是非常難做的事。中國人懂得中庸之道，運用也很妥適，乃將過年另改一種折衷方式，陽曆的一月一日稱做「元旦」，農曆元月一日改稱「春節」。既不違背　國父孫中山先生創建中華民國廢除農曆改用陽曆的精神，並且，適應國人以農立國慣用陰曆的實際效用，兩者調協，互不抵觸，仍然維持著民間習俗，陽曆與陰曆相輔為用，並行不悖，樂得皆大歡喜。因此，雅好舞文弄墨的朋友，就以此事為題，撰成頗具風趣的絕妙春聯，其詞乃是：

「男女平權，公說公有理，婆說婆有理；
陰陽合律，你過你的年，我過我的年。」

人生似長實短，歲月永在匆匆。筆者在臺灣過年，匆匆將近四十個年頭。在我個人對過年的感覺上，既往在大陸各省輾轉生涯中，鄉村過年的時候最多，所以留著一些不能磨滅的過年習俗點點滴滴，堪作甘甜與苦酸的偶一回顧。來到臺灣皆是寓居城市的時間較長，感受稍異其趣。我們中國地廣人衆，各地風俗容有「十里不同風，百里不同俗」的說法，在大陸各省與復興基地臺灣省的過年習俗，確是大同小異，都市與鄉村，也是如此。只是，我們在臺灣的日子是生活愈來愈好，源於社會繁榮，政治民主，處於安定、進步的環境中，將過年這一段美好的時日，襯托得多采多姿，春節是人們休閒享樂活動最大的機會。但我們不能忘懷三軍的戒備，警察的值勤，以及服務業的員工辛勤，應該致深深的謝忱。

居住臺灣的同胞先人，極大多數是來自閩、粵。因此，臺灣的歲時行事，本來和大陸各省幷無多大分別，一樣是以農曆爲準，且在春節的那五天裡最多雷同，玆特略加敍述其中事實，藉供讀者們瞭然過年習俗的精神所在。

「春節」就是所謂「新正」，指元月初一至初五日，或稱「新春」。家家戶戶在除夕以前，就得備辦年貨，進行掃除，張貼春聯，不僅除舊佈新，寓意吉祥，且有鼓舞奮發，積極創造的作用。例如有的春聯，貼的是：「全民團結開新境，舉國祥和沐春光」，所寫的春聯，非僅字體遒勁，墨色酣厚，紅色紙張特別精美，還有印製名家手書的春聯供衆選用，推行中華文化，使之發揚光大，相與年畫的展示印贈，在今日臺灣是一件大好的現象。

初一「開正」，時辰按年不同，依循各年干支而定。在前一日「除夕」，各戶例皆守歲，門口懸掛紅綵或八仙綵，廳堂點燈，神桌燃燭，供疊柑塔、甜粿等，插「飯食花」。祖先靈位前面，供奉清茶，甜茶等類，八仙桌繫著桌圍，上置高貴的名種花卉。一過午夜的「開正」時刻，俗稱「接天地」。一家大小焚香祀神祇，祭祖先，接著焚燒金紙，燃放爆竹，祭拜完畢各喝甜茶，祝賀「新年恭喜」，在迎喜避厲的儀式後，始去就寢。

在「新正」期間，有所謂「噴春」的，一是鼓吹者吹奏吉祥音樂。也有貧寒的人，手執著榕樹枝懸掛著紅線串的古錢，美稱「搖錢樹」，口唱：「新正大發財，錢銀湧湧來」等吉句，藉以索討紅包。到寺廟燒香禮拜，祈求福祥，稱之「行香」。親友間往返「賀歲」，或稱「賀正」、「拜年」，敬奉甜飲，互道吉利，賀客攜帶兒童的，主人贈送紅包，叫做「壓歲錢」。還有元旦外出，應先朝著吉利方向起步出門，此謂「出行」。並且，元旦不煮新飯，食隔年陳飯或吃麵線，寓有延壽的意義。

祈求大吉大利的預卜一年事事融洽的兆頭。全家老少在新正裡談笑風生、一團和氣。忌諱煎粿，毀損碗盤瓷器，垃圾暫不掃出門外，避免掃出家財福氣。人與人之間，口不出惡言，絕不與人打架，父母也不打罵子女。忌用刀剪、白色、又忌食粥、午睡。新正種種的忌諱，無非是認為一元初始，萬象更新，首重吉祥喜樂，在人們心理上、精神上，蘊蓄著歡樂年年，大家來過著一個快快活活的新春佳節。大陸上昔時過年，如果偶一失手碰破瓷質碗盤，則用紅紙包好碎片先丟在一邊，嘴裡還說「歲歲平安」。假如兒童口出忌諱的話語，在壁間貼有「童言無忌」紅幅，長者也念念有辭的說著：「童言無忌」、「童言無忌」，甚至，用紅紙擦擦無知孩童的嘴巴，而最忌的，孩子說到「死」字、「夢字。

初二「做客」，主要是媳婦回娘家去探親，也就是女兒「歸寧」。當然，「歸寧」、「做客」，不一定限於正月初二，大致是初二到十五日，少不了帶禮品、紅包。娘家對初次來拜年的外孫。致送雞腿或給紅線繫的古錢，謂之「結衫帶」。

初三「赤狗日」，不宜外出，亦不宜宴客，迷信的說法，假如外出或是選來宴客，會令其人「貧赤」。入夜要提早熄燈入睡，家中並撒鹽米在地，俗謂該日「老鼠娶親」，鹽和米是爲「老鼠分錢」的。

初四「接神」。由於舊臘二十四日「送神」昇天，灶神與地上諸神奏報天庭公畢下降人間。灶神龕子兩側貼著「上天言好事，下界保平安」的聯對，供拜牲禮、果品、甜料等物，幷燒金紙、神馬，燃放鞭炮，叩迎神祇降臨，賜予宅第平安吉祥。臺灣諺語：「送神早，接神遲」。送神應於黎明以前，接神概於過午舉行儀規，這樣卻與吾鄉江蘇時間相反。

初五「隔開」，意即「新正」從此結束，大陸各省稱初五是「財神日」。各戶撤去供拜神明的祭品，屋內積穢移往戶外，商家視爲開張日期，開市大吉，拜神宴客，大放鞭炮，一切又恢復正常。如今，台灣省內各地，若依傳統，變化尚不過大。可是，一片新春景象中，過去在大陸上，還有元宵節鬧花燈等拜神娛人活動，他如初六「偸椿」、送「財神」，送「麒麟」、「打錢叉」一些娛人自娛的民俗餘興，使賀節氣氛逐漸淡化而趨於農忙。

寶島臺灣，享有無限的幸福。大陸各省與隔著海峽的臺灣，原是一體同命，要使三民主義統一中國及早實現，反共思想與全民團結是當前迫切課題，我們應該具有憂患意識，明辨是非，認清敵我，增進新春的愉悅。

小宇的「一、二、一」

人的慣性，越小的越受到疼愛。

小宇是公女的長男，還差一個月，就是兩足歲了，目前體重十四公斤。長長烏黑的秀髮，大耳朵，嘟嘟的臉蛋，有一張吸引人的嘴巴，乍看總以爲他是一個小「女生」，實際是頑皮、好動，善解人意，模倣性強的男孩子。

爬高，是小宇的傑作，站在桌上，有時還放上他的小籐椅，直立上面，喊著「好高啊」，算是他最得意的時候。他會聞樂起舞，有板有眼，蠻有韻律的，他會唱出「妹妹背著洋娃娃」的兒歌，只是不成腔調。他所怕的是雷聲、鞭炮聲響，還有就是黑夜裏的窗外亮光，只要說一聲「亮亮」，他就被遏止得安靜下來。

最喜歡到公園走走，自由自在，毫無拘束，那當然比終日蹲在公寓裏，要開闊得多。爲著怕他亂跑，並且，跑得很快，不得不在他的背上束好皮帶，就如牽著「狗」似的，給他一種安全的適度自由行動。

愛玩水也是他的趣味之一。放進澡盆就賴著不肯離開。在那溫熱的浴水裏，玩他的舟車之類的玩具，更用雙手拍水，濺得滿頭滿臉都是水，而他笑得愈是開心得意。

電視每日開播的國旗飄揚，整齊的國軍威武行列的出現，給他小心靈的烙印最深。這種環境的薰染，加上軍人世家的不經意教育作用，都具有深遠的影響。

現在的小宇，和長他四歲的表哥存康都有同樣舉動。記得他表哥一歲以後，凡是見到國旗，就會舉手，注目敬禮。如今，小宇也不例外。

中華民國的國旗，有著藍、白、紅三色，好鮮麗、又調和，而且明朗、醒目，使得孩子們幼稚心靈中也充滿敬愛的赤忱。小宇走到那裏，只要一見到青天白日滿地紅國旗，他的小小眼力特別敏銳，竟會脫口而出的喊著：「國旗！國旗！」深怕別人沒有看見，藉此大聲引起注意。他不僅在喊：「國旗」，並且舉起五指併攏的右手，朝著國旗所在的方向敬禮，是那麼認眞其事的，一股凜然的神情。

他在家裏看到電視裏的服裝齊整的軍人或警察，他會脫口而出的說：「一、二、一」，起初大家並不注意他所說的含義。因爲，有時他會肩著一根手杖，或扛著一支竹竿，一邊走路一邊數著「一、二、一」，原來他將齊步走的口令，代表他小小心靈中的軍人或是警察。

外婆帶他到忠烈祠，看到儀容端莊，精神抖擻的健壯衞兵，看到他們的交接，看到他們的列隊。在這樣一個嚴肅的永祀國殤精靈的殿堂，一點也不怯場，他照樣的喊著：「一、二、一」，還緊跟著換崗的隊伍跨步走著，惹起很多觀光客對他的舉動發出微笑，並且攝入鏡頭。

於是，他每次隨著家人上街，只要看到軍人或是警察，他就說：「一、二、一」，好似看到青天白日滿地紅的旗幟，知道這就是我們的國旗，他也很自然的說「國旗」一樣。

孩子猶如幼苗，國旗也好，軍人也好，警察也好，都象徵著國家的形象與精神所在，對於如犢的孩子，灌輸或感染愛國的情操，說它是理智的，或是情感的，近朱者赤，近墨者黑，多少都具有一點教育的作用。

小宇愛國旗，愛軍人和警察，並不是家人刻意導引的，完完全全是基於環境與耳濡目染所致。爺爺和公公都是在抗戰期間就是軍人，他爸也曾是軍人。如今，舅舅是軍人，他每一次看到牆壁懸掛著的舅舅肖像——短短的頭髮，大大的兩耳，高挺的鼻樑，明亮的雙瞳，緊閉的嘴唇，穿著雪白潔淨的海軍軍官常服，是那麼一位健壯年輕的將校。他總是凝神的注視，雖沒有喊出：「一、二、一」；因爲，他知道這也是一個「一、二、一」，但他是「小舅」！假若小舅一旦返家時，他自會摟著他，親他，喊他的。

說不定，小宇心中的「一、二、一」，都是和他的舅舅一般，是可親可愛的。

因此，小宇卻被接近他的人，甚至所有的人，都愛著他。

誰又不愛一位活潑、健康、有智慧的赤子？

（民國七十三年六月七日）

好一個開心果

小囝乖巧、活潑、健康、不胡鬧，總是惹人喜愛的。「幼吾幼以及人之幼」，也是倫理，也是人性表現。目前丈母娘帶外孫，似乎約定成俗，家家如此，我家何嘗例外？

宇孫是我家第五個孩子——么女的長子，如今已滿十個月的小人兒。當他還在六個月時，就日日夜夜由內人撫育，直到他媽近日由美回國。他最喜愛親近的人，第一位還是外婆，其次他媽，然後就是大姨、小表姐，最後是我和他爸爸。俗說：「鍋不熱，餅不靠」，乳兒似乎也懂得一點人情冷暖，倒不一定「有奶就是娘」。

九點七公斤的宇孫，算是一個小肥仔，他有一副討人喜愛的臉蛋，笑口常開，白嫩的皮膚，柔荑般的雙手，給人在觸覺上特別溫和。有一綹桃形的黑髮，又黑又長，頗有古典的美。嘴裏已經有對門牙，上顎的乳牙也正露頭，助齒器咬得不過癮，常常抓著什麼都咬，尤其咬到別人，在他或許是親切，受者却感到針刺的疼痛，有時，他的兩個小手指喜歡揑人的皮肉，實在不是味道，打他，吼他，阻止他咬人捏人的動作，他會不知所以的哇哇大哭起來。

他的一張嘴，一雙手，利用得最方便。嘴會哭，會笑，會做各種表情，發出咿咿呀呀的聲音，要吃時會有「奶奶」的乞求音調。用手拿玩具，丟玩具，撕報紙，去抓眼前一切的東西，順便朝嘴裏去送，口手合一得很靈活，這種本能發揮到淋漓盡致。另外，聽到音樂會擺動腿和臂，看到電視廣告會凝神，兩條小腿會在人的纔扶下移步，也會打蹬蹬，更會扶著沙發舉步移動，若是任他在地板上爬的話，迅速俐落，隨心所欲，最是他所渴望的事。

他的小動作，是大姨教會的，搖搖頭，霎霎眼，拍拍小手，呵癢引發他不停的哈哈大笑，尤其摸摸他的鼻樑。

最高興的事，坐在浴盆裏玩烏龜、小船，但不喜愛海豚，或許是擺動的雙鰭打痛過他。出門揹著他散步，雀躍不已，幾乎成了每日清晨的早課。因爲，醒得很早，但並不擾人清夢。抱時一定要直著，橫抱無論如何是不幹的。

目前他擁有四輛車子，二部是接受表哥和姨姐的，二部是他爸爸買回來的，都已發揮到邊際的效用。坐臥兩用，可高可低的方方的一輛，既往是他的安樂窩。如今醒時不願站也不願意睡，吵吵鬧鬧，翻來覆去，除非即將入睡，否則難有片刻的寧靜。兩輛可坐可臥的推車，一較簡單，一較複雜，只有外出看途程遠近，來決定取捨。另一輛俗稱螃蟹車，底部有輪，穩坐其中，去來自如，那簡直是滿場飛，一下客廳，一下臥室，一下書房，書籍、報紙、衣服、什物，被他攪得滿處滿地，迫不得已，用短繩繫牢，使他無法遠走亂跑，只急得他大叫，除此他是無法如何的。

熱天兜著紙尿布的嬰兒，會有濕疹，小宇最怕熱，短衫短褲頂適合。可是，水喝得越多，尿也相對的增加，拖地板是外婆日常工作之一，累得腰酸背疼。勤把尿，多換褲，因此，這小傢伙的褲子，幾乎佔著他所有上衣的兩倍，若是光着屁股的話，自然而然地，他會用手拈著自己的命根子，在他小心眼裏，認爲是隨身攜帶的玩具。

從一個小生命的撫育，到他成長、茁壯，眞是不輕鬆，不簡單的。俗說：「養兒方知報娘恩」，父母劬勞，永遠永遠也報答不完的。我和內人很小離家，不用說親恩未報，二老俱爲我們擔驚受怕，眞是受累而亡，欲報無由，徒增愁悵，何止「子欲養而親不在」？根本就是人爲的，將家人父子隔離得那麼久遠，稍盡奉養之職也無可能。所以，我們五個孩子，從幼及長，享受親情，常年孕育在愛的懷抱中。如今，從我們所出的二男三女，他們已經有著七個下一代，生命的延長，在我們這些凡夫俗子的眼光看來，總算差强人意。內人對於兒女孫輩，嘗盡辛苦，甚至冒過生命的危險，盡到一己母性的責任。長女的一男一女，日日相處，時時照顧。次女的三個，遠居臺中，偶爾也得推愛關切。長孫康康，留住國內一年有餘，刻刻生活在一起，是一個非常乖巧而伶俐的寶寶，我們無時不在懷念他的舉止笑貌，如今，遠阻重洋，天涯海角，思念爲勞。

么女幼兒平宇，長得壯，健旺充滿活力。內人撫育這個孩子，眞是無微不至。有說「情到深處無怨尤」，母女愛，祖孫情，小囝的歡樂，爲我們解除不少的煩惱，牙牙學語，排除我們無量空虛。每當我公餘回寓，看到宇孫出現走廊邊的滿臉笑靨，迫不急待的等我去抱他的那一股喜悅，而我職業的疲倦，隨著清風頓告消失，美滿的人生，洋溢我心深處。他是好一個開心果，讓大家在和諧中度過歲月。生命的希望，像一盞永遠光亮的燈，照耀著我那日近黃昏的人生，燦爛輝煌。（民國七十二年五月）

風帆助車行

餘暇讀到梁實秋氏著的「雅舍小品」，內中「旅行」一篇，提到「掛帆之車」他不曾坐過。頓然引起我抗戰期間豫皖旅行，不僅看到如白羽輕振的掛帆之車，成群結隊在黃土平原中踽踽前行，而且，我也曾親自乘過這一種車輛，別有一種感受。

以空間換取時間的八年抗戰，我國地大人衆，而交通不便却是一個事實；不僅當時無法大力發展交通，甚至破壞路道阻塞敵寇坦克部隊的突入，也是支持長期抗戰的辦法之一。但是，軍民所需，利通有無，再加上往返行旅，交通依然還是重要的環節。因此，有許許多多前所未見的交通工具產生，來適應當時的交通狀況。

淮河以北，黃河以南，津浦鐵路以西，所謂蘇魯皖豫邊區所在，是一片廣垠無邊的黃土平原，水道很少，不便舟楫，唯一的依靠便是陸路，可是機械車輛鳳毛麟角，最缺乏的就是汽油。路是人們需要才走出來的，賴以交通工具，何嘗又不是應運而生？

由漯河經周家口到界首、河溜兩鎭，有一條塵土飛揚的公路，十天半個月，難得有一輛卡車通行。平常運人運貨的工具，大致有二種：一種是獨輪車，俗說是雞公車，一種是平板車，又叫架子車的。另外，也有用來長途跋涉的脚踏車，那後輪上的車架特別方而大，便於載重貨物；前輪旁邊還得加添兩根指粗的鐵條，强固車把的力量。這種脚踏車載貨載人，快速無比，畢竟載重量是有著限制的。

騎騾騎馬，以騾以馬載運貨物的偶然也有。當時駐防的有騎兵師，騎兵旅，整團一色馬匹的有的是，非常壯觀。陸軍養有馬和騾的也不少，一是作爲軍官的坐騎，一是用作馱運輜重械彈糧秣，甚或作爲牽引火炮的用途。本來，皖北渦縣、蒙城這一帶，是我國騾馬三大產區之一，幾乎家家戶戶養有牲口，那時並沒有將它組成運人運貨的機構。縱或有人騎馬、騎騾，更有過多的毛驢，可是，小媳婦，一些娘兒們，只能騎同性的牲口，假如，姑娘們騎乘的是一隻公驢，將會笑掉「趕脚」的大牙，也會使得乘坐的羞得面紅耳赤，不敢上路。

穿越豫皖兩省，長途運人又運貨的，還是依靠人力推挽的車輛，早行夜宿，成幫結隊，浩浩蕩蕩，點綴荒寂的大地。獨輪車載人載貨，推挽的人旣夠辛苦，坐的人又何嘗有半點舒適，唯一的，免得背著行李走長路。假如是孩子坐在上面，手小脚短，一起步說不定會被車子震動滾下車來，索性用帶子綑著孩子們的腰，固定得讓他安全。

這種獨輪車，只許一個人推，吱吱呀呀地循路前進，推的人要用活力，還得運用技巧，兩手和腰桿是掌握重心的中樞，至於增加一個人在前拖，自可減少推力，不免開支添多一些，往往是半大的孩子，不忍老父親常年辛勞，力不勝任，義務跟隨來幫忙的。

架子車的雙輪，利用脚踏車的橡膠輪胎構成，已不是古老傳統的獨輪車可以比擬了。既可載貨，又可以載人，客人舖蓋一放，或坐或臥，聽其自便，車伕曳車前行，快慢自如，爲著遮陽，還得用布搭篷，使行旅稍有舒適之感。

無論陰晴雨雪，鄉野大道，總會有著獨輪車、架子車的來來往往。打尖休息，簡單至極，夏天吃一點稀飯饅頭，或是一大片西瓜，冬天來一碗甜麵條，或是一盤熱豆腐，算是美味佳肴。「未晚先投宿，雞鳴早看天」，入夜歇宿，土舖，秫楷席，放上自己隨帶行李，一眠而過，不然店主供應的又髒又厚大棉被，少不了會有幾個蝨子，這種行旅生活的艱苦，絕不能和今天同日而語的。

大晴天，再有風，尤其夏秋之間，車槓掛著布帆，藉著風力，使車順風快駛，讓車伕省却不少氣力。也只有在黃土平原上的皖豫一帶，看到如此的風景線。其實，風帆非常簡陋，有用白布做的，也有用麵粉布袋縫製的，似白鳥振翼，飛翔在廣漠的原野，點綴在這荒寂的漫漫長途中，增添一點景色。但又像無數的白旗，迎風招展，氣象萬千，使旅人減少客中的孤獨，也給車伕加强內心少許寬慰，至少在風吹車動中，一日之中多跑幾里路程，好早一點到達預定的終點。

「掛帆之車」，早經成了歷史的陳跡，它所以存在，是由於主客觀的需要所致。如今，記起有這麼一回事的人，或許已經不多，何況，時代的變遷，那裡再有什麼獨輪車，架子車的，更談不到掛帆行車了。

這些過時的交通工具，只有在電影裡偶或一見，那已經不再眞實，確堪供人們的回味。

思孫情切

我那「華裔美人」的長孫，將隨他的雙親返國探親。記得去年，我們夫婦去美，當我抱起他問他「我是誰」？他只搖搖小腦袋而無言，我告訴他：「我是爺爺。」他迅即說出：「你是爸爸的爸爸」，說出這一句話，多麼令人欣喜，這大概是家庭教育的成果。

快七歲的長孫，暑假後就入小學二年級，既沒有哥哥，又沒有妹妹，這孩子家居的時刻是寂寞的，他在電話中向奶奶說：「回臺北要一隻小狗，純白的或是咖啡色的，都很喜愛。」想必是一個人在家裏玩得不起勁，找一隻小狗作伴，可以排遣很多的時間。

一些年華老去的人們，兒女遠離膝下，只剩二老相依爲命的，就怕寂寞的侵襲，能夠耐得住寂寞的人，一種是職業上的限制，必須習慣於寂寞的生活，軍人生活就是一例。其次，有著努力追求的目標，或是專心於學術的探討，或有情誼深切的知己，可以互訴衷曲。還有健康的體魄，寧靜的心靈的。如此，寂寞就會免於環繞，也就無空虛與單調之感。所以說，人不能離群索居的。

成人最好不會感覺寂寞，孩子們也是需要如此，這要靠修養與磨鍊，非三言兩語就能實現。

適當的休閒活動，兒女們的晨昏定省，是老人們生活與精神的慰藉。孩子們有雙親的呵護，有自己友伴嬉戲，再有自己最喜愛的寵物，使小心靈裏更是充實。老與小的處境是難以並論的。

常常隱藏我心底深處的相思，記掛那活潑清秀的長孫，夢寐渴望的歡聚終於一旦實現，雖或短暫，而那天倫之樂，總是一種最大的人生享受，我在期盼他們的歸國。

中秋月夜

在中國詩裡，飽含生活體驗，人生哲理，例如：「月到中秋分外明」，「每逢佳節倍思親」，在家人歡聚，共賞皎潔月色，該是天上人間最好的際遇，可是，好景難再，缺憾往往伴着人生。有憂有喜的遭遇，有時遠離，有時緊緊地如影隨形。

原本出生在美滿家庭的人，對中秋佳節印象特別深刻，幼時情景，最易甦起追憶的相思。秋收剛畢，又近中秋，金風送爽，丹桂飄香，一輪明月光照大地，正是美麗逾恒的夜晚。孩子們的歡忻，成年人的閒談，都爲賞月充滿興致。拜月少不了新鮮的菱角和花香藕，還有用茄子做成耕牛，也有做成白兔，這都是媽媽或姐姐的巧手的傑作。桌上少不了還有柿子、石榴、香瓜、月餅。另外一對彩紙紮成的燈塔，燭光搖紅，露天絕對不怕風會吹滅。

這些兒時中秋美景，早經不復存在。我的經歷三個中秋，常常會從猶新的記憶中，頻添幾許人生苦樂參半的感受，相信許多人或有逾於此的，不妨聊作談助。

民國二十七年，武漢在抗日戰爭中堅守已近最後關頭，人口和資源的疏散緊迫不已。我在武昌好不容易搭上一列南下火車，旅客多，車廂少，擠得連插足的餘地都沒有，爬上車頂盤膝而坐，竟有人滿之患，誰都在想前進一步總是好的，誰料時刻俱有生命的危險。由於沿途停靠，加煤添水，旅客上下，還得躲避空襲警報，最滑稽的，當日本飛機將近，火車頭一溜煙似的逃離現場，留下載滿旅客的一列車廂，靜待炸彈和機鎗的光臨，膽小的跳車便跑，無畏生死的只好聽其自然，機飛車開，時停時走。臨晚涼風習習，肚裡飢腸轆轆，只有等待忍耐，月亮圓圓的從山的那一邊升起，一片銀光，人看明月，明月照人，懷抱報仇雪憤的勇氣，在這種情景下，毫無半點兒女私情，還認爲這就是人生的考驗。車到汨羅停開，我到街邊找尋客店求宿，方知正是中秋佳節，拜月的爆竹聲響，喚回我的記憶。

民國五十一年中秋是在屏東東港，那時還沒有規定放假。我和幾位資深的飛將軍（如今已有二位作古），就在大鵬灣的水上機場停機坪的地上，共賞明月，歡渡佳節。墨般大武山的遠影，近處大鵬灣的澎湃海潮，還有遍地的椰樹、香蕉樹，俱籠罩在銀色光輝中。人靜夜深，沉寂無譁，看那團團的月華，淒清秀麗，在朦朧裡透露着絕佳的美妙。每一個人，從戎馬生涯中，談最堪回首的中秋事跡，有的驚險，有的駭人，有的發笑，也有香艷。談着談着，幾乎不知東方已經發白，曉雞正在啼晨高唱。

難得期遇的月夜中秋，尤其令人永不忘懷。在人生歷程中，留有一點堪念的留痕。

坡下山居

大肚與大甲溪之間，有一座橫亙的山丘，就是習稱的大肚山。

它不僅屏障著山海地區，由於既不高峻，又不陡峭，得到很多的地利。往常只是種植甘蔗，如今，國防民生許多雄偉壯濶的建築物和一些設施，却在山前山後，山左山右的衝要地方櫛比林立，使這大肚包容著無數的生機，就此因運而生。

勤儉辛勞畢竟會帶來代價，女婿女兒負責守分換來的一點血汗積蓄，在這大肚山的坡邊，營造一棟屬於自己的新居，雖距市區的繁華世界稍遠，山林流泉的鄉野風味，却有一番難得享受的幽趣。當這炎炎夏日臨頭，我倆夫婦在此暫充寄廬，寧靜的度著悠閒的歲月，爲愛白雲盡日閒，勞碌終朝的生活中剩餘一些消閒日月，寓居山間的無所事事的生活，何嘗非是人生難求的淸福？

當黃昏薄暮，從遠遠的高聳樹梢悄悄飄然過來，那一些原本明朗的峯嶺，村舍、林木、溪流，漸漸地模糊起來，朦朧的黑暗，替代的遮蓋著一切。只有天邊的殘霞，還在透露一絲絲的多餘彩色，似乎還在拼命的掙扎，不甘願就此沉淪沒落，又像是竭盡餘力的奮鬪，要想將落日餘暉，再散發多樣的燦爛光芒。可是、漆黑的夜境來臨，不是人力所能挽回的，站在廊下，徘徊欄邊，眼見所有景物都已消失在無可探求的虛無飄渺的幻境，只有空際閃爍的星辰，遠處市內的光亮燈火，點綴著着一片錦繡大地，使它充溢著無聲的肅穆，這該是靜止的時候。

強力撕帛的怪異金屬嘯聲，從耳畔突然響起，又瞬卽消失的無踪，將我在萌明裡喚醒，開始的，是一個晴明的客居早晨。

其實，在這一個四季爽朗的城市，我曾有住留十年不短的時間，寶貴的流光，就在勤懇工作中消逝，孩子們也在不斷流失的歲月裡成長茁壯。每日習慣聆聽飛機起降的聲音，是我正常的日課，只是，這聲音已經久久不聞，驟聽不無有一點新奇。

讓我邅入往昔思緒裡，究竟是離得太遠太久了。

一切歸於寧靜。窗外的無邊無際的田野，遠山只是一抹黛影，金黃的稻穗佔滿整個的空間，預卜豐盛的收成季節卽將到臨。阡陌盡頭，有叢叢翠竹和雜樹的濃蔭，掩映著數椽農舍，黃綠相間的彩色拌和，襯托著大地的安寧，給我有著閒適自在的溫馨。

在這鄉寓居山的日子，過得非常的甜美。一幢幢雙層的家屋，保持相當的距離和間隔，彼此互不相擾。屋前的方方正正的庭院，鋪着青翠的草皮，綠油油的盎然生機在此呈現無遺。短籬邊植著的，有：玫瑰、棕櫚、檳榔，都還高不盈丈，而一些草本的花卉，却已綻放著紫色、黃色、紅色、白色的花朵，將這一座小小的庭園點綴得繁花似錦，洋溢著人生多美好的景象。

因爲，屋邊有花、有草、有樹木，許多鳥雀不召自來，從山邊森林裡飛越前來覓食的，自由的跳躍，自由的來去飛翔，一無威脅，一無拘束，成了鳥雀生存的樂土，助長人們在這田園環境中消除憂慮的快樂天地。

午後客廳稍憩，一杯香茗，一本自己喜愛的書，斜倚捧讀，樂在其中。縱或室外的樹木尙不能遮住陽光，正好飽看藍天如洗，朵朵白雲，棉絮似的鑲嵌在天際一隅，緩緩地有著稀微的變化。室內無須冷氣電扇，習習涼風，輕輕地，從山間林梢吹襲過來，慢慢地，由田野禾苗頂端跟踪飄進，新鮮的空氣，不斷拂著我的手臉，沁入我的心胸，自然的神妙，只有遠離紅塵方有深刻的體會，臨山濱水的鄉野小住，使人格外感覺到清心的所在，樂於多去接近大自然的薰陶。

暑熱不再炙人，都市煩人的噪雜，更是遠遠離開，處在安謐的境地，心靈特別的爽利，蕭然無聲的享受，的的確確是難得的機緣。

我能夠享有這種福份，任清風徐來的拂拭，令人暑熱全消，揮汗如雨的遭遇，暫從腦裡忘失，行程中的飢渴難當的夏日苦惱，再也不會重臨。坐着、想着，發出叮叮噹噹怪有節奏的風鈴飄動樂章，奏着、奏着，傳送一絲沉靜中的清醒，風送涼意，應該感激，驅送熱氣的蒼天，祂在給予人們的恩典。

游泳既罷的歸來一群，滿頭烏髮還留有水漬的痕跡，那蘋果紅的小臉蛋，個個都有着倦態的神色，挾塗有彩五彩的救生圈、大花球，姍姍走進門裡直嚷着口渴，實際他們玩得都已好累好累，疲軟的坐在椅上，這在孩子們世界裡常常有的現象。

只有林樹，沒有鳥雀噪鳴其間，那是單調的荒山僻野；正如一個和諧的家庭，假若沒有孩子們的嬉戲吵鬧，不無有着寂寞空虛。坡下山居，有樹、有鳥、有孩子們的歡笑，顯得是其樂融融。

往日見聞淡如煙

消遙到處思鄉無

讀名作家吳癡先生「雜憶、雜兵」，往事雖已如煙，而趣味依舊盎然，也就不期然勾引起抗戰期間軍中許多雜事，今日娓娓道來，誠如白頭宮女話天寶遺事，也可作爲茶餘酒後的談助。

民國二十七年秋，我奉派在陸軍步兵師，南潯線馬廻嶺戰役以後，我又轉入戰車防禦砲兵團，二十九年潛入敵後，有時在正規部隊，有時在游擊部隊，勝利以後，組訓地方自衞部隊，復又編入省保安團隊，撤退來臺以前，在綏靖區的指揮所，也就是一個軍部，從事幹部訓練的訓導工作，在空軍整整二十個年頭，那是從三十八年才開始的。

三十年的軍旅生涯，足跡遍及蘇、皖、豫、鄂、湘、贛、桂、浙、川、閩、臺等省，軍中瑣碎雜事不勝枚舉，僅就帶點趣味的小事略述一二。

吳先生筆下的「馬伕」，我的記憶所及，在編制內稱之「飼養馬」，當時我所在的戰車防禦砲兵，牽引三、七口徑砲的還是騾馬，而騾馬來源，大都由安徽省北部蒙城一帶收購，雜毛的較多，頗不爲部隊所歡迎，可是能夠得到補充已是不易，那只能夠有什麼就用什麼，根本是沒有選擇餘地的。部隊裏的士兵，來自湖南的，對騾馬是敬鬼神而遠之，連靠近也不敢，只有借重河南籍的士兵來駕馭騾馬。我們的駐地，由湖南到廣西，再由廣西調到鄂北；在湘桂兩省，河南士兵，安徽騾馬都是水土不服，病患累累，而騾馬死了，除去埋葬，還得剪尾留耳報銷，否則就有吞沒「馬乾」之嫌，虐待不會講話的畜牲，其罪惡尤甚於對一個會說話的活人，所以部隊上下都有此一戒心。因此，飼養兵責任綦重，一個夠資格分配乘騎的軍官，對飼養兵也得稍稍另眼相看，也等於後來部隊的駕駛兵，操縱着主官的生命安全，當然也就特別照顧了。飼養兵對騾馬的調教，有時會要出許多花樣，要你出盡洋相，傷透腦筋，而騾馬的健壯羸弱，在飼養兵來說，更有義不容辭的重責大任。吳先生說到「抗戰時，除了北方或西北部隊，喔，還有些「老」部隊，是否會擁有騾馬的？」但是，抗戰期間，國軍逾二百萬，東、西、南、北、敵前、敵後，確是無法瞭解全般情況的，我那個戰車防禦砲團，砲是俄援，顧問也是蘇俄派來的，官兵各省各地的人都有，幹部以軍校畢業的爲多，騾馬當然也是國產，除非偶爾虜獲日本的大洋馬，其數極少極少。所以這支新建立的部隊，既非「老」部隊，更非北方或西北部隊，乃是道道地地的中央部隊，記得我們駐紮在廣西的時候，就曾受到廣西憲兵和民團的另眼相看的待遇。

傳令兵或稱傳達兵，機警靈巧，且重言談儀態，軍中流傳：跑來跑去是個什麼兵，傳令要靠健步如飛，其答案當然是傳令兵；傳令兼服長官脫馬靴，疊被、舖床、張羅洗臉水，端茶、盛飯等勤務，是免不了的，不像後來分工細密，有什麼行政兵、衞士等稱謂，來伺候長官了。以前在連隊裏，凡是不在排裏的士兵，編在連部的，習慣稱謂雜兵，雜兵各司其職，也是基層單位不可或缺的人物，其調皮搗蛋者有之，其吊兒郎噹者有之，其長進有爲者不乏其人，其創造奇跡扭轉危局者，亦曾見之。

部隊裏有一種爬上爬下的是什麼兵，一言以蔽之：電話兵。不僅是要爬電桿如同猿猴升木，還得不問陰晴雨雪，狂風黑夜，冒著炮火，踏著崎嶇，查線接線，使得線路暢通無阻，當值總機也是本分，那時還沒有「總機小姐」。

理髮兵要比較輕鬆，懶兵較多，也都帶點油腔猾調，看人對湯，既不値崗，又少出操，刀包一挾，生財有道。當兵的一律光腦袋，自己用水先洗頭，等着剃刀揮舞，客氣一點，刷刷幾下，髮落頭光，如果心不在焉，包你血淋皮破，你吭聲，他比你理由充分，還數落你的不是，吵架打罵，也許偶或發生，結果只有咬牙忍痛，趕緊拍屁股滾蛋，因爲後來等剃的，還大有人在。理髮兵對特務長之流，要稍稍恭敬幾分，天下事不怕官，只怕管，理髮兵不稱職，調班當兵，八脚貓的理髮手藝，在軍隊大家庭中，這種人才多的是，當然就不敢飛揚跋扈，持才逞驕了。遇到長官理髮，禮節言談週到，手上工夫，更要俐落乾淨，用剪使刀，小心翼翼，等到整容既畢，當面獎勵，還多給點賞金，無怪理髮兵在軍中，是個十足的勢利鬼。

伙伕就是炊事兵，當頭兒的就是炊事班長。抗戰期間，炊事兵，炊事班長都不易爲，飯不夠吃，煮得夾生，都有「竹筍炒肉」的機會，也就是屁股挨扁擔，那不是人受的。而且，遲睡早起，行軍還得挑著鍋碗瓢盞，甚至柴米油鹽；野戰期間，挨炮彈的機會也多，火線送飯，危險堪虞，命令如山，有理服從，無理還是服從，縱或炊事班長，炊事兵有點油水，但是窩囊氣也就夠受的。

來到臺灣以後，幹炊事的簡直天之驕子，由於食勤訓練，造就若干飯店菜館的大廚，君不見許多大師傅，大經理，都是今日名廚，昔日人所不屑的伙伕，十年河東，十年河西，目前有些老長官，還得靠著舊屬炊事班長混生活呢。我所知道的，據說：某一軍校學生一旦輪值伙委，還得乖乖的買一二條香煙奉送，多喊幾聲班長，買菜，買肉，你就跟隨左右，任其擺佈，若是自認精明，自找攤位買肉買菜，結果做出來的菜，色香味談不到，甚至不夠下箸，首先挨駡無能的是那位不聽調度，自以爲是的伙委。須知，炊事班長到菜市場，攤販眼睛雪亮，只認識既邋遢又醜陋的王班長，絕不認識你志向高大，鵬程萬里的英俊小生。他們之間，血肉相連，利害一致，無怪攤販要對炊事班長加一奉承，自然而然，年有年禮，節有節敬，說不定中午就會自動送菜送肉到家，革命青年那會明白社會的交易之道。記得那還是三十年前的往事：我所在部隊一位空勤餐廳的炊事班長，畜有妻妾各一，居室豪華，餐事既畢，服裝一換，帥勁與神氣，羨煞人也，但是不斷嚷嚷要退伍。這個年頭技術本位，吃的藝術方興未艾，民以食爲天，廚子出洋，比什麼人都要受洋人歡迎，需要性之在今日，是無可抗拒的一個鐵的事實。過去曾經有一個流傳很久的笑話：福利社的一位理髮小姐，被一個軍官苦追不捨，這位小姐竟然說出伙房的老張我都不嫁，何況是你？錢財在庸俗人的眼中，它是代表了一切，認爲錢能通神，足以主宰一切。其實幷不竟然的，只是我輩中人。

往日軍中見聞，只是一片淡淡的淸煙，慢慢地消失無踪，在事過境遷的今朝，也僅僅當作追憶。

（民國六十八年三月二十日）

老友記・老伙伴

新生報與我結不解緣，由來已久，四十年來，我始終站在門裡門外之間。懷舊是中國人在感情世界裡最值稱道的事，既然，有着這麼一個徵文的機會，我就不揣冒昧的執筆爲文，來記述雪泥鴻爪的一些往事，做爲新生報創刊四十年的賀辭。

我三十五年二月到臺灣，在臺灣長官公署宣傳委員會任職，主管報章雜誌登記與新聞發佈工作。不僅受到夏濤聲、沈雲龍兩先生的照顧。而且，多年不見的同學，相聚寶島也是難得，因此，也認識很多新聞界中的新朋友，男女俱有，只是情誼疏密各有不同。

新生報是接受日本移交的臺灣新報改組創立，地點仍在中山堂側，只是迄今已有二度拆建，成爲今日氣象萬千，宏偉壯麗的新生報業廣場。當初社長李萬居先生，是青年黨，頗有個性的本省籍知名之士。副社長黎烈文先生，法國留學生，抗戰前在上海中報編過「自由談」副刊，具有知名度的文學家。他雖是湖南湘潭人，却在上海商務印書館做過事，也在福建教過書。由於黎先生和我沾親搭故，記得曾經陪同內人專程到新生報副社長辦公室拜見過他。李黎兩君交往不深，也可以說並無淵源。（

三十八年以後，黎先生任教臺大時，倒常聆謦咳，走動較勤。）因為至友鳴濤兄籍隸福建，讓我認識一些閩籍文化人。

國大代表馮放民先生編過「新生副刊」，我投稿源源，幸多錄用，後來一位副刊編輯，曾經是我鎮江師範同學，在校印象浮淺，他別出心裁，命題徵稿，却使「新生副刊」盛極一時的受到讀者歡迎，猶如今日仍受讀者的愛好。

記得我曾為新生報寫過一篇特稿，約五千字分兩天刋完，那是報導大陸人民獲得我空軍投糧得救的寫實故事。不僅描述我英勇空軍駕機夜闖沿海各省空投的經過，也敍述大陸人民殷盼救濟而得有實惠的事實。中國大陸災胞救濟總會方治先生特地親自訪問我，給我鼓勵，這是我在新生報投稿的一項意外的殊榮。

在「新生副刋」投稿，根據徵文「我最難忘的人」撰寫發表。那是記敍民國二十八年，我於役宜昌與摯友重逢，不料翌日敵機轟炸，等空襲警報解除返回旅館，只空留一片廢墟的餘燼未息，而伊人從此芳踪永杳，長留餘恨。但此作一經發表，就引起不小的閨房風波，想來眞是有趣。

我也曾經受聘新生報駐南京特派員，那是民國三十六年夏天的事，寫過一些通訊稿，後來改任軍事新聞社蘇北特派員，是受學長楊先凱兄重託擔任，從此與新生報的聯繫就此生疏下來。民國三十八年秋重返臺北，中宣部部長任卓宜老師，為函介紹我入新生報，那時的社長，雖曾一度為師，是留學美國學新聞的名報人之一，召見面談後一直沒有下文。當時友好們希望我退而求其次，儘量為我設法謀一駐外埠記者的職務，本來已經內定新竹，就等發佈，等了又等，依然落空，不得已再回軍中，由新聞官重新幹起，使我再穿二尺半，一直披滿二十年，方始退役。

我是不相信命運的一個人，往往有許多命定的事，你想擺脫也不能擺脫的。我與新生報，原先是門外，却有時似在門內，終於仍然站在門外，而對於新生報有着一分說不出原因的情感參雜其中。

如今，我依舊經常投稿「新生副刋」，依舊經常爲我服務的機構發佈新聞參考稿和聯絡的任務，見報率如何？可讀性又如何？那不是區區特別關懷的。

新生報算是四十年來的老友記、老伙伴，一日不可無此君的相晤斗室，眼看它的成長、充實、壯大、有爲，內心有着無限的喜悅和高興。正如現仍服務於新生報一些舊雨新知，別來無恙，健康幸福，這樣，我仍然默禱執筆勇士們的固守崗位，精神永遠如新！

含飴弄孫樂在其中

中兒是我們家裡的長男，畢竟也娶妻育子了。妻在中兒結婚之前夕，曾經表示：一生爲兒爲女，已經夠累了，孫子撫養，理所當然是他雙親的責任。話雖然是這麼說的，而親情海深，人類天性，當媳婦住院待產的時候，忙不迭去探視的就是她。及之康孫呱呱墜地，我固有含飴弄孫之樂，而妻更是寵愛有加。

稚子喚娘，該是倫理的始端。康孫每每這樣叫著時，不油然地，使我們一家人對他憑添更多憐愛。出生兩個月，媳婦旋卽返美，留下需要帶領的襁褓中幼兒，撫養實是一項鐵杵磨成針的細緻工夫。

說也奇怪，康孫由出生到現時，算是一個絕少哭鬧的乖孩子。每當應該哺乳的時候，小聲哼哼，來提醒家人的注意。醒時睜眼看看，便又入睡，有時醒來東瞧西瞧，並不急著等人來抱。甚至替他端尿把屎的，一吹口哨就會放水；連聲唔唔，也會帶來他的便意。

康孫早晨六時就醒了，等於我家一座靈活的報時鐘。抱他在陽臺上散步，看到什麼都感覺新鮮，細嘴微張，充滿笑容。一到晚間全家團聚，是他最歡樂的黃金時段，有人抱，有人逗，笑語連連，雀躍不已。康孫被抱在他的大姑姑手裡，或是被抱在他奶奶懷裡，都有著快樂自在的感受，一種怡然的表情，會打從那小小的眼神裡表露無遺。

幼兒的康健，繫於先天的秉賦，其次就是成人所給予的撫育照顧。康孫定時喂奶，適時的換尿布，認定冷暖穿衣脫裳，每天還代他洗了一到兩次的溫水澡。

談到洗澡，康孫是挺歡迎的活動之一。赤裸裸的小身軀，慢慢浸入溫和的浴湯，一種暖暖地舒適感，讓他親自體會著；在他一絲不掛，手舞足蹈之餘，拍得水花飛濺，惹得他只是笑聲嘔嘔，樂不可支。但是，一等到洗臉，或是替他洗濯那稀疏怒髮時，自會老大的不高興，逐漸地引起他不耐的神情，唯一的，此時只有用浴巾趕緊將他包裹著抱了起來。

搖籃、手推車、小睡床，都是屬於康孫的恩物。

從出生到今天，康孫的睡眠時間，跟著他的成長日子成反比。現時睡睡醒醒，白天睡搖籃，夜晚睡在有欄杆的小床上，使他習慣於白天與夜晚的異同。有時讓他坐在手推車裡，繫妥安全帶，推著他到處走動走動，接觸到綠野陽光，開開眼界。雖然，在他稚小的心靈中，對這人類的世界一切都很陌生，因此，偶一見到群兒的嬉戲，貓狗的爭逐，火車的奔馳，親人的呼喚，都會凝神注視，喜不自勝。

白皙細嫩是康孫給人第一印象。胖而不肥，鼻挺耳大，雙眼慧中透光，眸子好像兩粒漆珠；雙眼皮，長睫毛，有人戲稱他是「鳳眼」，嘴巴大小適中，唇邊盪漾著誘人的情感。小手修長，左手斷掌，承繼他媽媽的遺傳，小脚姆指折曲，完全像是他爸爸的模樣。

康孫的睡姿，雙手上舉，兩腿半分彎。醒時鵝頭翹臀，如蛙泳水，具有動作的美感。有時猶如小狗似的爬行，在那小天地裡，移來轉去，變換方向位置。

喜歡人抱，直抱最是高興。例外的，喂奶時候的橫抱在懷，他也會安之若素的，抱著抱著，就已進入甜美的睡鄉。

幼兒吮指，康孫自難避免，給他戴著手套，穿著軟鞋，有時得到機會，手指脚指還是一樣的要朝嘴裡送的。這個小生命，這樣一天天的成長，許許多多新的動作，自會從他的嘗試當中，學習到盡善盡美的境地。

人生本是如此創造和開展的啊！

佛教中的「寄名」與「還俗」

老報人劉成幹先生，近在傳記文學第四十卷第五期「新聞界奇人王公弢」大文中，談說之事，頗能引起筆者共鳴。更談到他在故鄉徐州佛寺「長捨」與「還俗」片斷，提到「寄名」的「長大了外出或結婚時也不用還俗」。有人說：十里不同俗，劉先生與筆者俱係江蘇同鄉，但我親身經歷就與他所說的不盡相同，爲供民俗學者作研究參考，或爲茶餘酒後的談助，走筆談談我個人在佛寺「寄名」與「還俗」的一段經過。

我家集子西北，有一座大廟，查看縣志初創於元，再興於明，幼年看到廟裡許多的碑記以及楹聯題名，可以實證如此。先一世祖御龍公是明初由蘇州遷居於此，艱辛備嘗，家譜記載是：朱洪武圍攻蘇州城三月始破，將蘇州擁戴張士誠的「頑民」嚴令播遷，因而定居距離縣城一百一十里的鄉僻。信佛是家鄉人皆如此，所謂燒香拜佛，給我印象非常深刻。稍有資產人家的幼兒，要托庇佛祖保佑，使之長命百歲，因此商請高僧收納爲徒，賜一法名，書明紅帖，粘貼在廳堂牆壁上。由於家鄉那一座大廟，前後四進，佔地很廣，殿堂櫛比，僧侶衆多，初名東嶽廟，後名國慶禪寺，我家在鄰近數縣是一個旺族，自然成爲廟裡最大的施主。

幼兒佛寺寄名，當然首先選定黃道吉日，家長帶著孩子到廟，並且準備禮物。由知客僧先行照料週旋，和尚們各著袈裟，排班誦經念讚，鐘鼓齊鳴，香煙繚繞，極盡莊嚴肅穆之能事。由家長携帶幼兒緩緩進入大雄寶殿，跪在蒲團上，聽老僧念念有詞，但不知說些什麼，唸些什麼，讚些什麼，唱些什麼，相信都是些誠心皈依信佛，將獲長命百歲的祝禱語辭。不久禮成，師父還送小徒弟一件僧衣，是紅緞子裁製的，以後每年歲暮，大概是臘月二十四日的中午，這孩子們都已放年假，閒居在家，由一位老道人，沿著集裡街巷吆喝：「小和尚吃灶飯啦」。其實這一餐飯，倒不一定比家裡好，由於孩子好新鮮，而且，不受大人的拘束，群兒畢集，自由自在的狼吞虎嚥，好不舒適。所以到廟裡吃灶飯的寄名小和尚，也有三四桌之多。所吃的，都是麻油燒的素菜。我深切記得，每年差不多總是四菜一湯，什麼炒水芹菜，燒茨菇，油煎豆腐，雪裡紅炒百葉，還有一碗雪白如奶的茨菇豆腐湯。飯是糙紅米，煮的香噴噴的大鍋飯，吃得津津有味，打破瓷碗的事，也是常有的，因爲，素菜裡有著很多的麻油，滑滑的使小手捧持不牢，可是，在旁的道人，從來沒有疾言厲色的呵責，瞬卽替你換碗，甚至用圍裙替你擦拭衣服沾的菜汁，這種從小就一年一次在和尚廟裡做貴賓的滋味，可惜享受太短，十二歲那年，我就離開故鄉，外出求學，小和尚吃素齋的生活，隨之中斷。如今，我偶爾到尼庵僧舍，就會有着這一段甜美的回憶。

民國二十九年，由重慶跋涉萬里，輾轉返回故鄉，少小離家，只是一個幼年的頑童，如今，還帶着一個年輕貌美的女性同來，她雖然是異鄉客，言語欠通，習慣有異，幸好娘舅袁先生，任財政部統稅局局長，很巧就駐在附近，異地逢親，小時印象仍然存在，所以逾常的親切，承允爲我倆主持婚禮。鄉村文明結婚，無需坐轎，也不必乘船，還有小學裡許多老師幫忙籌備，並且還有風琴奏樂，司儀是一位今天還健康如昔的郭老師，不久方在臺北一個國小退休的。婚禮是新式的，入洞房、拜堂倒是遵循古禮。記得二老看到我們這對新人正欲下跪行大禮的時候，就起身說：「行鞠躬禮就好」，省却我倆的跪拜。可是祠堂拜祖，廟裡還俗，一切從舊，還是沒有免掉。

拜祖要叩頭，儀式簡單，祖先只是默默的神靈，心到神知就是。還俗却有一套，也是一齣鬧劇。婚前三日，穿着長袍馬褂，那是先兄特地要我裁製穿著的，因爲「二尺半」總覺有一點兵凶戰危的感覺，而西裝領帶在鄉村也不適合，寺廟裡去還俗，身邊帶着很多零錢，（那時銅板還在流行）。備着禮物四盒，浩浩蕩蕩的進入山門。還是跪在大雄寶殿裡有墊子的石蒲團上，站班的和尚，都是些舊會相識，幼年在一道讀私塾的小友，主持還俗的老和尚是方丈，法相莊嚴，令人肅然起敬，距離二十年的時間，又突然縮聚在片刻，跪在佛前，聽梵音磐聲，百感交集，人生多變，由童稚而成靑壯，歷刼歸來，家人父子重相晤見，非比尋常。彼時大亂未已，重任在身，益加珍重爲國的默禱；誰知週後我又告別我那親愛的故鄉。

老和尚在肩上加披一件元色袈裟，另外，他手裡持着一把蘆葦紮成的掃帚，口裡喊着：「……你不會燒香，也不會侔佛，今日把你趕出山門外，子孫富貴萬萬年」，我就在衆僧禮佛聲中，老和尚怒叱裡，轉臉站起就走，擺脫了披在身上的袈裟，照着預先有此經驗的家人囑咐，再也不能回頭看，也不能慢慢地走，愈快愈好，像競走似的，一邊飛跑，一邊撒落袋裡的零錢，叮叮噹噹，再加上不斷的鞭炮聲、鐘鼓聲，並在看熱鬧的大人孩子們的笑聲中，結束「還俗」的一幕戲劇化的表演，眞是稀奇得可以。

在一個佛教家庭生長的人，寄名在大和尚的座下，給我的法名，好像是上悟下本，從小就成了一個準教徒，但我並未戒葷，只在幼年時，大年初一全家吃素，平常我不一定吃素，也不一定吃葷。不像有一些人，如初一、十五吃「花齋」，也有吃「觀音齋」的。自己生日、父母生日吃齋，這些規定，那完全是出於至誠，無須勉强。至於念經，我是得力於幼年一些和尚朋友的傳授，也看到先父虔誠的早晚課，那我僅僅會背誦金剛經的片斷，其他算是一竅不通。假如，果眞是一個和尚的話，那準是一個馬趨子和尚。

「寄名」佛寺是被動而無知，「還俗」倒是順應雙親的要求。爲着習慣，爲着終生大事的結婚，非如此不可。實在說來，少小離家，好不容易在烽火遍天下的當時，還能回到生長的家鄉成婚，二老和家人的喜悅，是可想而知。不忍有拂親心，入鄉問俗，也是人情之常，更是聊盡爲人子的一點點孝心，在此脫臼的鬧劇中充任一個主角。所幸，表演得絲絲入扣，皆大歡喜。

臺灣寄寓已近三十六個年頭，伉儷情篤，兒孫繞膝，黃昏雖近，而心裡的太陽，依然燦爛，充滿光輝；流霞映在藍天，任微風吹動白雲，仍舊到處有着美景，散佈着人生的眞趣，回溯往事，又何嘗不是意味無窮？（民國七十一年七月十一日）

髮辮酸甜錄

在機場，在街頭，常常會不期而遇，看到洋人男子漢，于思滿腮，長髮披肩；有的滿臉藤蔓，一片荒蕪，有的絕似一捆稻草，有的活像幾莖麥楷，這些成束或如莖的鬍鬚抑是頭髮，並且經過一番人工紮了辮子的，招搖過市，惹人注目。國人往往認爲這付德性，既奇且怪，有一種先天抗拒性，視之極不順眼，大概是由於歷史慘痛教訓下的成見；而洋人怡然自得，瀟灑依舊，充分顯示著並不妨礙大衆的個人自由，因此，我行我素，倒沒有入境問俗，探詢我國人士對此的觀感。

有時處在一個同一場合。青春少艾，烏絲如漆，輕盈動人，編髮爲辮；有的龍盤環繞，有的水蛇旋轉，有的粗索雙垂，有的纜繩倒掛，還繫以色彩紛陳的絨線，竭盡修飾點綴之美，特別具有一種黑髮柔和的感覺，極其秀麗雅緻，愈顯婀娜多姿，過往行人，無不側目而視，添加幾番欣賞，多從心底發出無言的讚賞。

醜者自醜，美者自美。惟以醜爲美者固有，若以美而竟認爲是醜的，當然世間也有其人。如果本質既美，儀態亦呈美感，這種眞正的美，是使人受用不止的。假如，我們從頭髮或鬍鬚結成辮子這一件小事上冷眼旁觀，也不難找出何者爲美，何者爲醜的癥結來的。

不健忘的話，中國男子在中華民國紀元前的結髮爲辮所受的痛苦，是駭人聽聞的。我們今天從洋人的結髮編鬟成辮，自由自在的旅遊各地，國人青年婦女在髮式不斷翻新中，也有以辮子來炫示其美的，其樂其趣，各有心得。誰知由髮辮是一項甜美享受的，那會追尋既往的辛酸況味？

中國在民代以前，男女皆是束髮爲髻的。及之滿清入關，下剃頭辮髮之令，俗說：「留頭不留髮，留髮不留頭」，志士仁人爲着幾莖毛髮的保有，拋頭顱，灑熱血，誓死反抗異族的統治而犧牲生命的不知凡幾。

一種制度的持有，一種制度的變易，都是經過不知多少血和汗的爭逐，和若干年代的遞換。清代全國男子皆剃頭而辮其髮，曾經是血淋淋的暴政，在太平天國成立的時候，雖嘗下令蓄髮，而天國亡後卽仍其舊。但是這種爲編髮辮，本來就是夷狄之制，根據南史夷貊高昌傳：「男子辮髮垂之於背，女子辮髮而不垂。」大金國志有載：「金俗編髮垂肩，留顱後髮，可以色絲，富人用珠金飾，婦人辮髮盤髻」。滿清是金人的後裔，所以沿用其先人的遺制，於是中國男兒顱後拖著一條尾巴的辮子，竟達二百八十六年之久。幸天佑 國父推翻滿清，建立民國，當 國父在民國元年一月一日就臨時大總統，三個月內十六項建樹裏，其中第八項，就有通令全國禁絕鴉片，國民一律剪辮，嚴禁女子纏足惡習，來解除國人在身心上所受的苦痛。

滿清統治中國二百八十六年的歲月裏，男子結辮固然不知害苦多少了，民國成立後數十年，這一種遺毒方始全般革除，又不知經過若干曲折？髮辮弄人雖然已是陳迹往事，其中尚堪列舉一二，資爲談助。

國人向來諱言死字，常常以「翹辮子」一詞來替代。昔時死刑採用砍頭的方式來執行的。擧刀處斬的劊子手立於犯人身後，而受刑的雙膝下跪，雙手反綁樁上，爲得使犯人引頸就戮，另以一人扯著髮辮，易使劊子手下刀；而且身首易處之後，抓著辮子就等於提著頭顱，示衆領賞，均易着手，這是死刑犯的辮子效用之一。

據說同治六年，清廷派赴歐美的欽差志剛，參加法國拿破崙第三的宮廷舞會，身穿滿清袍褂，垂着長辮，婆娑起舞，或是坐在凡爾宮裏作壁上觀，那一副尊容和穿着，確實是夠引起別人注目的。

清朝同治十一年（一八七二年）清廷派遣聰慧幼童赴美留學，當時最大的十六歲，最小者十歲，這些孩子們穿着寬袍大袖，背後還垂着一條辮子，其形其狀，自會引起美國頑童的興趣，由於扯小辮子發生打架的情事數見不鮮，中國工程師學會創始人詹天佑就是遭遇這些惡作劇的主角之一，這便是辮子風波的典型例證。至於清末青年們民族意識的覺醒，東渡日本留學，自己先剪去這種羞辱象徵的「猪尾巴」，返國又戴起一條假的小辮子來適應環境，索性也有剪髮西裝而給社會認爲異端的，也大有人在。

民國成立，任教北京大學的辜鴻銘，算得上一位學貫中西的人物，少時遊學英、法、德等國，一直活到民國十七年，始終拖著一條「鼠尾」，他確實是位抱辮以終的老怪。

還有一位擁戴溥儀再做宣統皇帝的張勳，他算得上是個軍閥中的老頑固，生平反對國民革命，愚忠廢淸的人。他不僅未剪辮子，所有的官兵莫不如此。在民國六年六月，由安徽督軍的身分，率領麾下的辮子軍五千人，（一說一千多人）進入北京，原是調停黎段之爭而來，竟向溥儀上奏復辟，讓年方九歲的宣統於七月一日再登寶座，演出受百官朝賀的滑稽劇，直到七月十二日兵敗逃亡，方始結束淸室面南稱帝的一樁大禍。從此張勳的臭名永留青史，他與他的部屬辮子，當然引起辮子遺風的話題了。

余生也晚，沒有趕上要留辮子的時代；幼年生性頑劣，對那些依舊拖著髮辮的長者，有過很多的失敬。民國十六年，北伐軍抵達江蘇，我們一羣小頑皮，奉教師之命，携帶利剪和紅紙，看到有辮子的人，悄悄地趕上去一剪，落辮用紅紙包上奉還，還來一段聳聞的說辭；這些人又氣又惱，喃喃咒罵的，痛哭流涕的，比比皆是。因爲有一些人很迷信，認爲身體髮膚受之父母不敢毀傷，也有認爲辮子好端端地被剪，不死也會脫一層皮，但面對我們這羣蠻不講理的一伙，莫可如何，只有自認倒楣。其實他們對辮子的來由，早已不知其然，更不知其所以然了。已經忘却漢賊不兩立的民族精神，以及先民誓死反抗暴政的從容就義的史實。這種近於認賊作父的乖張行爲，從茫無所曉的漸漸成爲的一種陋習，大力革除，是有其必要的。

有時看到畜辮的一對，吵架繼之動粗以前，雙雙先盤辮子再擺姿勢，誰也怕讓敵方抓著你的小辮子。欠債不還的，債主與欠債的，雙方將辮子繫在一道，默默坐在一邊，誰沒有忍耐，誰就先轉圜，否則，由日出到日落，拼坐到底，除非有至親好友出面調停一番，雙方才各自分開。這些辮子另一面的趣事，是我喜看熱鬧所留下來的記憶。

捉弄髮辮老人的惡作劇，我曾經表演過。那是跟隨先父到鄰近一家赴宴，在我尚未就座以前，看到兩位編辮的老者結伴同座，談得投機熱絡；我靈機一動，迅捷將兩條辮尾拴在一道，然後岸然入席，等到席終人散，兩老還得求助他人脫身。當時看到他們轉身不便的尷尬窘相，樂在心中：「誰要你們還留著辮子不剪？活該。」

剃頭辮髮雖往矣。撫今思昔，重提舊事，也足以說明，一個自由意志，一個暴力强迫，是大異其趣的。而且，有人不願探究本質，只重表層的現象，那會演變成南轅北轍的。清制的編髮爲辮。民國因循日久，反視剪辮蓄髮不以爲然，寧非怪事？相約成俗，積非成是，往往由此形成。

因此，良法美俗與判明是非在於倡導，在於教育，在於傳播，在於力行。以此喻他，令人深省。

（民國六十八年六月十日）

常走的一條路

有人常常講，路是人走出來的。如果，是人們用脚走的路，而無半點抽象或是寓意的話，在目前已無可能。尤其是在都市生活中的人，路，依然是需要花費人們很多智慧、汗水、金錢等等舖設構成的。

在近二十年裏，我經常走過的路，已非當年曾經跋千山涉萬水的那樣，不再使我的雙脚，受盡委屈才能發揮最大的功能。現時每日走的路，僅是南海路的短短一段，假如，閉著我的雙眼，在摸索中也可以走到我該走到的地方。因為，這短短的一段路，我是太熟悉、太熟悉了。甚至，路上的事事物物，我都瞭無於懷，我的生命之旅，也就在這種單純而機械似的生活中，悄悄地逝去、逝去而日漸老大。

不要小看我常走這一段路，它的左右一些建築物裏面的人們，却關係著國家民族盛衰的重大責任。農業復興的輝煌成就，在此有著發展機構。林業開拓的基礎也在此，單單繁殖的綠竹，就有六十多種，呈現欣欣向榮的景象，這兩者農與林，就成為中華民國富强壯大的發動機，不斷的在南海路上開動。

文化教育是百年樹人的不朽根基，舉國知名的建國中學、國語實小，它年年在作育人才，培植國家未來主人翁。南海學園的社教機構林立，而名聞國際的國立歷史博物館，三十年來，蒐羅保存的歷史文物與美術品，就已超過十多萬件。每日吸引慕名前來的人，不僅是國內各個城鎮鄉村的，就連國外的人士，皆來看看古老中國從泥土裏發掘出來的銅陶文物，滿足亟待探覓的新知。還有美國的文化中心，它是作爲中美文化交流的一種象徵，經常展示屬於中國人的西洋繪畫和雕塑品。

一些開放的文化場所，任人出入，自由的閱覽和欣賞，將不致讓你抱著失望回去。植物園裏的穠密林樹，常年一片蒼翠。尤其，那風光綺麗的半畝方塘，碧波蕩漾，綠肥紅瘦，弱柳多姿的搖曳，清香陣陣撲鼻的花香，成爲男女老幼的樂土，也是市區可享林谷之勝、園亭之美的所在，難怪在晴朗的白天，甚或月明良夜，多少人俱願在此流連。

這小小一段路，住宅很少，店舖也是少之又少。已往的飲食、照相的店舖，由於一把火將它都變成廢墟，就連違章建築的漢中飯店，老俞擔擔麵、山東餃子店，宜蘭冰果店，不是喬遷他處，卽已失去踪影。如今，存在的都已是新的面貌，原有的景象不復再現。代之而起的，那是拖吊違規汽車的集中場，那是賣油炸臭豆腐的小吃店，那是「漢堡」、「三明治」，那是速食麵、紙盒裝的冷飲，還有，冷熱飲的販賣機。我所想的，花生湯、紅豆湯，那四十年前習見的古老甜食，要得嚐嚐的話，需要另費一番尋找的工夫。但是，在這一段路上，只堪追憶，空留一些殘影，寬闊、平坦的柏油路面，安靜的時候愈來愈短，若是站在南門市場的天橋上，看從林森南路地下道蜂擁而出的各式車輛奔馳向西，眞像一股急流，大有「逝者如斯夫」的感慨。當車輛鑽出的刹那，何嘗不似黃昏的蝙蝠，成羣在夜空飛舞。失去了寧靜，換得的是無限的繁雜，車潮、人潮，一波又一波的，整天佔有這繁華都市的一角，這也算是街頭的卽景，以這小小一段的行人車輛頻繁，足以概括全市。

人行步道，遍植高大的棕櫚，一眼望去，構成一道盎然的綠牆。雖然，也有一些枝葉盛茂的雜樹，和勁節飄搖的翠竹，從院落裏出牆爭妍，不但不會嫌惡它們的蕪蔓，反而覺得增添幾許這兒的雅幽，縱或鐵欄的阻隔，仍然有著牆裏牆外渾然一體的感受。行人從人行步道上瀏覽院裏的景色，大可領略亭榭花木的卓約丰姿，小塘波平，可數游魚的悠遊。當我初初見到南國的棕櫚，不無心頭稍有一點感傷，那日子久了，故鄉水濱的垂柳成行，幾乎已從我記憶中排斥殆盡。常常有一種癡想，棕櫚幹如巨人，梢頭枝葉，酷似亂髮滿頂的浪漫成性的詩人。我非巨人，也非詩人，更非弱如垂柳的頹廢漢，還稱得上是一位飽經風霜的頑强不屈的健者。

鋪在步道上的方磚，本就有著鮮艷的紅色，如今，有的只剩一片灰紅，有的刻紋是外圓嵌著菱形，有的只是溜溜光光，破裂的未能適時更換，被人挖走的，却留著凹塘，晴天會使人摔跤，雨日積水，猶如汪汪的小池。一些粘貼不牢的，踏在上面咯咯作響，落雨就會噴出泥漿，弄濕你的褲管，旣覺尷尬，且會帶給你無謂的懊惱。

人行道上奇異的景觀，大都是挖挖補補的後果。這一切的一切，人爲的自私自利是最大的因素。另外，阻街的攤販，摩托車的散列，狗主放任寵物的撒野，皆足以使這一段比較岑靜的人行步道，摻雜著零亂的不潔。

我所喜愛的，只有夜深和清晨的沉默獨行，這一條道路會給我無限的歡暢。

（民國七十五年六月）

那個烏髮垂髫的小女孩

我認識一個日本小女孩，那該是六年以前的事。

最初只知她名斯蜜江，後來才知道她的姓名高林澄江，雖然，我曾經在抗戰以前學過日本語文二年，偶爾能夠翻閱日文書籍，可是講起來，幾句慣常客套話還勉强湊合，稍稍表達意見的言語，那就不怎麼靈光。而小小斯蜜江說起話來，音調柔和，謙和得體，正如黃鶯出谷般的悅耳動聽，態度文靜，動作幽雅，不失是一位富有家教的日本兒童。

時光倒退回去四年，我到日本曾作短暫的旅行，當年在臺北曾有一面緣分的斯蜜江，已經進入小學一年級，依然童稚可愛，身材高了一些，背著皮質的方型書包，與匆匆的跟著同伴一道去上學，傍晚隨著同伴一道哼著兒歌回家，飯後用鉛筆寫著日文功課，朗讀日本教科書，從小僅僅曉得她自己是日本人，有和她二個哥哥一般的生活習慣。

世間許多事情，常常如風雲變化似的，令人難以捉摸，也沒法加以預測的。想不到數年未見的小女孩—斯蜜江，竟然在中國已經住了二年，而且，從永樂國小轉到仁愛國小，是讀四年級的在學生。

從外表看，一頭長髮烏黑閃亮，梳著數條貼著鬢邊的辮子，梨形小臉蛋，紅潤富有光彩。鳳眼、高鼻樑，一張會說話的薄唇小嘴。長條個兒超過一百十五公分，穿著淡紅的衣裙，像蝴蝶，又如小鳥一般的依偎在雙親的身旁。

我是來參加她雙親創設的公司開業酒會的來賓之一，地點是來來飯店。有健康的父母，養育健康的兒童，斯蜜江的爸爸，一表人才，整潔清爽的衣著，說著標準的國語，態度誠懇，忠厚實在不似世俗的商人，而且，是一位年輕的技術專家，又是企業家。媽媽氣質高雅，秀外慧中，身材高䠷，談吐輕柔，是一位現代畫家，也是一位賢妻良母型的新女性。

斯蜜江受著家庭環境薰陶與在我國國民教育教誨中，我幾乎已經不再認識她了，當初她那純粹日本女孩的模樣，在我腦海中判若兩個不相同的類型。

從多次交談裏，我瞭解斯蜜江的雙親原本是熱愛中華民國的人。她爸是三代日本華僑，原籍福建，祖父在抗戰前夕被日本逼迫返回上海，勝利又回到日本重理舊業。媽在國內接受的高等教育，二十年前方始嫁到東京去的。目前的日本國籍，是在中日斷交而不甘心事仇的一種權宜之計。

一個流有中國血液的中國人，應該具備中國人的氣質，不必裏裏外外一概洋化。所以，斯蜜江隨著媽媽返國定居最大的先決條件，就是徹頭徹尾完全接受中國的教育。環境相異的融會貫通，開始並不習慣，一進永樂國小的校門，首先克服同班同學的異樣眼光，有喊「日本人」的，也有喊「日本小鬼」的，唯一答覆好奇同學的說話：「我是中國人」，「我是中華民國臺北人」，可是，這簡單的一句話，費得媽媽將近三天的傳授。另外，注音符號的學習，幸好有一位會講日語的老師耐心教導，斯蜜江這孩子並不簡單，聰敏有智慧，具有語言天才，不僅在很短暫時間學會注音，國語說得朗朗上口，照課本宣讀得非常流利，甚至，還能和外祖母說些閩南說，初聽是不會發現她曾經生長在日本六個年頭的小孩，能夠就很快適應一個新的生活習慣與讀書環境。

長到十歲的小孩，自我意識漸漸濃厚，有時，還會有著自我主張。斯蜜江在校有中國的姓和名，校服上釘著自己的名牌，不願再有人稱呼她的日本名姓。她聰慧伶俐，悟性很大，記憶力强，一手中國字那麼方方正正，娟秀猶如她的母親。下筆作文，按題列出綱要倒很像一回事，別人的修正意見，常常不爲她樂意接受。她喜歡和女生一道進出，談談說說，玩得特別開心，不大和男生交往。放風箏、騎脚踏車、摺貼、繪畫、吃巧克力糖，是她的愛好，畫的用色，鮮艷多彩是她心愛的色調，幾乎和媽媽差不多。口香糖不進嘴，大概是與她矯正門牙有著關係。

看電視入迷，多少妨礙功課的溫習，晚睡就不肯早起，因此，她媽管制必須做好功課，才可以有選擇的規定能看的節目，黃梅調的電視劇、歌仔戲，還有歷史劇，她是絲毫不肯放棄的。

爲著催她早起，她爸特地買了一座能夠喚醒起床的鬧鐘，聲音激越響亮，不起不休，非常管用。

愛讀課外書，是斯蜜江的優點之一。這些故事書，俱是著名出版社發行的。開卷總是有益，這樣促進她小小心靈中瞭解更多事物，也逐漸明白中國的歷史和風俗人情。

富足的社會、富足的家庭，無論男的或是女的小孩，往往會自由發展個性，表現在日常生活當中的，就是暴露隨心所欲的脾氣。適可而止是一種正常的發洩，無休無止，便就養成驕橫的蠻不講理。斯蜜江的爸媽，倒能堅持管教原則，喜愛不是放任，要培植她從幼苗逐漸成爲巨幹，希望一個烏髮垂髫的小孩，使她明日成爲中國典型的淑女。

噪音

陽明山麓，磺溪之旁，雖然近年建築物林立，住戶密集，還不失爲一片寧靜地帶。

初初喬遷在這一個所在，左右青山環抱，一衣帶水的淡水河悠悠長流，多暖夏涼，清風常拂，門前車輛往還至稀，自認福地福人。而窗外叫賣的聲音，由於地域與噪音不盡相同。大小與節奏的差異，多少皆有一點誘惑的能力，要你靜聽不忍抗拒。晨間賣包子熱饅頭的山東老鄉，騎著一輛老舊單車，後座放置一隻追隨已久的小木箱，街頭巷尾，穿來轉去，叫賣不停。夜深賣燒熱粽的，準時準點的，就會在樓下響起一種悠長悽清的聲音，往往正是我午夜夢迴的時辰，惹得我輾轉反側好幾分鐘，然後再又進入甜美的睡鄉。夏日賣冰淇淋的小販，「咕叭」、「咕叭」的小喇叭發出的怪異叫聲，會引起成人們的嚮往那音響所在，說不定去買兩粒淺淺涼。孩子們聽到了，無論是午睡已醒，或是朦朧待臥的，頓時精神振奮，誰也不願放棄這種旣涼爽，又香甜的暑期的消夏食物。

近年的都市更繁榮了，燈紅酒綠的浪潮，也已波及到這一寧靜的所在。「啤酒屋」是多麼簡明誘人，具有原始風味的桌椅，淡淡並不黑暗的燈光。一杯清涼的啤酒在握，泡沫外溢，沁入胃壁，三五敍舊，既飲且食，興致濃烈，樂也融融。有些不醉無歸，深夜始散的人們，意興姍姍地跨上機車風馳電掣的奔向歸程，那抽去消音塞的摩托車，發出有如噴氣飛機起飛刹那的噪音，呼嘯從遠而近，由近去遠，一波一波，接踵來去，這種衝擊力大的巨響，能夠迫使你徹夜無眠。若與往年夜深人靜的偶爾狗聲狂吠，簡直無可比擬。

噪音在這兒的形成，習慣的每天有多種，算是科學昌明帶來的附屬產品。一上午就有修理紗窗紗門的，賣草藥的，兜售醬瓜醬菜的，以及叫賣黑猪肉水餃的，下午就是豆花，猪血糕的叫聲不停。賣的東西很多，因此，各式各樣的會在不同時段出現，一片嚷嚷。

叫賣是一種促銷的方式，相信自古以來就有肩挑負販的暢通有無，只不過販賣的物事與工具有著差異。最明顯的，現時是用小型貨車載物出售，再有，叫賣已經不是拿自己的聲音不斷吆喝，採用男聲或是女聲的錄音，經過擴大器不斷的傳送，音響響徹雲霄，遠近俱聞，此起彼落，誰也不甘稍稍降低音波。鄰近的住戶可慘了，沒有你不聽的自由，除非你是一個聾子，你要寧靜無聲，享受一點耳根清靜的一分福氣都不行，只有叫、叫，一種難以忍耐的噪音，粗壯、高亢，不堪入耳，但你卽便塞住你的耳孔，依然，還會鑽入耳膜，令你難安。

唯一希望那製造噪音，和一些協助製造噪音行業的人，如摩托車廠商、電子製造工廠、替人錄音的男男女女們，大家修修德，積積福。假如你自己和你的子子孫孫不願意做聾子的話，你先得明白噪音的禍害，儘量避免擴大音量，爲你自己和家人，也爲你的子子孫孫去設想，叫賣無妨保持悅耳與適度，千萬千萬，不要製造噪音。

只寄舊情，不言憔悴

應未遲自選集印行以來，我忙不迭的購讀。由於讀其文而知其人，知其人而加深一層愛讀其文，這有連帶和雙重的因素存在。

應未遲實就是袁暌九的筆名。因爲他姓袁，又是湖南人，我總以爲會和孩子們老外公可能是一家，正如我原先猜想袁德星（楚戈）一般，結果是同樣姓袁而已。

在文壇富有盛名，而公共關係特別圓融的應未遲，他爲人熱忱、謙和，做事負責、盡職。早爲朋友們所樂道。曾經從軍，歷經八年抗戰的艱苦歲月，遍嚐戡亂時期的流離生活，而他却以筆桿代替鎗刀來仗義執言，力闢邪說。當他來臺之初，曾經在海南墜機，幸好撿回一條小命，謀生却以傳播事業當他有始有終的唯一寄託，在臺南任中廣公司臺長多年，遷調臺北，依然爲中廣效力不休。公餘爬格子撰稿，算是一位筆耕的多產作家，眞令人佩服他的文如潮湧，差可與聞見思、墨人、鐵佗相比擬。綜觀他在臺出版的書就有：七首集、重見故鄉、我和我家、藝文人物、旅路、輕塵集、第一先生等，至於在報章雜誌所發表的小品、散文、小說等，恐怕無從統計，這是事實。

應未遲自選集選刋四十三篇文章，約二十萬字，篇篇我曾細細的閱讀。有的我過去已經讀過不只一遍，有的我是從自選集裏啟發我的同感。尤其，他所選的如：重見故鄉、毛線背心、別離、童年瑣憶、家書、永懷吾父、外婆的塑像、兒語三題等篇裏，給我很多的回憶，也引動我很多的自發情愫。相信，一些早年曾經是反日反帝愛國知識青年，一旦燃起抗日戰火，拋棄家人投身軍伍，縱或是在生死邊緣生活，備嚐物質缺乏的艱苦，始終如一，樂觀奮鬥，大有「醉臥沙場君莫笑，古來征戰幾人回」的一種豪情。及之，慘勝以後的戡亂戰爭，既不能解甲，又不能歸田，遑論勝利還鄉？堅持既定主張與目標，反共、反共，其精神苦痛，實際遭遇的危險，又何亞於抗戰時期？來臺以後的個人種種的變化，因此，思鄉、思親，不油然地會從筆尖流露下來。但復國的信念，始終不渝，固守崗位、敬業樂羣的志節，永遠也不會動搖分毫。所以我說：應未遲自選集，雖未註明是自傳體的描敍，也未說出是回憶錄的旁證，至少，他的文章的坦率直陳，有汗有血的選述，我們這些中年以上的人，對篇篇具有刻骨銘心的重溫舊夢的眞實感受。相信，當今的年輕人，讀過也會體念過去相近半個世紀的國家和家庭、個人，是怎樣一種形象。我的一位同事，年歲輕輕的小姐，從出生到現在，過的都是物質不虞匱乏的優渥生活，她讀罷應未遲的自選集特來問我：抗戰期間，襯衫沒有現今好的質料嗎？線襪有破底還會再穿嗎？我朝她笑笑告訴她：八年未穿皮鞋，六年未看過一場像樣的電影，妳會相信嗎？

應未遲的文字基礎，植根其嚴父的教導，再由文學校讀罷軍校，又去接受新聞專業教育。以一個新聞記者的敏銳觀察力，加之他的特强記憶力。洋洋灑灑，集字成篇，簡潔淋漓，眞情畢露，讀來欲罷不能。留有深刻的印象，絕無語句冗長、詰屈聱牙、倒裝費解杓恃下杓流行病。

「北極風情畫」中的男主角

——李範奭將軍的片斷

北極風情畫言情小說作者無名氏，新近從滯留的大陸到了自由的香港，不僅他的親友關注，也由於透過大衆媒體，引起世人的注目。

三十多年前，當無名氏所著「北極風情畫」出版應世，眞是洛陽紙貴，無論文武青年都爲之震撼，俱對這位青年作家深表敬佩，而書中故事人物，更爲之嚮往，尤其軍中的智識青年們。無可否認的，筆者如我——一位身着二尺半的小兵，曾就薪餉所得，購到這本愛讀的小說。

無名氏本是卜乃夫，現名卜寧，江蘇江都人。抗戰期間曾任職陝西軍事機構，其兄少夫，不僅是新聞界的聞人，創辦新聞天地，可以說是享譽國際，曾經任職空軍。大家都知道中國的空軍的那一本圖文並茂的報導性的雜誌，從民國二十七年直到如今，幾乎未中斷過的月刊，少夫就曾盡過最大的心力，如今是香港地區僑選的立法委員，常川往還香港臺北之間，還經常聽到他略帶鄉音的宏論，以及讀到他文筆犀利的大文。其弟幼夫，陸軍軍官學校的正期畢業生，棄武從文，緊隨少夫的步伐，幹過新聞記者，現時是展望雜誌的負責人，穩健謙和，是我二十五年前晤面的印象。

文學上卓著貢獻，爲着侍奉老母盡其孝心的無名氏，因此，在心靈上相信受過無自由的創傷，現時既由杭州到達海外，何去何從，似難遽作論斷，筆者藉此機會，略述他著作當中的北極風情畫中男主角。

男主角影射的是李範奭將軍，有人說並非其人，筆者論爲許多情節是指李的，實際一篇小說，倒不定是眞人眞事，多多少少不是虛構，也就耐人尋味了。

李將軍是韓國人，爲他的祖國獨立自由，眞是歷盡艱辛，出生入死，算得上是一位民族英雄，革命先進。

民國二十九年，李將軍在重慶浮圖關上，是一位中將大隊長，當時誰也不知道他是韓國李範奭，他是王大隊長慕白，雲南講武堂畢業，說的帶着一點生硬的北方官話，短髮、四方臉，眼睛加上一幅黑框框的眼鏡，不常的粗壯身體，標準的將材，具有威武嚴肅的神態。夫人是高加索人，皮膚白皙而健康，儀態端莊，唯一的公子，當時大概是三歲，活潑惹人喜愛。

我們一批比較頑皮的學生，惹過他生氣，也因爲我們和他人動過氣，更由於我們常常緊張得使他不知所措。

記得有一次晚會，是兵演兵，兵唱兵。他老先生一時興起，手持一把木劍，又唱又舞起來，悲壯悽涼，大有「風蕭蕭兮易水寒，壯士一去不復返」的感受。有人說他是一個日本人，這可惱火了他，可是，他又不便辨解到底是那一國人，大概足足生氣有一個禮拜。

他對他的唯一寶貝愛子，常常讓他在大操場上，要他去找他爸爸的寢室，不准別人抱持或指引，在他要從幼培養孩子的獨立性格。從這些小動作裡，偶爾談到他在東北原始森林中的遊擊生涯。他說有一次騎馬在森林裡，緊跟着他的一個敵對者步步相隨，他是時時刻刻準備回馬還擊，走着走着，終於化敵爲友，一致抗日。又談到他任國軍某一軍的參謀長，他帶同二個衞士隨行，不意遭到埋伏的敵寇襲擊，衞士陣亡，他利用衞士的鎗支還擊，幸好有一凹地掩蔽他，激戰將近日落，他才脫險奔返，並且還檢回二枝三八式的步槍，他在榮幸死裡逃生的得意之餘，特地將一枝步鎗從壁上取下，讓我們參觀。

有時，在他酒酣的時候，談到他在冰天雪地的作戰的艱辛，也談到他由東北撤往西北利亞再進入國境的過程，使我們對這位鋒鏑餘生的將軍，興起無限的欽敬。

軍人重階級，也特別重視服從。有一次他站在臺上正向我們講話，萬萬想不到，蔣委員長突然到臨，委員長從行列裡由後而前，一一巡視，我們的大隊長一時不知喊「立正」口令，木立臺上也不走下來「敬禮」，楞了半天，才慢慢步下臺階隨着委員長的身後，看遍了隊伍。更有一次，蔣委員長點名，大清早，霧沉沉地，天氣有點寒冷，同學們有裡穿紅毛線衣的，竟被委員長發現，狠狠地訓斥大隊長管教無方，他只有恭立聆訓，微微發出「是」、「是」的忠誠回響。

音樂幹部訓練班是我們的芳鄰，整天咿咿呀呀的練唱，惹得一些同學發動情書攻勢，本來異性相吸是常態，何況那些小妮子個個楚楚動人？事爲華文憲將軍獲知，不僅公佈情書，還向我們王大隊長問罪，但也惹得他理直氣壯的給予毫不容情的答覆，迫使華將軍沒趣的撤退。

民國三十四年抗戰勝利，韓國獨立，其政府正準備由上海回到他們的祖國，筆者路過上海，到旅館去拜望他，結果未遇。他回國後任國務總理，又出任駐華大使，總因時地的不湊巧，沒有見到他。後來他準備由韓來華訪問，同學們準備歡迎，結果未能成行就去世了。

民國六十七年有韓國之行，本想到我們這一位異國恩師墓前一弔，但沒有如願。聽說，他的公子已任國會議員，確否待考。目前許許多多的韓國朋友，早經忘懷他們政府中已故的國務總理李範奭，就是昔日與我們共過患難，曾經服役中國陸軍，又曾率領韓國光復軍的王慕白。他的一生志在復國的情懷，以及他的傳奇生活，何嘗沒有溫故知新的啟示吾人公忠體國的價值？

無名氏重獲自由，我們固該爲他慶幸，他的著作「北極風情畫」小說，不妨從坊間買來仔細地翻閱一番。相信，從書中的人物和情節，會給我們在心靈上獲得一些充實。

水原面貌

陳寶忠駕駛中共米格十九在韓國水原基地降落投誠，這一喜訊，引起我對水原的回憶，相信國人因此對水原面貌，也會希望對它有一點認識。

在漢城西南的水原，適在通往釜山高速公路的右側，左邊是通往民俗村的。

水原城郭如昔，雄偉壯麗，是一九七八年復舊完成，耗資韓幣四億八千九百餘萬元，歷四年的時間。原建於一七七〇年，又名華城。其建築原本中國城制，依據我國老宋字刻本「華城城役儀軌」漢文，並附圖說，乃有一座中國式的城池，屹立在韓國的土地上，作爲一項觀光的資源，城裏住有不少中國的僑民。

城的全貌是東低西高，南城之外，北門近側有天然深溝，長塹環繞全城，周圍二萬七千六百尺，以里計則爲十二里有奇。城中有一條龜川縱貫東西，淺流涓涓，岸植雜樹，因而水門之一的華虹門邊有溢水小壩，橋跨川上，滙流成爲「龍淵」，形似半月，旁築「傍花隨柳亭」。右邊隆起突出的古稱「龍頭」的長隴，可作釣臺，桃柳點綴其間，風景不俗。登臨遠眺，平野無垠，近處水波漣漪，游魚可數，確實是一遊憩佳地。

水原城郭，女牆雉堞，門樓、舖樓、角樓、砲樓，一應俱全，就是空心墩、弩台、烽墩、將臺、敵臺，一些從未得見的攻防古代建築，也很完整。

南有八達物，北有長安門，東有蒼龍門，西有華西門，並且俱有甕城，可見規模的完備。

西南角端，依八達的山勢，城牆突出的地方，建有華陽樓，居高臨下，林木森森，環繞週邊，是水原全城景物最佳的一隅。具藝術修養與科學根據的古色古香的水原城。也啟發多少歷史演變的回想，興亡存廢的感慨。

朝霞社及其它

朝霞社是一個文藝寫作的團體，從民國十八年到抗戰前夕，它在江蘇省境是很聞名的，尤其它創始在江蘇省會的鎭江，接近京滬，頗爲文壇所注目。當時鎭江有蘇報，江蘇省報，新江蘇報，還有一份類似南京朝報的型式四開報紙，副刋發表的文藝作品，朝霞社的成員投的稿很多，而且每週有朝霞副刋，記得有一個時期，朝霞社也有自己的朝霞月刋，是單行本，鉛印發行的。

一談到朝霞社，似乎先談相錦江，此君也是鎭江中學的學生，當時大家都喜歡稱他相大頭而不名，熱心文藝創作與文藝活動，但是他的倨傲與粗暴的態度，很多人并不喜歡他，抗戰期間據說他在新疆，一說在西北，由於各自西東，況且當時在鎭江時代的文友因環境不同而各在一方，所以彼此也就相互不再聞問了。

由於讀青年戰士報新文藝副刋，看到唐紹華的時光隧道所撰各文，舊話重提，看事深切，筆走龍蛇，依然是文藝工作的健者。想不到他已是七十二歲的老學長，但看到他最近的小影，還是那麼瀟灑，還是那麼健康，和五十年前比較起來，除去年齒日增是無法挽留得住的，其餘，他的外貌依稀當日，而他的閱歷的深邃，觀察力的敏銳，老而彌堅，純正忠貞，令人不勝敬佩。我所記憶的唐紹華，也是該從民國十八年開始，假如我的記憶不錯的話，他應該是南京人，那時正是青年有爲，能寫能說，會打球，會編劇，滿身是力，精力充沛，好像永遠不疲勞，永遠也不要休息似的，眞是朝氣蓬勃，健旺異常。他攬文藝活動，比讀書要有興趣，遂與從事民族文學的王平陵先生很接近，他先進入南京中學讀書，我到南京中學以後，很少機會與這位學長接觸，因此他的「大蘿蔔」暱稱，右我被人稱爲「黑屁股」的美名，再也無人當面稱呼了。不過，我的同班同學潘敏女士，是我們全校最美的一位小姐，後來成爲唐夫人。

唐紹華在抗戰期間以及抗戰勝利，及之來到臺灣三十年來，他從事編劇，導演，以及執筆爲文，都是懷著熱忱，忠愛自己的國家民族。由於我在抗戰開始卽行投身軍旅，南北征戰，東西移轉，雖然沒有放棄文藝工作。近十年來，我轉任文職，好像有三五年沒有唐君夫婦的消息，我總以爲他們賢伉儷去美國享受兒女們的淸福了，想不到，原來他個人還在臺灣，對文藝工作並未退休。

我在民國二十四年又回到鎭江，就讀江蘇省立醫政學院。是陳果夫氏所創立的學校。而我對文藝寫作，仍舊非常熱中，我常以裏運河以及淮河以北的鄉土題材來執筆，以發抒個人的心象與民間的疾苦，本著安內與攘外的一致願望，曾經用詩歌，散文，小品，中短篇小說，還有專題報導，分別在徐州、鎭江、南京等地的報章發表，我依稀記得，目前在臺灣從事文藝工作的宣建人，還有寫詩的完白，曾經在南京相處很友善的姚愼機，他們與朝霞社都是有點關聯的。其中宣建人抗戰從軍，和我一樣，直到臺灣他在海軍以及中國青年反共救國團服務，我們才能彼此謀面相識。完白好像很早就完了，他是一位短命的詩人。姚愼機在抗戰時先在西安，勝利以後他出任江蘇省政府教育廳的督學，我在鎭江和他晤談過一次，戴著一付黑框眼鏡，雖然眼睛還是那麼有神，較比十年前的健談好辯，不可一世的態度，收斂了不知多少，又老成，又滿有學問似的，還不失一位文藝工作者的本色。至於他怎樣來評估我的？一身草綠人字布軍服，一頂軍便帽，一付兩顆梅花領章，一雙光亮亮的黑皮鞋，相與南京相處時倒底有怎樣的變化，他沒有直說，我也沒有明言，從此天涯永袂，不復再見。

與唐紹華談到朝霞社時，曾經提到詹潔吾，洪爲法兩人。詹潔吾在我腦海中，是一位五官端正的人，似乎并不怎麼健康，嘴唇是烏烏的，不知是抽煙過量，還是睡眠不足，此人態度很友善，長於寫作劇本，雖然也是我的鎭中老師，並沒有直接教過我的書，我只是崇拜他的文學與文藝寫作，假如今天詹老師還健在人間的話，頂多似曾相識，或許，壓根并不認識我這一個學生。

至於洪爲法，江都人。算是滿腹經綸，也是自命不凡的人物，他教過我的書，而我并不是他所喜歡的學生。洪老師聽說患過肺結核，脾氣因此就很暴躁，我的個性素來執拗不馴，兩人常常爭執，殊不知他的文人氣質很濃，情感也特別豐富。我在二十九年夏季，由重慶經鄂、湘、贛、浙諸省到達當時江蘇省政府所在地的東臺，大概由於我在戰報發表一篇連載的專稿，題名「重慶歸來」，約在二萬字的寫實之作，洪老師看到這篇是他學生的手筆，特地找到我寄寓之所來看我。一別多年，戰地重逢，洪老師悲喜交集，垂詢我重慶的現況，以及後方抗日的準備與情緒等等的問題，我都據實一一地作答，因爲洪老師的弟弟們都在重慶，也是他關心而想由我口中得到一點訊息。這時，他在教育廳任職，已非昔時那樣的不羣神態，似乎已經蒼老得多。記得他與我曾經同在「江蘇青年」發表過激勵青年抗日的文章，他寫的是論著，我寫的是一篇小說，題名「秋天的風」，並且還惹起一位教育界老前輩對我的不快。後來，因爲新四軍的襲擊，日寇僞軍的環攻，隨軍轉戰淮東各地，洪老師也就從此失去聯繫，據說在勝利以前便因肺疾棄世了。

鎭中老師們，固然詹潔吾，洪爲法愛好文藝，對朝霞社有著影響。而對文學研究有深厚基礎，且影響有益予我的，尙有任中敏老師，盧冀野師，錢用和師，對填詞吟詩，以及中國文學發展的認識，開我很多的茅塞，特爲之記述一二。

朝霞社只局限於一隅，對中國文藝發展不無微勞，其中唐紹華是一位不屈不撓的戰將，就中華民國文藝史的觀點，對他稍事頌揚，這是應該的。

抗戰前的湖南才子易君左，在江蘇教育廳先任秘書後任督學，家住鎭江靑雲譜，與鎭江中學毗鄰而居，由於家學淵源，文筆簡練流暢，他所撰的「江蘇民族英雄故事集」，不知喚回多少江蘇青年步上愛國抗日的途徑，而他的「閒話揚州」，惹出揚州閒話，易君左矣，只是當做他在文學造詣上一種閒話。彼時軒然大波之所以引起，自有其複雜的背景，此與他的文學創造牽連一道，在於他這一本「閒話揚州」裡面用字遣句太過輕挑了一點，易君筆下或以爲幽默有趣，而站在揚州人的立場，實在侮辱太甚，難怪像「假鳳虛凰」電影一般，惹得衆怒。想不到三十年後，易君又曾爲此撰文，有所申辯，差不多又有波瀾，幸經故友錢兄代爲緩頰了事。（民國六十八年七月十六日）

年迎壬戌且談狗

中華民國七十一年，歲次壬戌，屬狗，因此以狗爲題，談狗。從人類觀點來看，狗是具有靈性的動物，是人類忠實的友伴。本來「大者名犬，小者名狗」，如今狗犬通名。

若在畫家的眼中筆下，畫家視畫狗最難，根據後漢畫家張衡有言：「畫工惡圖犬馬而好作鬼魅，誠以實事難形，而虛僞不窮也。」明此，國立歷史博物館爲倡導民俗藝術，幾乎在一年以前，就專函邀請海外國內可以畫狗的畫家們參展，截至年前收到的將近三十幅，比較精采的有：張大千：「玩狗春至」。林玉山：「獅狗迎春」。季康：「儷影雙雙」。鄭月波：「洋狗羣像」。周以鴻：「靈犬迎春」。黃磊生：「貝貝乖乖」。李汝匡：「隨冬獨獵」。鄭善禧：「竹犬圖」。黃永川：「西藏神獒」。涂璨琳：「伴侶」。另外，還有梁中銘、李奇茂、梁秀中、歐豪年等。至於歷代繪犬名家，不若長於繪寫牛馬。例如：魏有曹髦、隋尉遲跋質那，晚唐趙博文、李衡、齊旻、鍾師紹、孫位、吳越張及之，北宋趙令松、高益、馮進成。當然，中國人畫狗的歷史很久遠的，只是「初民作畫，如童子之畫壁，幷無若何目的」，因此，想到什麼，看到什麼，信筆一塗，但是告訴我們一個事實，狗成人類好友，至少也有幾十萬年。如今高山峻嶺的蠻荒地區依然仍有野狗似狼般出現，畢竟狗成六畜之一，誰都不會否認的。

狗屬哺乳類的動物，食肉類。口吻突出，犬曰三齒長牙銳利，是禦敵的利器，聽覺敏銳，視嗅兩覺亦然，被畜於人後，已從肉食獸，變成雜食的動物。單以狗名：就有犴、狄、狡、獖、獝、獫、狣、獒等別稱，更有美名：守門使、義畜、家獸、黃耳的。

玆根據前人頌揚狗的藝文，試錄兩則：

闕名所著傷斃犬賦：「何仲尼之仁智，雖敝蓋之不棄。憫畜狗之將死，恐肝腦以塗地，豈不以其守禦之功多，惻隱之情至？況歲年馴養，倏忽非命，生而效能，死不因病，分以身首，委其陷阱，我誠拙於人謀，彼何傷於物性？雖無衞生之智，且有天然之職，出其門吠非其主，知其愛搖尾求食，傳尺書而致遠，逐狡兔而盡力，信聰慧之兩兼，亦忠勇而何極。原夫萬物莫不以智遇禍，以材喪身，象以其齒，龜以其神，蟬得美蔭而忘己，魚貪芳餌而挂綸，由此言之，莊周達者，老氏至人，吾將師之，養素全眞」。

再讀明張籌義犬志：「大明開天，建元洪武，余以徵召赴京師待罪，翰林應奉超拜尚書禮部。明年己酉夏四月二十七日，先考背棄，五月五日奔歸喪次，營卜宅兆講，服喪禮時，則有鄰淵得庵費翁，數相過從。六月旣望，時雨兼旬初霽，余訪得庵於弓河草堂，步行新橋委巷，泥濘沒屐齒，余踞盤石濯足，呼得庵穀柴關，而有蛇蟠石交縛余左足，事出不意時，唯一黃犬隨余行，余顧犬太息，犬解余意，囓蛇數段，犬服毒就斃，得庵始出見，驚駭相慰，謂古有帷蓋之義，俾余掩之，余相河南隅一丘，用筦席四襲坎葬云。嗚呼！古有銜結之報，書傳所載非誣也。乃余親受此犬脫非常之厄，謹書旡石，追而納之壙，與得庵親臨視焉。雖然余負此犬多矣，余乃一梧主人姓張氏葬之，爲六月二十四日」。

準此以觀。種種助人救人行徑的義犬故事，古今層出不窮。成爲寵物，專門供人消遣排悶，相與爲伴，竟成密友膩友的，也偶有所聞。可是，由於畜犬而命喪黃泉的，並不僅是　狗的一個原因。其實狗的價值，固在本身的功能，標準的訂定，還在人與狗間的關係疏密有以致之。鑑於古時將狗畫分三種：一曰「守犬」，守禦宅舍，俗稱「看門狗」。二曰「田犬」，田獵所用，俗稱「獵狗」。漢時即有「狗坊」，作畜獵犬的處所；置狗官名「狗監」，具有飼養獵狗的職責。三曰「食犬」，充庖廚庶羞用的。燕禮有言「烹狗」，也是世俗所說的菜狗，是和菜牛差不多。史記刺客傳所指的「狗屠」，是以屠狗來養家活口的。根據少儀記述：「守犬田犬則受擯者，既受乃問犬名」，那是便於畜養的人呼名驅使，若是供人食用的，當然是無名，更談不到它的系出名門有血統證明了。

狗既是六畜之一——「馬犬羊，雞犬豕」。「挂羊頭，賣狗肉」的諺語，足證狗肉早經就有人們販賣的。至於「狗肉」的美名稱香肉，據說源於宋代蘇東坡與佛印和尙偷吃狗肉所起。從古代中國重祀，禮記曲禮有載：「凡祭宗廟之禮犬曰羹獻」。祭祀宜誠宜敬，用狗做獻禮的，要找一隻大而且肥的，才可「爲羹以獻」。牛羊以獻，狗也可獻；牛羊可供人食、狗又何嘗不是人吃的？嗜好狗肉的老饕，既然有著吃狗肉的理論根據，自組俱樂部去研究食狗經，這算是吃的自由，與人無干。究其實際，中國之大，風俗習慣各有異同。兩廣嗜食狗肉，湖南雅有同好，山東有些地方還肩挑叫賣，屢見不鮮。筆者生在江蘇，幼年頑皮成性，先父告誡不能吃的，偏不信邪，冬季天寒地凍，瑞雪紛飛，有時跟著大夥偸吃狗肉，也吃犬膏，深覺香嫩味美，大快朶頤，偶飲洋河大麯，尤增樂趣無窮。記得二十七年秋天吃狗肉，惡性瘧疾霍然而愈，那是在湘潭易俗河。三十七年冬季，吃了廣東士兵做的連皮吃狗肉，快快活活度過戰地的嚴寒。臺灣三十多年，偶一嘗試，但非每年都吃，我非此中老饕，可以明矣。

近月由於非律賓碧瑤市一位狗屠，使用頂端裝有鈎刀的木棒，從狗籠裏勾起一隻活狗。合衆國際社據以傳眞，惹起英國首相余契爾夫人的「厭惡」，對非律賓人在準備吃狗肉時的方法殘酷，大爲不滿；而非國議員則反唇相譏，頓成狗的風波新聞。宰食家畜，在人道的觀點，多少有些殘忍，採用科技方式是爲最佳，有時緩不濟急；殺狗還是不見爲淨，免得食不下嚥，若是引起紛爭，更是小題大做。

狗肉該不該吃的問題，看是小，實是大；看是大，實是小，端在觀念、習慣、法令，以及社會心理。往昔尙有「狡兔死，良犬烹」之說，飽食終日，一無事事的「食犬」，宰而食之，總比宰食耕牛少一點罪過，何況狗肉用在治病偏方上，資料連篇。有人說：黃犬爲上，黑犬白犬次之。也有本諸經驗指出：一黑二黃、三花四白。可是，紅眼的、赤股的、傷神瘦犬，是不能入口的。

狗年談狗，世人還是從狗的助人救人的事實多多想起。（民國七十年十二月二十三日）

經濟實惠的佳餚

吾鄉吾土，它充滿吸引遊子的懷念深情，尤其日常飲食，格外增添幾分相思。

家鄉雖是魚米之鄉，而生活儉樸則是國人勤勞刻苦的傳統習慣，好客却是人人所具有的美德，留飯是經常不可缺少的一種禮遇。當然囉，山珍海味談不到，家常便飯裏的可口清爽倒是先決條件。

我清楚的記得，客來留飯，大致四菜一湯。在湯的方面，有的地方並不重視，在我的家鄉似乎不能缺少，尤其中午一餐。甚至一張豆腐皮，滴點小磨麻油，加點細鹽和百抽醬油，再拈點葱花、蒜瓣，外帶味精、白胡椒，冲入一碗開水，就成了一碗神仙湯，清爽鮮美，其味無窮。待客却不能如此簡便，往往是一碗蛋花紛絲湯。

四菜大致是：青菜燒百葉（淮北稱之千張）、韮菜炒蛋、煮魚、茨菇紅燒肉。雖然，季節不同，菜式會隨著稍有更易，基本上的兩葷二素一個湯，這是家常待客的便飯的方式。既不算豐，也不過儉，中庸之道還說得過去，主要的還在主人的熱忱，誠心誠意，在十時以後一定留客吃飯再走，家鄉人家傳統習慣所使然。

青菜、韮菜、瓜果之類，都經年種在莊房旁邊墩子上的，隨吃隨割，嬌嫩新鮮，屋旁環繞清溪，洗濯一乾二淨。在此，我要渲染一點的，家鄉青菜有一種烏青菜，葉色沉鬱向外擴張，梗子很短，霜後有一些甜味，加上百葉、黃豆油，燒出汁如奶水，色澤配搭顯明，眞如墨綠一片中點綴白色花朶。韮菜長得很短，葉又瘦小，加上雞蛋火炒，香噴噴的味道，非常誘人，葉碧黃蕊，置在桌上，令人垂涎。無論是雞蛋鴨卵，都是由家裡飼養的雞鴨生的，不用花錢。莊上有豆腐店，差不多與燒餅、麵店一道兼營的。因爲，小驢子一頭或二頭，旣可磨粉，又可磨漿，還可駝運小麥、黃豆、綠豆什麼的，有時還可以送媳婦騎著回娘家，鄉下人的經濟算盤本來就不輸於城市的。

魚在家鄉，眞是垂手可得的，幼年三餐食魚，絕不誇張。打魚的漁民生活最苦，冬季天寒地凍，網罟不便，一家大小還得在蕩裏河中捕撈，所得往往還是終年衣食不全。買魚的人家，揀大揀小，鯽魚比較受人歡迎，需要活蹦活跳的才算上品。至於養那嘴巴長，有頸囊的鵜鶘，又名鸕鷀的，俗說是「魚鷹」、「水老鴉」的去捕魚，很多人家只購物美，不太重視價廉，那種游禽捕的魚，很少活的，還有腥味，難怪問津的比捕撈的要少之又少，除非市面缺魚。有的人家四面有河，中間隔著鐵絲網或是細竹編成的柵欄，魚就在那裏面養著，隨時都可撈起待宰，確實方便。

茨菇澱粉多，種在水田裏的球莖。記得內子初到家鄉，硬以爲是荸薺，就等於我剛到湖南就不知道涼薯吃法的一樣可笑。

新鮮的猪肉，在家鄉是初六、十六才有得賣，並不是天天有猪肉可吃的。記得板油最貴，五花肉其次，買肉還得搭一點零碎有骨頭的。為著請客吃飯，必須到五里路外鎮上去買，那裏經常有二家肉案子，一東一西，日日供應。假如，有賣不完的，自會由飯館、薰燒攤子來收購。因此，賣肉的生意，只到中午截止。下午，那些賣肉的要到農家收購猪隻，等到天明就得宰殺應市。

我說的家鄉四菜一湯，材料絕對保證新鮮，火候到家，味道鹹淡適宜，清潔衞生，吃來舒坦。作料離不開豆油、糖、醋、或是醬，抑或加點薑、蒜、葱，甚至，用一點麻油、醬油、味精。

永遠讓我想念家鄉的四菜一湯，實惠、可口。

高郵鹹蛋風味佳

在我們中國，有養鴨人家就有鹹蛋。

美國的芝加哥一個食品學校，竟然正式試驗如何方能將蛋用鹽醃鹹，而不必剝去蛋殼，並且要省去鹽巴或鹽瓶隨着侍候。在中國人看來，這眞是輕而易舉啦。正如黃仁霖將軍回憶錄裏所說：「中國人在幾千年前早已發現了這種生蛋變成鹹蛋的方法了。」

鹹蛋如何做法，黃將軍告訴該校校長，把鹽滲和在礱糠和泥漿內，攪和成漿狀，再將這些泥漿塗在蛋上，盛放在罎子裏，經過一個月左右，那些生蛋便變成鹹蛋了。

就我所知，黃將軍所說的，有一點不見得正確，做鹹蛋無須「礱糠」。記得幼年居鄉，母親年年要做一批鹹蛋，便於夏秋作爲佐餐之需，我還記憶猶新。

衆所週知，「高郵鹹蛋」全國聞名，尤其「雙黃鴨蛋」更是名聞遐邇。甚至臺北市滷味店裏的鹹鴨蛋，也有以「高郵鹹蛋」來作號召。

高郵在秦代卽稱高郵亭，漢代置縣，清屬揚州府，大運河貫穿縣境。河西有高郵湖，南接邵伯湖，北連寶應湖，西近洪澤湖，水天相接，汪洋一片。河東有清水潭、大縱湖、綠楊湖等大小不等的湖泊，地勢低窪，溪流縱橫，所謂：「小橋、流水、人家。」眞正是一個水鄉澤地，也是魚米盛產的好地方。就因爲如此，農村副業頗多養鴨人家，而鄉鎭公所就靠養鴨人家繳交「水面押租」來挹注經費的不足。夏秋之交，新禾登場，收割後的水田裏，魚蝦充盈，鴨羣悠游覓食，得其所哉，生出來的鴨蛋，肥大豐碩，一蛋兩黃更是屢見不尠，所以贏得盛名。

「高郵鹹蛋」在醃前，先選個兒大的鴨蛋，青皮的、白皮的，用水清洗晾乾。醃的方法倒很簡單，使用適量的鹽水攪拌黃泥成漿，塗抹蛋殼，將它一一放在罎子裏。另外，或用稻草焚燒成灰，和以鹽水，塗滿蛋殼，也就大功告成了。不過，醃雞蛋的極少極少。

黃泥醃的鴨蛋，蛋裏紅裏透黃，非常美觀。稻灰醃的，蛋黃黑黯黯的，儲藏較久，自會有一股子誘人食慾的「臭」味兒。但是，嗜食這種「臭」鹹鴨蛋的，大有其人。鄉間類似這種臭的食品，還有：油炸臭豆腐、臭豆腐乳、臭蟹渣、臭莧菜滷水蒸豆腐等，好多人都視爲無尙美味呢。

高郵鹹蛋所以揚名天下，另一說法，煮熟以後。油膏特多，而裏面空隙很少，用筷子掏出蛋黃或蛋白來吃，和用刀切開來吃的，風味迥不相同。你信不信？無妨親自試驗一下吧。相信臺灣各地用來佐餐的鹹蛋，切吃和掏吃，風味也是各異其趣，大概不僅是「高郵鹹蛋」方是如此。

宿遷的「麻糊」

家鄉口味引人特別垂涎的，有它的地域性，這種特殊的風味，還會讓具有懷鄉之念的人們日夜難忘般喜愛。吳文蔚先生大文「壺兒油茶」，談來津津有味，尤其在這氣溫降低的多臘月，更會讀文生情。「油茶」似乎很像「芝麻糊」，又覺得有如「麵茶」，因爲我未足履晉南，所以不敢妄加判斷。碩腹大壺外加棉套，想像其形狀和使用的方式，倒是一絕，不免使我聯想起宿遷的「麻糊」來。「麻糊」是一種流汁，也是供人早餐的飲食，更順便供應油條任客選用。而且賣的是流動小販，並無店舖。

宿遷在江蘇省的北部，運河橫穿縣境，舟楫通行無阻，但六塘河、駱馬湖却是經常乾涸。盛產金針菜、山楂糕，礦產有玻璃砂，曾經設有專門製造玻璃器皿的職業學校和工廠。居民的衣、食、住、行和淮南水鄉大異其趣。

早餐的飲食「麻糊」，是宿遷特別誘人胃口的晨點，冬天格外當道。在逢集的清晨，人車雜沓，夾雜著驢馬的叫嘯，別有一番熱鬧。吆喝出賣「麻糊」的小販，喊得特別來勁，挑著擔子在集頭集尾走東走西。「麻糊」的材料，有寬的粉條、金針菜、麵筋，還有黃蘿蔔絲，煮得粘粘稠稠的，大概加上少許芡粉，為著加重口味，有鹽、有紅辣椒，可能還加肉汁，當你在吃時，碗裏灑點胡椒末，多少聽便。由於大鍋「麻糊」，始終在爐火煨煮中，熱騰騰、麻辣辣的，再來一根香脆老油條佐餐。吃得喝得滋味無窮，滿腹舒暢，面部發紅，珠汗滾滾的大有其人。

驅寒帶暖的晨餐，由遠處前來趕集的人們，有著無窮的享受。

吃過這麼一次回鍋肉

回鍋肉是川菜中一道叫得響的菜，相信喜歡吃的人一定不少。

我吃過這麼一次回鍋肉，不在四川，却在廣西。

駐軍在興安的郊區。城西越過一條運河，踏著阡陌，面對羣山，順著路爬坡，突然眼前有一個半圓形的山洞，就如隧道，而且透著光亮，地方上稱它是「穿巖」。

洞邊有一條小道，道旁一泓碧水，沿著這洞裏小路走下去，又是一個天地。出洞下坡，有屋舍、有竹木，有田畝，有來往農忙的男女老幼，似乎地名「三桂村」。

一戶姓劉的人家，五十多歲莊稼漢，滿臉純樸忠厚，他是從湖南移過來的，是這小康之家的主人。

他和我很談得來，在我臨行前夕，替我餞行。

日正當中，天氣很熱，我穿著一身草綠軍裝，就在他家堂屋裏小凳子上坐下來。屋內有一盆炭火，上面又架上一口鍋，鍋邊地上放著小鉢黑醬油，另一鉢是青蒜紅辣椒，再就是不太小的塗釉陶甕，甕口塞著一支細小彎曲的小竹管，看了半天，我明白了，那裏面盛的是酒。

鍋裏一點茶油不斷受著熊熊炭火炙熱，只是吱吱地響。不一會主人媳婦抑或是女兒，從屋裏捧出一大盤切好的熟猪肉，擱在炭火旁邊矮桌上，附帶有一小盌鹽巴。每人送來一雙竹筷，一個粗窯貨的小飯碗，我們三個客人和一個主人，幾乎是席地而坐的，開始別開生面的一頓大餐。

那時生活很苦，眞是三月不知肉味，一聞到肉香、蒜香，辣椒的香，差不多口水就要流出嘴邊似的。

眼看一大塊、一大塊的五花肉，恨不得就伸筷子過去。可是，怎麼吃法？着實拘謹了片刻。幸好，主人劉先生大概看出我們是土包子，於是，他揀了很多塊的肉放進鍋裡，聽到劈哩哈啦的在炸，看著在鍋裡不斷的跳動，還有一陣陣沖鼻子的肉香，在油煙氤氳中盪漾。

他說了一聲「請」，我們還是不便貿然動筷，只有主人先請了，揀了一塊肉蘸點醬油，又沾辣椒大蒜放在嘴裡大嚼特嚼起來，肉下肚了，就吮吸竹管子裡的米酒。我們跟著如法炮要，吃著、喝著、談著。年輕人只要有得吃喝，往往是不會注意小節的，我也就大快朵頤地吃將起來。

試問，在燠熱的中國西南氣候，圍著炭火盆在吃著熱鍋裡大塊大塊回鍋肉，又加醬油、辣椒、大蒜，更喝著米酒，再有修養的人，也免不了汗流浹背，滿頭是水，但是，軍人又得注意整肅儀容，實在沒有勇氣脫去上衣，唯一的，只有拿出手帕來不停的擦臉，等吃到適可而止的時候，我們只好說是營中有事待理，趕緊向熱忱的主人劉先生一家告辭稱謝離去。

這一頓姑名之曰：「回鍋肉」的餐叙，主人殷勤欵待，令人非常的感動。而那不肥不瘦的香噴噴、熱呼呼的肉塊，吃得實在過癮已極。可是，麻辣燙得唇焦舌苦，加之米酒的後勁，使人醺醺然有點醉意，矮板凳也坐得腰痠背痛。但是，肉的美味却留有無窮的懷念，成爲我一生經歷當中，在吃的方面最難忘的紀錄。（民國七十三年五月）

老虎肉的滋味

臺灣的民生樂利，山珍海味，沒有嚐過的都有嘗試的機會，比方說，我吃過鯨魚、烏龜、蛇肉，這在大陸是都沒有吃過的。有一天偶爾談到吃怪味，妻告訴我，她在很多年前就曾吃過老虎的肉，興致勃勃的說她經歷的這一段掌故。

那時，湖南省主席何健，我的岳父——妻的老爸跟他當科長，兩者都是醴陵小同鄉。有一天深夜，岳麓山上駐軍的衞兵，突然發現一隻似牛非牛，像猪非猪的動物向他接近，黑暗裏只見兩眼閃閃發光，吼吼咻咻的迫近，衞兵發槍射擊，中彈斃命的原來是一隻從深山野林裏竄來的大老虎。

第二天消息傳到省政府，主席認爲衞兵勇氣可嘉，賞給現洋一百元。虎屍立送省府處理。湖南人喜歡吃辣椒，也喜歡吃狗肉，還有一種不信邪的性格。何健雖然留學日本，久歷戎行，當然吃過不少海、陸、空的禽鳥走獸，可就沒有吃過老虎肉，相信豹子膽也未嚐過。爲著與同僚共嘗怪味，科長以上人員分贈虎肉五斤，各自帶回家裏大快朶頤。妻是她爸最寵愛的女兒，與她的哥哥弟弟們同享虎肉，是少不了她的，她很得意的說：「我不到十歲就已經吃過虎肉，想不到繁榮似錦的臺灣，竟然還有人重金購買老虎宰殺出售的，眞算是天下奇聞」。但她當年吃的是深山裏野虎，如今却是鐵檻養大的家虎。

兒子、女兒，聽到他們媽媽吃過老虎肉的經驗，無異人類登陸月球的一般驚異，同聲追問媽媽：「老虎肉的滋味到底如何？」

她媽平淡無奇的說：「我吃的虎肉，是家裏廚子做的。蘿蔔紅燒，還放有一點靑蒜苗，味道還馬馬虎虎，就像嚼著牛肉，似乎虎肉稍嫌粗糙一些。」

虎肉滋味的謎底既然解開，大家彼此望一望，誰也沒有提議，「等那一天買點老虎肉讓媽來烹調一下」。

因爲，媽確實是吃過虎肉，可不是她親自動手紅燒的。至於「虎肉有無滋補的作用？」這是么女提出的問題。

「我想，沒有什麼滋補作用的」，媽這麼說：「還不是和吃狗肉、驢肉差不多，看個人的口味和愛惡」。

我也是如此想：臺灣目前生活富裕，吃魚吃肉是家常便飯，吃一次老虎肉，換換口味，並作爲茶餘酒後的談助。滋補與否，那還得有勞營養學專家們來分析！

孩子們徵詢我的結論；我說：「殺虎賣肉的風氣萬萬不要提倡，滋味如何還在其次，家庭的鍋灶最好不要沾邊。」

河南固始肉皮「粉條」

民國三十三年，駐軍固始縣境，我們是從阜陽，渡過淮河進入三河尖地區，那已經地屬豫南，是河南、安徽、湖北三省接壤，有很多河流，而且家家有塘，養殖魚類，魚苗俱是從湖北省境肩挑來販賣的。

在固始隨時有新鮮的魚類煮殺作菜。有一天鄉間士紳宴客，我也是敬陪末座的來賓之一，其中一道炒粉條，細緻可口，來自江蘇的一些貴客讚不絕口，認爲是佳餚之一，主人却慢條斯理的告訴我們，這種粉條其細如絲如髮，并不是什麼蠶豆粉、綠豆粉做的，它是道道地地用肉皮割切而成固始的名菜之一。但我懷疑它是如何做成的？

肉皮粉條的好吃，使我永難忘懷這一道名菜。也令我想起，家鄉用雞湯下水粉條，加上一個荷包蛋，那色、香、味俱佳的餐點，不無垂涎。

大自然的呼喚

一、雲繞青山

臺北近郊最具山林之美的，在我的觀點，莫若陽明山國家公園，它眞是人們休閒的好去處。一年一度的陽明山花季，錦繡處處，不知吸引多少爲它癡迷的男女。恨我無緣，很多年以來，從未有機會得獲登臨觀賞的機會，卽是到陽明山上走走，常常不是夏季，就是已屆寒冬，總覺微感遺憾的我沒有趁著花季能夠一到陽明，看滿山櫻花廣被，一片粉紅，讓我像是在日本福岡似的，沉醉在櫻花盛開季節，享受花開錦簇那般秀麗誘人的樂趣。

緣份往往是一項難以思議的因子，說是奇妙也眞的奇妙，時空的差錯，往往會使美好的事物鑄成相反的效果，欲想挽回已是大相逕庭，空留餘恨，只有惋惜，驚嘆著時不我與，永遠深深嵌在心底。

人爲的關係，何嘗不是一切關鍵的主宰。縱或我到陽明沒有一次趕上花季，一償與群芳融合一體的歡樂，但幷不降低我喜愛陽明清幽和雅緻的分量，我非常願意投入她的懷抱，去享受半日悠閒，縱或欠缺叢花鬥艷，它依然不失其既有的俊秀，這時我終於趕在花季的前夕，重臨陽明。

陽明山勢蜿蜒展伸，車行仰德大道，在綠竹青松掩映下，蒼翠滿目，幾乎找不到一點多的痕跡。葉樹飄曳，無有蕭瑟的冷風，巧逢立春帶來和煦，暖陽照耀，充滿爽朗清新。沿著步道，緩緩前行，遊人稀疏，一片遼濶飽嘗著寧靜景象。且行且看，毫無拘束的漫遊，唯在這大自然中方有此中享有。陽明山麓的小隱潭、陽明瀑，是我認為它的精華所在。

清溪明澈，曲曲折折遠從山間來，汩汩有聲的，那麼柔和動聽，順著山的迴旋奔馳急流，一下隱沒於林木荒草間，一下顯現於平沙淺水中，悠悠匆匆，那麼涓涓不息的消逝，在若現若無的形象裡，恍似一條矯龍，又如一條素練，它給人是含蓄，神秘與矜持，具有不稍暴露的眞善美。

陽明瀑卻與小隱潭細流，正好相反，兩者同有誘人的魅力。瀑在山的另一端，路轉峯迴，蔭鬱深處，潺潺發出水的吼叫。最眞切觀瀑的所在，是站在搭建谷間的橫跨橋畔，從綠野中竄出的一股白嘩嘩的湍流，傾瀉垂注，永無休止，沖激磊磊亂石，聲勢驚人，若以狂風暴雨，萬馬奔騰來形容飛瀑洶湧的話，并非過當。它穿隙去障的越過林野，傾注在半山的時候，特由人工砌石瀦水成池，且以噴泉姿態，再行活躍於遊客的面前，此處正是第二入口，可又將它當著出口，有道通行，順著山勢左走新北投，右走華崗，一樣的是森森樹木飾成濃蔭，杜鵑花盛開得紅紅紫紫，點綴其間，蒼翠已非單調的色彩，愈覺得它是嫵媚多姿將多層次的陽明山間道路，處處有景得賞，有花怒放。

站在展望台前俯瞰眼下，遠處的峯巒，有著靑靑如髮的草木覆蓋，有的則受漂浮著的白雲環繞，我的心靈隨著虛無飄渺的白雲，頓如雲天變幻而有許多不堪思議的雜念因之而起。我在想，假是化成一片雲，越過山，飄過海，停留長空，能否看一看久已疏遠的故鄉景色？是否還是白雪皚皚，寒鴉長鳴。

二、田野拾趣

那一天，西北風吹襲得特別强勁，室內淸晰地聽著窗外悽厲呼號，像濤聲又似狼嗥。宇孫聽我講的兒童故事有點膩了，扒在桌上朝向窗外眺望，他發現至寶般的，要我也跟著他小手指的地方去看。原來有幾個孩子，正在田野裡奔走，他們忙著搬土塊砌窰，有的堆放蕃薯，也有的在舉火，裊裊黑烟在壙野升起。宇孫興致特濃，因爲他曾經跟隨幼稚園老師和同學，在野地掘挖過蕃薯，希望我能帶他去看看烤蕃薯的景象，順便外出走走，好好去遊樂一番。

風大，氣溫低得有衣不勝寒的感覺，但拗不過宇孫苦苦相求，一老一小就冒著凜冽的逆風，頂著强勁風力走出去。

縱走的崗巒，並不高峻。有的山坡散住一些人家，已在冒著炊烟，從林樹梢中飄散著，山上有的盡是些光禿禿的一片黃土。我和宇孫就沿著一條很少人行的小道踽踽的行著。幸好，空中還有很大一塊藍天，遠處堆著灰的白的雲彩，陽光普照著大地，帶給人們依然有著無限的溫暖。

橋畔人家，屋前植著一些果樹，紅的桃花、白的梨花，正在盛放；那馬蹄花的紫色，一簇簇地依傍著綠色繁葉間，似乎媲美般的爭奇鬥艷，將這孤處在山間的村落，從寧靜中仍帶著幾分秀麗。尤其，村後緊鄰山坡，遍植雜樹，毫未受著冬季到臨而稍有凋零的景象，仍是綠意盎然，洋溢青青生機。右轉是高低的梯田，坡度卻是緩慢的降低，視野非常的遼濶。田埂邊沿的叢竹，長得特別高聳突兀，形成一排障碍，隨風不斷擺動的姿態，搖搖曳曳，雖然鞠躬如也，但一股勁節頑强的氣勢，永遠沒有爲風所吹折，只有發出咿呀掙扎的吼聲，不息的從頂梢與枝幹間傳聞於耳際。

高高低低的畦畦農田，有的早經被耕耘過，迎著陽光裸露著灰黃的泥土，有的還殘留著去歲曾巳收割過的稻根，幷且，茁長著一些不知名的野花和靑草。讓這些土地空閒著，雞鴨成群的在裡面散步，羊兒也在啃著嫩芽，不甘寂寞的家犬，也在乘機相親相愛的糾纏。一隻黃的、一隻黑的牛，繫在田邊，懶洋洋地度著悠閒的多藏歲月。

宇孫看到很多動物活躍田野，興奮非常，不斷跳躍與奔跑田埂野地之間，忙忙碌碌，又叫又笑。在都市裡生長的孩子，是很難遇到這大好的良機，今年他還不到六歲，看到龐然大物的牛隻，却不敢過於接近，不若和羊兒那麼親熱，只是問我：

「這隻大黑牛，是不是兒童故事中的黑牛」？

「是『黑牛』，但不是牠，牠的脚印踏不出銀元」！

他凝神望著黑牛的慢條斯理的吃草，也望望一無表情的那雙大眼和微微擺動的細長尾巴，在他的小小心眼裡，認爲牛太文靜了些，沒有看到他跑跳鳴叫的大發蠻勁。

另一大塊田裡，種的小麥，結穗纍纍，還長滿芒刺，這是宇孫從未見過的植物，我告訴他，包子、饅頭、餃子、麵條，都是從麥粒磨粉做成的，他只是點點頭領會了一些。

有一大片黃荼仔，開滿了花，顯得美觀亮麗，許多白色蝴蝶穿梭其間，忙著翩翩飛舞，更增加田野間許多生動的趣味。因此，也就引起宇孫更大的衝勁，跟隨不斷飛舞的蝴蝶兒東奔西走，想要捉捕其中的一隻，摔了幾交，依然兩手空空的。只好傻傻地看著蝴蝶在黃荼仔田裡上下飄動。

田野角落烤蕃薯的群童，都比宇孫大了很多。這時，他僅是一個旁觀者，眼巴巴地看到這些孩子們，到處找枯枝敗葉來加火，烟霧迷漫，距離烤熟還有一個時段，在爲烤薯忙的孩子，臉手都塗滿黑黑的一層灰。宇孫自恃是幫不上忙的，也不便去插手，只好對我說：

「我們也找雅雅姐姐來烤蕃薯，好不好？」

「好啊！」我說：「先要買蕃薯和木炭，等到明天來烤。」

祖孫二人走著、跳著，越野抄著近路向家裡這邊走來，臨溪的田頭，已經灌溉著水，白茫茫的，農夫駛著耕田機在慢慢地犂著。不知從那裡飛來的鷺鷥，雪白的羽翼，矯捷的身段，或低飛，或徘徊，使得荒寂的田野，頓然活躍起來，似乎從寒冷中已有春臨的訊息，無怪農家早經體會一年之計在於春，提早展開他們忙碌的田野生活。

而居住都市的人們，說不定還蟄伏於寒冬之中，何嘗了然於田野中大自然賜給的樂趣，更難體會務農人們的辛勤。

七分褲的風采

褲裝滿街走，寬大而自在，在臺北現是一種流行，由少女及於青春長在的婦人，確實增添女性幾許風采。

女性下着長褲，上穿短衫，從我有記憶開始，就是如此，除非婚喪喜慶或是過年過節，在一般來說，很少長裙曳地的。時代既在不斷的變化，即是研究中國服裝史的朋友，也難考據中國女性那一時代開始穿著長褲的。

內褲與外褲大有分野。內褲變化多端，在此捨而不談。外褲先有寬大腰身大褲管，例以深色爲主。漸漸在形式與外觀上和男性看齊。若干年前熱褲流行，長腿姐姐，渾圓，有彈性，細嫩白皙者，尤其大出鋒頭。牛仔褲的流行，不分老少，不分姸醜，厚重耐穿是其優點，若是三月不洗，任其自然的穿著，竟有人嗤之以鼻，無怪有些社交場所依然不准進入。因此，愛穿牛仔褲的女性，也該講求穿的時間性、空間性，保持清潔，不得稍有疏忽。

近來褲裝的流行，在女性方面愈過愈熾烈。君不見有所謂七分的、八分的，長及脚踝的，不一而足，有的褲邊釘著閃亮銅釘的，有的加鑲蝴蝶結的，有的加大褲囊恍如昔年軍官着的馬褲，也有將褲管剪成三角，更有在褲管盡頭加邊縮小，活像燈籠泡的。色彩不一，質料不一，熨平貼身的有之，綴如亂稻草，大而無當的也有之。穿衣是人的自由，愛怎麼穿就怎麼穿，只要不傷害風化以及善良風俗。何況，今天的傳播事業發達，時裝表演時，模特兒婀娜多姿，穿着褲裝在伸展台上搖來擺去，再加旁白的小姐鼓其如簧之舌，溢美之辭讚不絕口，許多觀衆受此感染，褲裝的流行愈益不脛而走。

須知愛美是人的天性，女性恒爲悅己者容。若從服裝起源來說，禦寒、遮羞、愛美各有論點，究其實際爲何，實難斷定，我認爲愛美應該列爲服裝起源的第一優先。雖然，褲裝可以表白體形美，如果一味讚美褲裝，倒不一定完全適合每一女性的穿著，假如東施效顰，不知藏拙，既無美可說，而且、有越描越黑的暴露和擴大自己缺陷，所以選擇褲裝之前，應該有著一番考慮，褲裝的質料，剪裁，格調，色彩，尤其要特別顧及。

具有優美腰幹的女性，修長的身段，敦厚的氣質，溫文的態度，如此更能發揮體形美的功能。

日前在桃園中正國際機場，見到一位從美國來的旅客，說著流利的國語，修長又健康，穿著墨綠的七分褲，平整合身，加上一件紫色套頭長袖衫，頸掛白珠，脚踏涼鞋，從從容容，瀟瀟灑灑，舉步穩健，曼語輕言，像驚鴻一瞥似的從眼前掠過，留下的印象特別深刻。

這樣的穿著，不僅充分洋溢著青春氣息，更加顯示女性秀麗無比的美，——這是七分褲功能表達出的風采。

大肚皮的哀樂

營養太好了，誰都怕鼓出一個大肚皮。挺著碩大無比的大肚皮，有著一張笑臉迎人的面孔，只有彌勒佛給人印象至深。在寺廟中曲膝而坐，朝向山門的，那首先印入眼簾的就是此佛。

中國最大的一座彌勒佛，高達一一二公尺，從唐朝玄宗開元開鑿，歷九十三年始告竣工，地點在四川樂山縣的青衣江、大渡河與岷江三水岔流處。臺北圓通寺磨崖石刻的彌勒佛，眞是瞠乎其後。彌勒佛像有大有小，質材不一，造型雖然是大小如一，畢竟還是缺少七情六慾的偶像。

人無分男女，大肚皮的存在，哀樂的心情却大不一樣。

根據中央社馬尼拉七日遠東電：大腹便便的警察及保安部隊士兵，必須接受八週物理健康食物療法，使之減肥，才可返回維持治安工作崗位上。這一消息，頗引人發噱，試想大肚子的軍警，操作不便，跑步就會氣喘，挺著一個如鼓的大肚子，去執行勤務，的確不便已極。不是非律賓的軍警平時無事可做，多吃多睡，否則就是養尊處優，營養過度所致，這種軍警減肥措施，算是天下奇聞。人到中年，男女生活安定，表現在身體方面的，肚皮發胖最爲顯著。若是男性的話，微凸的肚皮，增長富有的價值觀，手撫著球狀肚子，以爲自得的大有人在。等而下之的人們，就會將褲帶鬆到臍眼的下邊，甚至赤膊上身，使肚皮完全暴露在外，越發令人有着中間活似油桶的感覺。是一種樂趣，還是一種悲哀，只有冷暖自知，別人難以想像。不過，假如從審美的觀念去衡量的話，相信喜歡一個中年男子挺著大肚皮招搖過市的，是微乎其微的。

女性愛美，本來就超越男子漢的。一旦婦女發福，就會帶來美人遲暮的感傷，最顯著的固然是在下巴和粉頸，而隱隱欲現的，還是在於肚皮蠢蠢突起。因此，美容術的廣告誘人入彀，束腹衣褲花樣層出不窮，緊衣縮食，減肥輕身，夢寐以求的，在於苗條的軀幹，具有彈性的小腹，其實，控制得宜的固大有人在，腰圍日寬，肚皮日隆的，往往隨著年齡增長，只有興嘆：落花流水春去也。

唯有一種肚皮大的婦女，沒有悲哀，只有快樂，那就是渴望生兒育女的已婚女性。這種生理上的因需要而變化，正象徵著夫婦感情的昇華。挺著大肚皮的懷孕女性，在公婆眼裡是好媳婦，將會帶給公婆含飴弄孫的樂趣，在丈夫心目中是賢慧妻子，繁衍綿延子孫有著具體的希望，在女性本身來說，結婚以後就得生育，正可振振有詞，善盡一個爲人妻的應盡的義務與責任，反而使得丈夫更是愛憐有加。

滿街大肚皮的婦女，孕婦裝大行其道，難怪有人說，臺灣四季如春，是一個最適宜生孩子的好地方，也就有人大聲疾呼，節制生育，墮胎合法化。究其實際，有的懷孕婦女也飽嘗辛酸，不足爲外人道的，比比皆是，尤其是職業婦女。有的機構對懷孕的不表歡迎，也有的女性特多的機關，妊娠的此起彼落，常年不斷，一些挺著鼓式肚皮的，遙遙相對，或是互傳心得經驗，未見其人，先見肚皮的，大搖大擺，專門喜歡在人叢中大顯神威。甚或穿插在一些尚未結婚的小姐，或是已經結婚尚無子嗣的太太們中間，無聲的表達其能耐，露出一種得意忘形的神態。這種無以名之的肚皮展覽，也會偶得一見，在大庭廣衆之中，顯示其大肚皮的功能。當然啦，不再懷孕而肚皮日大的，自有一番悲哀。

人生免不了有哀有樂，挺著大肚皮的人們，無論是男或是女，他們或是她們在自我感受上，自有其樂其哀，往往非局外人所能心領神會的。你相信嗎？（民國七十年十一月九日）

吾愛吾子

本文作者在參觀其愛子所服役的戰艦有感而發撰寫本文，文中洋溢著一位父親對子女的愛與期望，更對愛子在海軍從求學至服役種種傑出表現，內心感到無比安慰與欣喜，他說：「他們是在爲著一個理想與目標奮鬥。」

人生理想的目標達成，光明燦爛的前途創造，經過不知幾多艱辛和奮鬥的歷程。

我家老二強兒，進入海軍，固然是他報國的志願，從預備班、海軍官校畢業，服役將近十年，遠離雙親的膝前，已是十有七載。在海上歷任各種艦型的職務，在陸地也曾任過多項幕僚工作，並且，在美國深造一年，算是經歷相當完整的一個軍官，當然，還有待不斷地努力和歷練。

這其間，心智成熟的培養，本身專門學術的增進，品格良好的陶冶，健全體魄的保持，以及待人接物的修持，都得從點滴當中去溫故創新。正如他抉擇步入海軍這條大道，也非偶然的。

強兒出生在新竹的空軍醫院，他是「眷村」長大的孩子，隨著我的職務調動，住過臺中、臺北等地，讀過的國民小學就有幾所，畢業於建國中學的初中。

有志加入海軍行列，我對他雖有影響但不算大。在我讀中學的時候，曾經被馬尾海校錄取，受到二老不大贊同而作罷。誰知抗戰發生，依然做了三十年整的軍人。軍人子弟喜愛做軍人也是有的，何況，姐夫是海軍軍官，表哥又是海軍官校預備班學生，大姐也是空軍的軍官，這種種因素，助長他要成爲一位職業軍人的重大因素。

在他海軍生涯中，他們一些重大的團體活動，我很少參加，時間上無法配合，加上台北到高雄，不遠也不近，所以，他也很少告訴我和他的母親。記得，當他預備班畢業的時候，我和他媽特別趕往參加，看到從一個不大懂事的十五歲頑皮成性的孩子，已經長得茁壯、堅强、俊秀，穿著潔白的制服，那彬彬有禮的態度，雄健的體格，旺盛的精神，不期然地想到自己年少的時光，眼前站著的，就是自我昔日的身影。

我和他媽滿腔歡喜，慶幸愛兒的落落大方的儀表，雙睫濕潤，盈盈的淚珠，幾乎流灑面頰。這種喜極欲泣的情緒激動，唯有做父母的人，眼看子女稍有所成，自會有著不可言傳的內心喜悅。

强兒官校畢業，是三軍四校聯合在復興崗擧行，家長是採取代表制，大概基於場地和其他重大的因素，不能盛大，但還嚴肅隆重，惜我未能一睹他佩帶中尉官階和接受七年寒窗的畢業證書的神情。

服役開始就在美字號，初任作戰長，成軍十週年艦慶，我和他媽去高雄參加。會餐席上有司令等高級長官，强兒發號施令，沉著穩當，口齒清晰，我陪坐在側，有著「與有榮焉」的感受。

最近，他在「雲陽」駐防北部，很少離開自己的崗位，我深深覺得這在輔佐地位做一個助手應守的本分。翌日是艦上成軍四週年喜慶好日子，直到前一天夜晚，電話裏邀約我和他媽參加此一盛會。當雨媳八時的飛機來到台北，有車接我們一道開往基隆。陰霾塞空，山間白雲籠罩，雖是一個能見度極差的雨天，心境却反而開朗，「人逢喜氣精神爽」，此之謂歟。

穿過大業隧道，沿著高架道路降坡，山環港灣，海面停泊無數的艦船。我們在海軍軍區停車，只見萬頭鑽動，排隊在持證登記，男女老幼，熱鬧非凡。穿著白色制服的艦上官士，親切地接待來自四面八方的賓客。到底是軍事重地，警衞森嚴，穿著迷彩軍服的海軍陸戰隊的値勤戰士，擎著上刺的步鎗，認眞的執行任務。

擘窠大字的「歡迎蒞艦」，掛在右舷。在導引官員陪同下，佩證步上扶梯，魚貫的登艦參觀。泊在碼頭邊的龐然大物的巨艦，淡灰是不引人注目的色彩，就在茫茫大海中航行，肉眼也不輕易發現，讓它溶合於大自然中。而它莊嚴肅穆的外型，雄偉的軀幹，却是顯示威鎭海域，保疆衞土的移動堡壘。伴泊的艨艟艦隻，呈現威武雄姿，這是一批屏障，就是國家强大的實力，粗看「雲陽」，大有「唯我獨尊」的壯觀，如以「鶴立雞群」來形容的話，似乎也不爲過。

我們走來走去，爬上爬下，總比不上艦上官兵那麼輕鬆自如，穩健如飛。多層長窄的艦體，清抹得一塵不染，黃銅部份的機具，擦拭得閃閃光亮，尤足以象徵著管理與維護的一絲不苟。參觀過直昇機的昇降甲板，我的興趣特濃，機庫、夜間航行設備、鎖機樁，飛行標幟，都是非常的完善。進入駕駛臺，那是全艦的領導中樞，儀表機械和應有的設備，整齊新穎，而掌舵的位置，寬廣裕如，視野良好，左右置備黃色布墊座椅，一是司令的，一是艦長的，這兩個寶座，不僅是安樂椅，它是絕對不容任何人僭越坐下的，它是代表至高無上的職責和權威的象徵。鄰近的戰情室，嚴格禁止參觀的設施之一，扃其門戶，閉門不納。

無須有人直接操縱，可利用電腦計算射程的武器系統，命中率大幅增大，是受科技發展進步所賜。隨同我們參觀全艦的，有我不足三歲的外孫，還有國小將畢業的小外孫女，她比表弟文靜得多。外孫指說砲塔是坦克車，在他小心靈裡，看過坦克砲車，也曾有過這樣的玩具，無怪有著似是而非的說詞。他對掌舵很有興緻，搬搬轉轉，對燈號、羅經、纜繩，看了又看。當他看到纜繩卡著一塊鐵質圓板，他竟然發問：「這是做什麼的？」我告訴他「阻擋老鼠上去」，似懂非懂的有點奇怪，只是猛點其小腦袋，連說：「噢噢」。掛著全艦飾的信號旗，飄在空中，五彩紛陳，艷麗壯觀。各懸一端的國旗和海軍旗，他學大人們的榜樣舉手敬禮，不斷的喊「國旗」，來引起大家的注意。

慶祝大會餐，五十張圓桌坐滿官兵和官兵的雙親、妻子、女友、至好，濟濟一堂，氣氛和諧。簡單致辭，切蛋糕，唱生日快樂歌，艦上自組的小型康樂隊，兵演兵，兵唱兵，邊跳邊唱，其樂融融。兩位將軍貴賓，篤實樸素，我和他們對飲時，聆聽風趣的談吐，由衷敬佩他們的術德兼備。警察局局長夫婦也是貴賓之一，曾經在基隆歷任四次不同職務，算是對基隆市政情民意瞭解最深的一位局長。艦長伉儷是主人，我和男主人稱得上有同鄉之誼，為人不驕不矜，休休有容，他對強兒在做他的助手，認爲協助不少，這一句恰如其分爲話，令我非常的受用。夫人是一位銀行家，育有一男一女，風度氣質令人敬仰，她喜愛繪畫藝術，彼此談來投機，這眞是一次愉快的巧會。

陪坐的輔導長常識豐富，體格魁梧，具有各地方言的奇才，他和我提到强兒是讚譽備至。我只懇切重托他以老弟看待，給强兒無論在學行操守，以及處世待人方面，日有長進。

雨媳算是半賓半主，强兒是名實相符的亦主亦客，迎接款待，安排座位等等宴會程序，夠費心思的。做到井然有序，賓主皆大歡喜，確實也勞累了一些服勤戰士，他們始終禮貌週到，一無倦容，直到席終客散，各自賦歸。

師克在和不在衆，團結就是力量。既有賢明長官，又有幹勁的同僚，更有守紀盡責的部屬，同生共死在巨艦上報國辛勞，他們是在爲著一個理想與目標奮鬥，而所表現的是和諧、親切，使得親愛精誠的氣氛，涵蓋在這一片天地裡。（民國七十四年六月原刊於「中國海軍」）

爭氣的小伙子

載著家人親朋的祝福，挑著時代青年所負使命，永翔邁著步伐，緩緩走進中正國際機場登機門，向送行的人揮手再揮手，消失在長廊的盡頭。

離開了家、離開國門，飛往一個陌生的地方。萬里鵬程，負笈遠行。

在家裏永翔是老四。有兩個姐姐，一個哥哥，還有一個么妹。

永翔出生在新竹空軍醫院。初生第三天，護士忙中有錯，竟把他送到另一位媽媽的懷抱，幸好他的右臂有一塊朱砂痣；而且，小鼻尖上留有一點點紅色，否則的話，將會造成終生一種無名遺憾，那也說不定的。

讀幼稚園，就在台中眷村裏面，是空軍婦聯分會主辦的。園長姓解，一位陸軍上校夫人，溫文慈祥，說一口耐聽悅耳的京片子，對幼兒施教特別具有愛心。本來、健康的孩子，似乎要比常兒活潑，好動，帶有幾分頑皮，永翔這個小壯丁，有累啟蒙的老師們，以及自己雙親和大姐的操心，是可想而知的。眷村三面環水一邊田，脫光衣服在河中與羣童撥水爭逐，捉魚蝦、釣青蛙、趕鴨子、掏螃蟹，田裏去灌蟋蟀、烤紅薯，爬樹摘果子，越野的放風箏，附近地帶變成孩兒們悠遊嬉戲的海陸戰場。

他就在這樣接近大自然的環境裏，度過歡樂的童年。

五年級時舉家北遷，事實上必須轉學。突然投入一個新的環境，是一件非常不能適應，也是不大適合的事。在勉强中，經過誘導與勸說，終於在台北空軍子弟小學畢業。那時要進初中必須經過考試的，永翔從小就有倔强的性格，絕對不讓家人送考，這種不信邪的堅强，隨著年紀成長也在逐漸萌芽滋茂。

建國中學初中畢業。眼看大姐夫是海軍官校畢業的，俊秀英發，富有才華。畢業士林初中的表哥緬先，早他一年考入海軍官校預備班，穿著畢挺的白色海軍制服，神態瀟灑，着實打動崇拜英雄的少年情懷，跟著也就投考，一試中式，奠定事業的始基。

左營報到，是隻身南行的；車站話別，只有媽媽和三舅，另外一個幼年好友吳君送他登車。三年預備軍事教育，將一個十五歲到十八歲的少年，陶鑄成具有健全體魄，堅定思想，高尚品格，豐富智識，確實是經過一番水磨的工夫，軍校過的團體生活，强調鋼鐵紀律，永翔出生在軍人家庭，成長茁壯在兵營中，耳濡目染，從中心意識中確立價值判斷的標準，使一個半大的小小兵，在稍息、立正、課堂、操場、艦艇、陸地生活中，體念發憤向上的做人道理，秉持著：「既定的目標，不畏艱苦，雖千萬人吾往矣」的至理名言。有時要克制和約束一個少年難免的情緒苦悶，只憑管與教是不易奏效的，天下父母心，自己生養的孩子，無一不是自己的愛兒，還得由親人來用暗示，用明喻，讓他認定：

「只要你先立定志向，就必能達成，這就是所謂成功論。」從永翔往年所作的筆記中，會不難發現抄錄雙親的訓勉，師長告誡的一些值得久遠誦頌的金句。

四年正期教育，不是輕易過去的。他的日記曾經這樣寫著：「勤勉努力，不懈不怠，這是人間的美德。」

又說：「十分的工作，用以十二分的力量，必得成功！如果做事不盡全力，乾脆不必着手了。」

他所以這麼寫，這麼記一些勉勵自己的話，是有來由的。

海軍官校四年，是從不畏難、不怕苦、不懼風浪、無視暈眩，刻刻不忘學習中過來的。最初入伍教育十三週，那在鳳山陸軍官校，三軍混合編組，不容個人半毫特殊；有時偶爾犯錯，「俯地挺身」、「兩腿半分彎」、「蛇行進」，受到不算懲罰的「懲罰」。有人說這是「過關」，也等於和尚尼姑的「燒戒疤」。

磨練忍耐，克制自己，足以增進個人的修養。在他的日記上，有著三句話：

「凡事不成的有三：一曰驕縱。二曰自卑。三曰懈怠。」

海官生涯使他在體格這方面，表現着的雄赳赳，氣昂昂英武之氣，充塞在眉宇間；專業學識方面，坐論兵學，談海洋，談時事，頭頭是道，條理分明；游泳更成了强者，有人稱他「浪裡白條」，在露一手時，無不讚許他的姿勢和速度。就他四年努力的收穫，國家授予理學士畢業證書，給他戴上一頂方帽子，絕非偶然；允文允武的現代青年，他算是一個。

遍歷台閩地區港灣，遠及到中沙、南沙、關島、新加坡。美字號、中字號、陽字號，是他在艦艇的一段經歷。六年海上，正如自己感受的，「智慧由努力而來」，海軍艦上生活，不同於陸軍的長途跋涉，也不同於空軍的凌雲御風。試想，茫茫海洋，碧水白浪，無邊無際，畢竟不是長遠平靜無波的。艦隻在大海航行，抗拒洶湧浪濤的翻騰，忍受著成年累月的寂寞，由於海軍健兒的辛勤，保衛海疆的安全，永翔只是貢獻者之一。因此，他衷心覺得喜悅，更期望著：我海國精神日益壯大。有這麼一天，懸著青天白日滿地紅的旗子的艨艟巨艦，在黃海、在東海、在北海、在南海，在所有中國的海域，甚至五大洋上，出現中華民國無敵艦隊，控制海洋，海權使之重建，超越保衛台海，收復大陸的今日目標。此一志向，該是每一位海軍官兵所具有的願望。

回到陸地又回到離開一十三載的家，永翔特在桌上留著端正的楷書：「如何充實自己，培育自己，才是人生歷程中最該掌握的事；只要一個人能對一切事情悉心專注，必有意想不到的效果。」每晚補習，常常以「頭懸樑，錐刺股」，「鑿壁偷光」，甚至「螢囊」、「映雪」這些勤奮讀書故事，鞭策自我，每到深夜，方肯休息。六個月的時光，考取政治作戰學校國防語文訓練中心，也得到國家更進一步的培植，獲致國外深造進修的機會，正是爭氣上進的一項表現。

煥發的容顏，掩映著潛水近月的黧黑消瘦痕跡，寬肩挺胸，一付英俊氣概，長睫毛裡，表露炯炯有光的眼神，緊閉的雙唇，富有擔當堅苦的信心。

那暫告離別的象徵，只是被送行者掛上色彩繽紛的花串，也就滿載著無限祝福進入機艙。永翔衣領頭閃耀著光輝的梅花，却顯現能耐風霜雨雷的精神，代表著一位愛國青年鵬程萬里的開拓胸襟，飛向遠方，去力爭上游，去再接再厲的勇往直前，奮鬥，奮鬥。

乘風破浪

寒流來襲，氣象局預測今天北部氣溫，將會降到十度左右，仍然有著局部雨，臺灣附近海面風力，約在七至八級、陣風可達九至十級。

寒冬欲雪，日冷風橫的天候，往往會使人惦念在異鄉作客的家人；相信再多兒女的家庭，無一不是父母的愛兒。天下父母心。唯有做了父母的人，才能有著這般深切的體會。抱著男兒志在四方胸襟的孩子們，他們是無法顧慮父母心懷的，這是一項難以說得清楚的事。

實在也很難怪孩子不思念父母。乘長風破萬里浪，是青年應該具有的雄心與壯志，又何必長相廝守？我深切記得，二十六年投身軍旅，那時拋棄一切的一切，只是抗日殺敵，直到二十九年才又拜見違離多年的雙親一面。在我有生之年，二老對於我的牽掛，是夠我回味與永久歉疚在內心深處的，此時又輪我在縈懷散在四方的孩子們生活起居。然而，長眠地下的雙親，生時離多會少的想念，再也沒有重逢報答的機會。我只有以我父母所施予我的恩惠，分潤我的孩子，由此靈犀一點，來贖罪補償已經永無反哺的時日。

翔兒報國在海軍，也是完成我的心願。

當我讀初中的時刻，馬尾海軍官校正招新生，一方面需要讀七年，一方面要縱橫海上，父母原先就不希望我成爲一個職業軍人，因此，依舊還是留在學校裡讀書。誰也料不到，抗戰開始，我竟然成爲一個職業軍人，一幹就是三十年，却是始料所未及的。不折不扣的三十年，在一個人生過程中來說，這眞是一個冗長的歲月，就我來說，三十年的艱苦奮鬪，沒有虛度我的片刻時光。

就目前來說，我家大女婿、內侄、長子，都曾經是海軍的健兒。如今，內侄緬先知幼兒翔翔，依然屹立在海軍的第一線。總算，我的軍人事業後繼有人，充滿安慰與歡欣。

翔兒初中畢業於建國中學，在海軍官校讀了七年，他是一個天不怕、地不怕的猛子。美字號，中字號，陽字號的各種職務的歷練，航海經驗是相當豐富的。他們表兄弟，以及姐夫相聚在一道時，談艦艇見聞，海洋生活種種切切，趣味非凡，往往不知東方之既白，深夜一直談到天亮，有時哈哈大笑，有時嚴肅認眞，有說不完的海軍甘苦談。雖然，我在陸軍十年，空軍二十年，偶爾坐過海輪，也乘過小艇，始終認爲船上的日子，有著度日如年的感受，海水的腥味，浪湧的顚簸，暈得人反胃欲吐，冷汗涔涔。我的翔兒呢？他從不厭倦自己所選擇的神聖職業，是那麼穩健的、豪邁的、健壯的，來盡到他的職責，來爭取一個軍人應該贏得的榮譽。

他算是一個鐵打的漢子。艦艇生活，任何大風大浪不暈船，這眞是幹海軍的最大最雄厚的資本。而且，軍人耐得住寂寞與單調，還須不斷的進修與努力；同時，負責、服從，愛護部屬，協調同僚，這些軍人應守的本分，翔兒都能適應得很恰當。有時，自己也稍稍覺得脾氣不好，忍的工夫尙有未足。其實，那一個人都有一點脾氣的，只要不作情緒性的胡亂發作。至於忍之一字，也不是一個毛頭小伙子，說忍就忍的，這是人生經過千鎚百鍊，一種修養克己工夫的試驗。理論與實際是有著一段很長的距離，正如說一個人沒有脾氣與會發脾氣，能忍與不能忍，是一樣難以制訂的標準，更難去作肯定的價值判斷。

本來，任勞較易任怨難的，翔兒多少是有著這種表現。在閒談中，說到他有一次在寒冷的氣候下，率先跳入海中，率領戰士們將油桶運到海灘上。這種出力和冒險的事兒，他是不會吐出一個「苦」字來的。軍人的本色，就在這許許多多平常不經見的場合，率先躬行，欣然達成任務來領導部屬。

海上生涯，苦樂參半，正好似人生的寫照，來自各地的官兵，相聚一堂，親如家人，其樂融融。同生共死，同船一命，是人生難得的際遇。日暖風和，或是星月在天，浪平風靜，逐波航行，甚至戰備演習，搜索敵情，有輕鬆，也有緊張，出港巡弋，進港泊碇，說不盡新鮮的遭遇，也訴說不完難得的感受。

但是，惡劣的天候，尤其是颱風來襲，甚至寒冬將臨，臺灣海峽的浪濤，絕不輸於大西洋上的狂風惡浪。護航、巡邏、運補、操演、作戰，是海軍艦艇的任務所在，一有命令就得去完成，職責不容你擺脫的。七級風在陸上，荒草低頭，枝葉搖曳，吹得天昏地暗，是慣常見到的景象。海上更沒有平靜的片刻，浮載着的艦隻，活像一隻鐵的大搖籃，晃呀盪的。陰沉沉的老天，再也不見美好的白雲冉冉，皎皎的朗照耀日。碧海掀起山丘一般高的濁浪，怒海行舟，要與洶湧的惡浪，展開一場持久搏鬪。多少人要在苦撐中奮起執勤，多少人甚至噙着淚水固守崗位，就是要在艱危中磨練技能，考驗一個人的耐力。海上縱或沒有炮聲鎗鳴，那湮水浩渺的茫茫一片，只有風和浪的頑強，讓你挺著受冷風吹襲，受激起的浪花濺濕衣裳。無窮無盡的猛烈巨浪，翻騰起伏，聽憑艦體搖晃，發出雷似的轟隆聲響，破浪前行，就是任務爲先，這一群青年們是無懼什麼風力七級或是八級。

不是海上遨遊，而是在征服海洋。驅浪破湧，似一場頑强的斧擊搏鬪，也眞正是考驗人生的一場戰爭。值更的各執其事，各在崗位四個小時，誰也不甘頹然地告饒退避。艙內的各種奇景，由於艦體破浪不斷地搖擺。杯盤抓不牢的自會飛舞，睡在吊舖上的人會翻倒地下；鞋子、衣服常常變易了原位。嘔吐的人吐盡了苦水，還要一陣陣的噁心，這種滋味，往往是別人領略不到的，海軍軍人生活就是從大風大浪的航行途中，點點滴滴的體會到它的眞切。

翔兒曾說：感謝父母給他一副强健的體魄！他無懼風浪，不暈船，也就不會嘔吐，照樣的吃喝。先天的禀賦，甚於後天的磨練，他算得上是一個堅强的小金剛。

做父母的誰不疼愛自己的兒女？當風狂浪急，在月黑無星的茫茫海上，正有著爲捍衞國家的海軍健兒，乘風破浪，航行到金門、東碇、烏坵、馬祖、東引、東沙、南沙……說不定，我的翔兒也在其中。

氣溫在減低，風兒在呼號，雨絲飄落，一片寒冬；室內的和煦，更頻添對翔兒的懷念。偶一抬頭，看到櫃櫥裡壹件黑呢的防寒大衣，油然想到，值更的翔兒，未知是否加衣？

清水溪的奔流

源自阿里山的清水溪，滾滾長流，混黃一片，它從兩岸群峯中闖出自己的道路，隨著形勢，衝破懸岩，擊碎巨石，挾著泥沙向著下游喘急奔逝，不斷發出轟隆的吼聲，輾轉於青峯峻嶺之間直到瑞竹，方始平緩地換了清淨面目注入濁水溪，在彰雲大橋下滙合流進大海。

急流青峯，茂林修竹，它顯示著大自然的偉岸雄壯，也表現著人們找到幽靜安謐的所在，給予心靈上無限的慰藉，總覺得碌碌人生中覓取一些毫無喧囂的寧靜日月，這是現代生活裡少有的享受與難得的機緣。

旅遊幾乎是都市人群夢寐以求的渴望，春將老，天放晴的大好時光，我們獲致一遊草嶺風景區，算是三生有幸，讓我們盡興的歡暢，度過一個愉快的假期。

車從台北出發，在高速公路王田交流道折向東行，過南投、竹山，漸漸進入山區。崗巒起伏，綿綿連連，山勢越行越高，道路則是彎彎重重，入山漸深，森森林樹愈見濃密，高聳的石壁，深邃的谿谷，徑一線下垂的外湖瀑布，穿新建的嶺上隧道，終於停止在高山青大飯店，成了暫宿一宵的過客——那其中有一個我、和我的家人。

寄寓台灣四十年來，尚未到過草嶺，嚮往它的風貌，常常在我腦海裡出現，是荒涼原始的山林？還是綺麗非常的美妙？猜不著，想不透，但我將近一個晝夜的停留，發覺它既奇美，又驚險，既怪異，又刺激的一處趣味盎然的所在。唯稍遺憾的，安全措施不足。但是，它是年青健壯人們旅遊的好地方。

蓬萊瀑布高千尺

草嶺原是雲林古坑的小村。如今，許多建築宏偉的大飯店、客棧，掩映綠竹青松中，散落在嶺頭坡間，各具清新動人的風格。當黃昏將臨的時刻，站在旅店前的廣場，晴嵐展佈，微風送爽，頓覺塵慮全消。稍待，眼前群峯已浸入薄薄雲霧籠罩中，若隱若現，而一輪紅日正向西斜，光彩耀目，其景其情，充滿奇妙虛幻，飽具自然的變化。

靜靜欣賞這難得的景色，若不是暮雲四合，對面山裡已經亮起一盞燈光，我方領悟黑夜的脚步已悄悄降臨。

由於草嶺介於南投、嘉義縣境之間，位於雲林縣的東隅。高山峻險，有人說海拔八〇〇公尺，手邊沒有資料無法確認，而我的直覺，雖沒有阿里山、大雪山那般高度，該不致低於千呎罷。附近瀑布衆多，雪飄綠林，恍如白帛飄曳，煞是動人心弦，因此，在高山青大飯店住定後，旋卽乘坐十六人座巴士先遊山間勝景的蓬萊瀑布，那附近有一條小街和一所國民小學，也就無緣前往踏躂參觀。

看瀑布，遠眺似乎不如近觀。付費搭乘小型纜車到長春谷，再換大型的，飛越青青山谷到達大峭壁下，瀑流聲震深壑，七彩長虹出現在林樹梢頭，值得流連。爲著一探泉源，我沿著石塊舖砌的步道，向上攀登，脚底大石縱橫，湍流鑽隙奔竄。兩岸對峙，翠竹野花點綴其間，到處留有崩石散落的痕跡，步道也就崎嶇難行。我在涉歷艱阻，鼓起餘勇，溪壑既爲我帶來山泉水清，也給我有著倚杖徘徊的獨享寧靜。

左側高約一二〇公尺的同心瀑布，下方是連珠池，旁有突兀的一塊奇大團石，鑿有階梯步步登臨，渾圓光滑，可坐可臥，任情瀏覽周邊蒼翠景色。大家正在專注白練凌空川流響聲若雷的當兒，宇孫無知，竟然不走石磴，離開爸媽想從頂端直接順著斜坡踏石下行，誰料站不牢脚跟，愈衝愈快，眼看就要碰到一塊豎立的石頭，幸好他的身體一歪，不偏不倚的撲咚一聲跌落水潭，未等救援，他已爬了起來，全身濕漉漉地，滿臉滿手的汚泥。他的化險爲夷，絲毫無傷，我只有感謝老天的保佑，而他那處變不驚的態度，眞爲這不足七歲的孩子祝福，令我頓然想起美國電影裡的突擊隊隊員塗抹黑彩執行任務的那種神勇。

宇孫驚險的一幕，我和妻事後還存餘悸，他的爸媽認是萬幸，同遊的都爲此有著共同的感受：窮山惡水怪異奇突，顧慮安全却該特別小心。

峭壁雄風顯身手

一早，又坐購票的小巴士，遊覽飯店右側一帶的自然風光。

穿越碧綠的森林，降坡下駛，曲曲折折，終於停在杉木林立的一塊曠地，那就開始利用我們的雙脚，去探幽尋勝，第一站便是所謂「峭壁雄風」。可是，當前「峭壁」，却難表現「雄風」，尤其年紀稍長的男女遊客，幾乎在此自我獻醜。

先在濃蔭遮蔽裡步行三五九階的下坡狹道，有一小片平地，實際已臨峭壁的頂端。眼看清水溪流，湍急奔馳，對岸蒴蒴重山依然高聳還需仰視。這是一處值得遊覽的所在，也是景觀最具美趣的所在，但得飽受險阻，突破一些難題，可是非常的有著刺激。造物者在這荒僻的群山之中，始創出這塊奇異的景物，它給人們帶來值得一遊的價值，也給草嶺帶來無限生機。峭壁所在，相信它是迷惑著無數的青年男女，當然，考驗很多很多旅遊人士。聳峙溪畔的天然偌大峭壁，寬有七〇公尺，長達一四〇公尺，壁面傾斜五〇度，如此陟峭的石壁斜坡，要從頂部走向底端，光滑不易立足，因此，必需具有勇氣到達溪濱。所以，壁面劃出兩片區域，一是緣繩下滑，一是緊握繩網，步步移動。先得備購手套，穿著「好漢」球鞋，交錢放行，展開一段恍似蜀道的旅程。

自信我有健行的能耐，我妻自幼就是不慣爬山越嶺的人，況她著的皮鞋，病後體力大不如前，依然勉力下行。當我採取倒退方式已達壁底，而她只勉强走了三分之一，已是精疲力竭，欲想折回也無可能。她又累又急，幸好婷女平婿在下望見媽的窘境，趕緊上來扶持，妻在前護後擁中走了一段，腿軟手疼的坐在石壁休息，平婿急中生智找到一方帆布，讓媽坐著慢慢向下滑溜，宇璇兩孫年幼乖巧，手捧冷飲逆壁循索上攀，來給奶奶加油。妻得到精神的奮勵，居然也走完全程，征服這一段艱苦的障碍。回顧上望，平滑傾斜，看著雄立挺峙的石壁，唯有爬攀通過這一條隘道，眞是扣人心弦，而它風格奇特，令人留下草嶺之行的深刻印象。

再沿河濱前行。步危橋，踏亂石，更在卵石堆積的河灘上，伴著呼嘯的溪聲繼續踣踉窮追。途間的水濂洞，是峻嶺瀑布下瀉形成洞穴，捨此，其它什麼青蛙石、奇妙洞、幽情谷，處於荒蕪的境地，只是人們給它的美稱，一無人工只存天然，原始得一無足觀，所以，只有微覺它的空靜閒逸，別的毫無所得，徒然苦累自己的一雙脅足。

斷魂谷中憶英魂

止步又乘巴士，駛過山林小徑，讓我們飽覽壯濶谿壑之美，眞實體驗到原始的山河面目。站在谷間闢建出來的一方空地，視野廣大，展望自如。稍遠的右側，石壁削立，就如刀砍斧劈的一般，據說是在若干年前地震帶來的一種成果——斷崖。最前面放眼望去，群峯臣服在我們站立的地方，愈遠愈低形成隱約的崗巒。左邊谷底是浩浩蕩蕩清水溪的黃色長流，深深陷入兩側高峯的底端，嗚咽奔波，似乎是永無休止。這段由寬變窄，曲折有致的河道，就是令人追思的斷魂谷所在，它記載著草嶺潭的滄桑史。有年壩堤潰決，國軍工兵在此犧牲七十四人，他們是爲建設水利工程造福人民而奉獻出自己的生命，他們俱是來自天南地北的年青小伙子。如今，遺骸安葬在嘉義梅山，墓木早拱，還有豐碑花影掩映長伴，予人懷念。這群默默無聞者，埋骨於景色宜人的梅山，讓忠魂寄附於青山清流之間，隨著晦冥陰晴、風雨霜露，久遠消遙在白雲青峯之上，永享自然。

虔誠地，爲國而殤的殉身官兵祝禱、憑弔，在人生意義來看，他們眞是無忝所生的一群。

（民國七十八年五月）

陽明冬景

沿著仰德大道，滿山翠竹青松，閒雜著數枝怒放的櫻花，粉色那麼嬌艷動人，無異是一幅青綠山水畫，點綴數片淡彩，使我溶入於大自然的懷抱之中，享受著田園之樂，一切煩憂已經從我心底消失無影無踪。

從山仔后轉向菁山路，路面稍狹但很平坦，只是崎嶇，路側植滿箭竹，娉娉婷婷，密密叢叢，嫩細的筍尖，成爲山間農夫一項收入，也成爲都市人們口中一種佳餚。

細雨霏霏，雲層很低，形成濛濛薄霧，冬寒欲雪，步行登山的遊客，幾不得見，一些私家的轎車，大概是和我們一般，專爲探幽而來，爲著陽明的冬景，無畏冷峭的寒風和充滿涼意雨霧，嘗試山間的生活趣味，暫時擺脫塵囂的束縛。一家大小，就這樣的在山野裡奔馳瀏覽著這兒的景物。

過國際電信局的衞星接收站，龐大偉碩的三隻特別的「大耳朵」，依著山谷散佈在綠林當中，挺立表現著自我巍然的雄姿。幼小的宇璇兩孫，看得非常入神，具有無限的興趣，問長問短，逼著媽媽爸爸的解說，這樣，也正足解除旅中的寂寥。

漸漸下坡，山間農家齊整的屋舍，也分別在谷底坡邊出現。果園處處，正是桶柑豐盛的季節，那一片綠葉叢裡，綴滿渾圓的纍纍金黃色彩珍果。孩子們興趣眞濃，踏著泥濘，冒著冷雨，鑽進園裡摘取所喜愛的業經成熟的桶柑。在陽明山上的這一批柑橘，一種粒子稍大的，有著皺紋較深的表皮，而且稍厚，剝開瓣瓣入口還有一點酸味。另一種皮薄光潔，就顯得有些嬌紅，只是粒子較小，吃起來非常甜蜜爽口。我曾經告訴他們，抗戰期間在四川重慶吃廣柑是一項享受，而那時的廣柑，原非四川所產，只是先由隴南移植而來，其中還有一段辛酸史。據說一位留學美國的甘肅籍的農業博士，遠從美國加州帶回柑苗，但在隴南培育成的果實，却少人問津，迫不得已，又移植於四川省的廣元縣，竟然成了重慶人們喜食的廣柑，滋味甘美，動人饞欲。江西廣豐的小粒甜橘，也曾經是我們行軍途中難得飽餐的恩物。浙東溫嶺縣境的橘子行銷上海，是冬季家家爭購的水果。在湖南湘潭易俗河，駐軍唐家巨宅，民國二十七年深秋，每當日軍飛機空襲，我們就隱蔽在橘子園裡躲警報，隨摘隨吃，且常常放在馬褲袋裡，塞得滿滿的。警報解除歸營，園主任憑我們給錢，從沒有爭多論少，無怪官兵都有一句俗語：「到了湖南到了家，到了湖南不想家。」

橘園這兒附近的道路兩側，都是高與人齊的芒草。長葉似夊，一不小心，那會割破手臉。而莖梢的白花，長串如絮，隨著風冷不斷搖曳飄盪，似在無言的歡迎這群訪客，願意相隨相伴。

有農家的地方，就有許多應運而生的商業行爲存在。門前擺著高冷蔬菜、蘿蔔；山茶花、杜鵑花，躑躅、蘭花。較比特別的，不僅出售土雞，還賣土窰雞的，熱烘烘、香噴噴的，雞肚子裡的配料，有紅黑棗子、當歸、枸杞，剝開焦泥，自會要你流涎欲滴，撕開進食，別饒風味，不得不大讚這是陽明山上的田園佳餚。

番薯在冬天裡特別好吃。山裡既有烤熟的可買，而所謂「地瓜湯」的，又比烤的稍勝一籌。薯熟湯溶，加添老薑同煨，又熱又麻，飽受氣溫降低，衣不勝寒的時刻，在此一碗在手，充飢解渴，復又驅寒，無怪小婿連吃兩碗，大呼過癮不止。就連我和我妻還有么女，也吃了一碗，眞是其味無窮，家中養的番薯粥，比它似乎差些。不過孫兒們只是淺嘗就止，他們實在受不住老薑的那一股辣味。

最別致稀罕出賣的貨品，是很多很多的葫蘆，既乾燥又保持原色，上下圓有小大，而腰部細緻，玲瓏剔透，造型美觀。小的只能盈握，令人愛不釋手，其中也有較大的，但是，偏偏愛買小的特多。

宇孫問題跟著來了，問葫蘆怎麼長成的，爲什麼都長得這麼小而又圓的。又問到：老師曾經說過：「葫蘆裏賣的什麼藥」，爲什麼不說葫蘆裏裝的什麼水，什麼酒呢？

說來說去，問東問西，我掏錢替他們買了二隻較比怪異一點的，外型看來並不醜陋。在行車途中，我就盡我所知，能夠使他們小心靈中聽得懂的，很淺近的讓他知道。至於葫蘆是象徵吉祥的話，那未免抽象，小孩子是不易理解其中奧妙的。

欣賞多景回返，車已駛經內雙溪畔。磊石橫陳於谿谷之間，從山中湍急奔流而下猶如白綾似的清泉，橫亘在青翠的曠野裡，潺潺有聲，永遠流逝不息。

「八二三」空軍大顯神威

民國四十七年的金門「八二三砲戰」，歷經四十六天，曾在只有一百七十八多一點平方公里的小島，中共射擊將近五十萬砲彈。由於國軍堅強反擊，終於獲得一場勝利，奠定國家繁華不拔的根基。這一史無前例的反砲戰的成功例證，是用鐵血換來的。時光匆匆，今年已屆三十個年頭，撫今思昔，堪資回憶與警惕的地方至為深遠。茲特就所存資料加以概括的敍述，藉供讀者一點回味。

蔣公料敵如神

根據經國先生遺著風雨中的寧靜一書「金馬之行」文中提及，他於八月十日自臺北飛抵金門，「是會晤胡司令官轉達先總統蔣公有關加強金門防務的重要指示。

總統預料中共在最近期內將進犯金門，故應提早完成隧道工程；並將所有彈藥移藏於地下，從速加強砲兵陣地，多儲糧食，注意飲水設備等。除金門本島外，必須特別注意大、二擔與烈嶼之防務」。

經國先生又於八月十八日至二十日，先後陪同蔣公巡視馬祖列島與金門、烈嶼，指示防衞重要方針，訓勉軍官，「金馬部隊負有打第一次勝仗的任務，決心與犧牲是打勝仗與成功的先決條件」。砲戰期間，經國先生多次在炮火中登陸洽公，無懼中共密集的砲彈，置生死於度外的大無畏精神與冒險犯難行動，躍然紙上，讀來景仰無既。

震驚中外的「八二三」砲戰，是突然的、空前猛烈的一場共軍對金門的砲火攻擊，也是共軍十年蟄伏後有計劃的行動。實際早在一年前已作準備，并獲蘇俄頭子赫魯雪夫的全力支持。當八月二十三日黃昏，共軍猛烈砲擊金門，兩小時落彈四萬餘發，傷亡二百餘人，毀屋六十五棟，金門防衛司令部副司令官趙家驤、吉星文、章傑重傷殉職。此後，砲戰與反砲戰陸續互轟，二十六日共軍炮火盲射金門五千餘發，我守軍當予猛烈還擊。二十七日，共軍又整日發砲達萬餘發，我金門砲兵立即發揮威力，摧毀敵方砲陣地多處。二十九日，金門我砲兵又發揮打擊力量，毀共軍砲陣地三十餘處。七天來共軍砲擊金門落彈計十二萬發。且以七千餘發砲彈圍射大擔、二擔，因此，在砲戰時，共軍砲火涵蓋金門各島。九月一日，共軍砲射金門三千發。八日砲擊金門五萬餘發。十日金門砲兵還擊，摧毀共軍砲陣地多處，共軍砲火射擊金門五千餘發。十一日共軍火炮向金門列島狂射五萬餘發，我砲兵當猛烈還擊。十五日我砲兵摧毀共軍火砲十二門。十九日共軍砲擊金門七千八百餘發，迄今共軍發彈已逾三十餘萬發。二十一日統計，金門砲戰已三十天，共軍發彈三十二萬四千餘發，我又毀其火砲九門。二十四日，我復又擊毀共軍火砲十二門。二十七日我砲兵摧毀共軍火砲二十三門，彈藥庫一座。三十日共軍火炮狂射金門近萬發。雙方火砲互擊，彈雨硝烟瀰漫金門全島與敵陣。

彈落如雨，經國先生抵金，士氣大振

十月一日，依據經國先生親身經歷所載，共軍火砲集中轟擊海灘，落彈無算，二日入夜，砲戰情況更爲激烈。三日經國先生目睹飛機降落機場前後，遭受共軍砲火猛烈轟擊，仍搭運送傷兵的便機，於砲火中飛離金門機場返抵臺北。二十一日拂曉復又飛降金門機場，突遭共軍火砲轟擊，四處紛落彈，幸未擊中。二十二日在金門城中主持政工會議；忽有共軍大批砲彈落於會場附近，廼進入防空洞繼續開會。這些親歷火線的眞相，說明共軍謀奪金門的瘋狂。

由於國軍深藏地下，能戰能守，追求勝利，雖在共軍密集砲火的封鎖之下，後方的補給品，照舊由海運與空運源源到達，共軍始終難以達到消耗與圍困的目的。加之，外援重大口徑巨無霸的自走砲運到，這種新武器是於十月二日運抵金門的，瞬即發揮無比的威力，因此，十月五日，僞國防部長彭德懷宣布，在金門戰線停火七天，使金門前線趨於沉寂。十二日中共廣播，繼續在金門停火二週，只是謊言。二十五日，共軍爲著掩飾砲擊金門的失敗，復又揚言「雙日停火」，二十六日旣砲擊金門，更在十一月三日，又砲擊金門三萬餘發，五日濫射五千餘發，當然我金門砲兵還以顏色，於兩日內計毀其火炮三十門，彈藥庫兩座，共軍遭受我方慘重的打擊，原有砲位分批後移，藉免覆沒的命運。爲著最後的掙扎，共軍在十二月九日，再向我金門砲擊三千餘發，十一日又四千餘發，二十三日續又砲擊四千餘發，經我砲兵還擊制壓，終告消聲。

中外歷史尚無前例的金門「八二三砲戰」，國軍英勇善戰，造致共軍失敗挫折。不僅在福建前線集中陸軍十八萬人，大小艦艇二六二艘，各型飛機二九八架，各種火砲三百四十二門增至五百十一門，結果兵員物資受有重大消耗，僞總參謀長粟裕爲之免職，其「福建前線部隊司令部」參謀長黎有章亦爲我砲火所擊斃。中共「進攻金門、馬祖，再進軍臺灣」的迷夢，就此落空，「單打雙不打」的囈語，成爲中共欺騙世人視聽的一句戲言。

英勇空軍大顯神威

翻開臺灣海峽對岸的地圖。浙江省境的定海、路橋有著中共空軍的基地。福建一省的中共空軍基地尤爲密布，構成機場群，利便其兵力的轉移與機動運用。最大的機場有連城，沿海更有福州、龍田、晉江、廈門、龍溪、海澄等機場。當在金門「八二三砲戰」尚在醞釀未至發動前期，正是「山雨欲來風滿樓」的時候，其海空軍先期即已蠢動。爲著節省篇幅，（敵我雙方海軍動向未予論列，憶及黎玉璽將軍曾有專著印行）筆者則偏重於空軍對制空權的爭覇與我空軍獲致空中優勢的經過大概，加以說明，藉使國人瞭然三軍如兄如弟如手如足協同作戰，重視該項贏得勝利的重要性。

中共進攻金馬的動態，在民國四十七年六月，共軍在舟山群島舉行第一次「三軍聯合兩棲作戰」演習，其空軍作戰部隊即留駐路橋基地，幷且，加緊建築福建省境的六大基地設施。七月二十九日，中共米格十七D移駐汕頭附近澄海基地，八月五日的龍溪機場有米格十七F進駐，路橋基地中共空軍移防連城、建甌、福州、惠安等機場，尤以龍溪與惠安兩個機場，逼近金門，其動向昭然若揭。在八月五日中共即不停廣播：「攻奪金門、馬祖，武力解放臺澎」，我空軍與中共空軍也就不斷加強海峽上空的巡弋活動。

七日首開「八二三砲戰」前的空戰序幕，我機在金門附近擊退來犯的共軍米格一七PF，爲第一位臺籍空戰英雄的黃七賢開火打落一架，是爲制裁中共空軍妄動的創先紀錄。

「八一四」在平潭島東北的空戰，李中立三次攻擊，共軍一架米格一七PF爆炸，這是侵入馬祖上空挑戰的中共空軍又一敗績，這次我空軍一舉擊落敵機三架，計：秦秉鈞一架，劉憲武、潘輔德合力各擊落一架。其間，當中共飛行員所駕飛機中彈跳傘，落在海面，中共快速砲艇七艘與我海軍交火，一沉四傷。此役在馬祖附近的激烈空戰，擊落米格三架，爲空軍勝利紀念日帶來喜訊。我海軍以與敵艇交戰，亦獲致一沉四傷的戰果，來爲空軍協同作戰共殲頑敵祝福。

金門砲戰發生之際，中共米格十七PF，竟在「八二五」日落時分改向金門上空飛行準備對我地面設施炸射。由蔣天恩領隊的F—八六F機群，正在上空三萬八千呎執行巡邏，當即爬升搶佔高位，制敵機先，雙方乃在四萬呎追逐纏鬥，一直打到四千呎。蔣天恩，顧樹庠各自擊落敵機一架，巧逢金門地面戰火熾烈時，有著擊落米格機二架的紀錄，同時，孫木山也兩次對來犯敵機開火，擊傷其中一架。

「九、八」澄海空戰，是距海岸二十哩的海面上空進行的。余鐘禔領隊，本是掩護我RF八四F

前往廣東澄海機場偵照，受到敵機的攔擊而雙方交戰，結果是五比〇大勝。計：余鐘禔、秦秉鈞、粱金中各自打落一架，劉憲武打下二架，并可能擊傷其二架，是我空軍在「八二三」砲戰後的第二度勝利。一說澄海空戰我空軍擊落共軍米格十七PF機有七架之多，諒係包括著被我擊傷的架數。

九月十八日下午四時正，空軍英雄孫嗣文、董光興掩護我RF八四F一架前往廈門偵照中共的軍事設施，和米格十七PF十六架遭遇發生戰鬥，兩人各打下一架。四時五分，我海軍執行「鴻運計劃」的第十二航次運補船團到達金門，敵機向我掩護船團的F八六F展開攻擊，我空軍林文禮、毛節盛、劉興業、陸養仲，合計擊落四架，並可能擊落一架。該日有著：「我空軍在金門南方上空擊落敵米格機五架、海軍擊沉共軍魚雷艇三艘」的記載。

「九、二四」空戰，是中共空軍米格一七PF機群與我空軍F八六F軍刀機相遇輒遭敗北的又一次的空戰。

當「八、二三」金門砲戰開火以來業經逾月，共軍經我三軍痛擊大敗。我爲顧慮其所組聯合艦隊侵奪我外島的可能性，乃在九月二十四日進行「第三～九號航路計劃」，其目的在於了解中共艦隊的海上集結、運輸、攻擊能力，以研判其動向，執行「戰鬥機掩護偵察機偵照作戰計劃」。我以F—八六F出動八批，以突破米格—一七PF的機海戰術。當時中共空軍調集曾經參加「抗美援朝」的「空四師」、「空十二師」、「空十五師」、「空十八師」的大隊長、中隊長級領導幹部，率其精挑細選的飛行員一百五十人全力出擊，想以韓戰的經驗，企圖挽回頹勢。我機由李叔元、錢奕強、宋宏炎，在三萬九千呎的高空向敵迎戰，施放世界性第一次使用於實際的「響尾蛇」飛彈，發揮百分之一百的射擊精度，一舉擊落四架米格一七PF。隨後馬大鵬在平潭島的上空，以六挺五〇機槍將一架米格一七PF射炸落海。夏繼藻又打下一架。總領隊冷培澍等則有四對四的衝突，冷培澍一馬當先，對其中一架開火使之負傷。李載權、唐積敏同時準確命中一架，使之立刻起火墜落。王淵博也揍下一架。田熙三追趕敵機二架到鎮海灣上空，進入攻擊位置，打得一架立刻起火炸成粉碎，另一架負創脫離戰場。且在金門東部上空，我機群突破米格機群，從其「一字長蛇陣」當中切開，在交戰中又一連打下二架，另可能擊落二架。長達五個小時的「九、二四」空戰中，我「第三～第九號航路計劃」在掩護與偵照作業全部完成下，擊落「米格一七PF」十一架，可能擊落二架，擊傷二架，此爲一項空軍主力的決戰，收到世界第一次使用「響尾蛇」飛彈空戰勝利之果，更顯現我國空軍的素質優良，技術高超。是役據可靠資料記載：「我空軍擊落米格機十架」。

九月二十五日在南沃空戰是「臺海戰役」的第九次戰鬥，結果我軍飛機以四對十六的比數，擊落「米格一七PF」一架。

「雙十」空戰是我空軍不理中共十月六日廣播「停火一週」讕言，出動六架F八六F前往福州、龍田機場作威力搜索，中共米格一七PF緊急起飛二十架應戰，經過追逐纏鬥，擊落其六架。「雙十」馬祖空戰，我飛行員擊落敵機的，是：丁定中、路靖、葉傳熙、張廼軍，并且，張與敵機對撞，事蹟悲壯感人。

「雙十」空戰，爲臺海戰役第十場空戰中的最後一次。該一戰役的瞬起驟落，中共雖然採取以衆擊寡，以量制質的戰法，始於「八七」，終於「雙十」，結局是形成強弩之末，退藏不出，畏怯交手。隨著「八、二三」砲戰的「單打、雙不打」中終告結束。我空軍英勇作戰，總計戰果是：擊落「米格一七PF」三十二架。重創八架，擊傷四架，可能擊落三架，十次空戰中，我空軍損失輕微，僅僅損失飛機二架。

空軍在戰鬥、偵照，空運的一連串的任務遂行當中，仍舊照常執行空投大陸救濟災胞的仁義措施。如：八月二十二日，第十七次空投，遍及浙、蘇、皖三省二十六市縣城鄉，投有大批食米、傳單、慰問袋等。九月十六日，由空軍進行第四十八次空投救濟大陸災胞，投有大批白米、傳單，遍及閩、贛、湘、皖、豫、晉六省，二十餘縣市的城鄉。

粉碎中共攻臺迷夢，得有今日强勢

回想三十年前的金門「八、二三砲戰」，這次臺海戰役的震撼危殆的局勢，全賴政府與全體軍民敵愾同仇，齊心戮力，加之，當時美國戰略情勢而助我一臂之力，使臺澎金馬安如磐石。

正如先總統 蔣公在民國四十七年九月二十九日告中外記者所稱：「金門戰爭乃保衞戰，純爲屏障臺灣海峽」，一舉擊破中共所謂「進攻金馬，解放臺灣」的迷夢，這是全國軍民從淚水與血汗交迸中艱苦奮鬥的成果。臺澎金馬的屹立堅強有此今日，確實證明唯有艱辛締造把握國策始能致之，自助方有人助，這是千古不移的眞理，我們應該深深地記取三十年前的歷史事實，更堅定反共、民主、統一的信心和決心。

（民國七十七年八月）

抗戰中敵後生活

參加前江蘇省主席、第三戰區副司令長官，現任國大代表享年九七高齡，韓德勳將軍的喪禮，陪著前國軍八十九軍軍長顧錫九中將，瞻仰遺容，作最後的敬禮。韓氏乾癟的面龐，靜無聲息的安然躺臥，不僅油然產生人世無常的感慨，回首當年，其溫文儒雅，談吐中肯的風範，依舊深深嵌印腦海。韓氏在抗戰期間坐鎮蘇北一隅，外有強敵日寇與汪逆僞軍相與拼鬥，更有不守約束，擴展實力的中共掌握著新四軍，視韓爲頑軍領導者，使之受盡窩囊氣，歷經無數艱險。從毛澤東手筆列入「毛選」第二卷中的「放手發展抗日力量，抵抗反共頑固派的進攻」一書記述中，指明：「在江蘇境內，應不顧顧祝同、冷欣、韓德勤等反共份子的批評，限制和壓迫，西起南京，東至海邊，南至杭州，北至徐州，盡可能迅速地並有步驟有計劃地將一切可能控制的區域控制在我們手中，獨立自主地擴大軍隊，建立政權……」。（民國二十九年五月四日）乃有十月續行攻擊國軍八十九軍於黃橋（江蘇泰興）的激烈戰鬥，造致國軍軍長、師長、旅長、團長多人暨千餘官兵不死即俘的嚴重事實。從此，華中的新四軍和華北的八路軍相互配合於蘇北合流，採取同一擴展步驟，絕不抗日，專門全力向國軍進攻。十二月一日起的曹甸（江蘇淮安）保衞戰，國軍第八十九軍新任軍長顧錫九親率部隊憑恃土堡沼地與置之死地而後生的決心，力抗新四軍的十五個團兵力攻擊，外圍的國軍部隊和地方團隊堅守與得機出擊，阻遏共軍四方嘯聚的兵力「猛打」「猛攻」「猛衝」的人海戰術，迄至十六日夜始行潰退。

此一促使蘇北淮、寶、鹽、阜四縣邊區維持二年小康局勢的曹甸之役，也給予徐、海、與泰、東等地部隊稍獲喘息機會，繼續抗爭，是有著決定性的作用。國軍在曹甸半月日夜戰鬥的代價，據統計是：陣亡軍官二十七員，受傷五十六員，陣亡士兵五〇六名，受傷三九五名。而共軍囂張猖獗，更屬變本加厲的無視法紀，復在民國三十年一月四日於安徽涇縣發動「皖南事變」，其猙獰面目愈加明顯。政府仍以抗日爲先，百般容忍，身處蘇北敵後的江蘇省政府，苦苦撐持到民國三十二年春季，方始逐步在日寇、汪僞、中共壓力交侵下，強越津浦路，進入皖北，國軍也奉令西移，經加整訓參加抗拒日寇打通平漢鐵路的戰鬥。留置於徐海與泰東的少數國軍與地方團隊。苦撐惡鬥，堅持保鄉衞土直到勝利到臨。

糙米有穀仍填充飢

筆者二十九年奉派由重慶到達東臺，復又輾轉淮東整整兩年，目擊身受艱危歲月，如今已成夢幻，但其困厄，歷歷如昨。擇要記敍片段，藉供懷古念舊的一點往事留痕。

「北人乘馬南人乘舟」的中國南北分野，就以江蘇境內淮河來劃界的。淮南河流縱橫，向爲魚米之鄉，江蘇省政府由於國軍黃橋受挫與曹甸保衞戰鬥獲勝，縱在中共系統的八路軍和新四軍南北合流竄擾中，仍可重整堅持奮鬥。不意日寇於攻擊臨澤、時堡後再攻佔興化、接著日機大批轟炸金吾莊、大施河，國軍頗多損傷，乃北移淮東地帶集結。軍政人員的衆多，糧食碾軋不及，不僅所食軍糧只是脫一層外殼，吃起來既粗糙又不易消化，排出來的是粒粒米外薄膜，所以，很多人食不下嚥，有時礱米不及下鍋，就用麩皮煮熟成爲漿糊充飢，不堪其苦的，遁入敵僞控制地區的幾無日無之。筆者分屬職業軍人，具有湘、鄂、桂、贛諸省的戰地軍旅生涯經驗，較比吃「八寶飯」稍勝一籌，所以，並不以爲淮東敵後生活是一件苦難與危險的事。駐守稍事安定後，不僅米麵供應無缺，雞魚肉蛋蔬果到處有售，軍民合作的精神高昂發揚，物產富足的先天條件優厚不無有因。在這種自信既安且定的條件下，從敵僞控制地區紛紛來歸者頗不乏人。高級中學、師範學校、聯合中學、初中、職校也就紛紛復課，弦歌不輟，爲國家培植下一代的教育事業未斷。基於愛國情操，不甘事敵前提下，淮東糧食無缺，軍民另無奢求。大家俱在危而小康的局勢下，堅忍奮鬥。

墳墓夷平作空投場

當東臺未被新四軍攻佔以前，尚有一處小型機場可供飛機降落，那是專來運送鈔票的。轉進淮東地帶，築飛機場勢所不可爲的，就在車橋鎮西南隅一片叢葬區闢建空投場，解決薪餉補給問題。那些無主野墳，動用兵力挖掘成了平地，竟然發掘到明代卜葬的一具棺木，揭開一看內中白鬚老者屍身尚未腐蝕，但經風吹日曬，衣服頓即化灰，屍身轉黑終成殘骸。所有無主屍骨，火化不易，另挖巨坑掩埋，留下棺木，由工兵鋸製成爲桌凳。那時，江蘇省幹部訓練團、中央軍校第十八期學生，均在接受教育當中，一在大劉莊、一在涇口圩內。筆者兼任省訓團行政班的訓導員，教育長吳春科先生（曾在臺灣任中興大學農學院教授），訓導處長厲石青（於勝利後投入中共懷抱），學員俱爲縣政府主任秘書、民政科（區）長，有來自東臺、海門、啓東、江都各縣的，一身灰布軍服，夜息稻草舖設的泥地上，飯食差強人意，只是桌凳都是盛屍棺木製造的。血跡斑斑，倒也不在乎，物質維艱，以此克服缺少桌椅困難，總比席地而坐用板作桌來得舒服一些。可是一遇陰天落雨，潮濕較重，桌凳斑斑屍水痕跡滲透欲滴，讓人無法視若未睹，而從木板上散發一股味道卻不好聞，上課與進餐，給予我們這些訓導員與學員共同生活中，的的確確是一大考驗。

利用墓地闢建的空投場，平時作爲駐軍的操場，另外，訂期有我們的小型飛機從後方飛來空投鈔票。有一擔任警戒任務的士兵，在一次眼看飛機上投下一包方形鈔票，將要落在場旁溪溝中，於是雙手上接，正好擊中其頭部立即殞命，「鈔票砸死人」，當時視爲重大新聞，殊不知空投發生怪事尚多著呢，不過，那是筆者後來服役空軍獲知的事。

械彈補充別出心裁

敵後國軍與地方團隊，處境猶如孤島，四周俱有敵人環伺，難期自由行動。作戰是人力物力皆有消耗，人力尙有補充，槍械就依賴修械所自行保養維護，最爲困難的莫若子彈，縱或利用廢彈殼裝藥及引信重用的，木柄手榴彈和葡萄形的手榴彈也可以自行裝造，但總沒有來自兵工廠的出品那般品質優良和殺傷力大。在來源方面煞費周章，有用走私方式高價收購，有在作戰時從敵屍遺存的來補給自己，曹甸戰役後的國軍械彈補充曾創佳例。絕大多數的械彈補充，是由兩個管道而來，一是陸路，一是水路。陸路派遣一團以上兵力。夜暗潛越津浦鐵路，繞行日僞駐軍據點，日宿夜行，採取嚴密封鎖與保密手段，進入皖北領取，限於戰事需求，補給依然有限，往往經不起一次戰鬥已是彈藥消耗殆盡，槍械補充更屬天方夜談，每位官兵都能體會械戰是自我生命的保障倍加珍惜。另由水路在江南國軍控制地區領取，循河道越長江運抵淮東，那是用木船裝載，當時有著交通大隊的編組，主其事的是一位錢君。槍械塗脂以後，外用青竹緊緊綑紮，因爲蘇北不產孟宗竹，而用量特大，所以，將竹排置於船側或船底，不易爲日軍檢查發生懷疑，子彈分散艙內覆以石灰，這也是蘇北行銷的一種大量物資。浩浩蕩蕩的船隊由南運北，沿途均有打點暢行無阻，只是矇蔽日軍的耳目而已，可惜補給數量微弱，始終無法滿足敵後國軍的最低需求。

物質貧乏百般湊合

中國人有著變通節用的才華，敵後蘇北的軍民都有類似的寶貴經驗。就筆者個人體驗所得，在淮東整整兩年駐留期間，早睡早起，食住無虞。刷牙用醮鹽，修面利用一把長柄剃頭刀，竟然學會作爲每日刮鬍的工具，使得臉部清潔溜溜。香皀很少，土製肥皀和皀夾一樣洗臉洗衣，較比用水淋溜的稻灰洗滌方便得多。夏日游泳在清溪之中，秋冬就進村裏澡堂沐浴，未改「水包皮」的習慣，只是「皮包水」的飲茶享受不無折扣。晚來燃點燈草豆油燈，光線微弱，讀書寫作俱不方便，記得只有軍部各處室夜晚辦公燃點有玻璃罩的煤油燈，軍長辦公桌上有著白的洋燭照明。說起來或許有人不會相信，筆者在抗戰八年當中，足足有五年時間未穿過皮鞋，也沒有進過電影院。衣著簡便，隨軍時夏秋灰布單軍服，連禦寒大衣都沒有。便衣只有單夾短襖長褲，都是深色的，那是初到蘇北製作的，一件長不及膝的舊棉袍，還是好友所贈送，禦寒的手套、圍巾等項，更是無此需要。若是有人穿著西服的，簡直就是鳳毛麟角。

記憶猶新的，夜深貓捉老鼠打翻油燈，禍及我的眼鏡，只好託人去滬配置，二個月後才有一付新的眼鏡重行戴上，恢復原來形象。我的那一隻時走時停的老錶，也是常常送修，無法換一隻新的。

那時，長女初生，衣服鞋子總由內人親手縫製，我總覺得她是我倆患難與共的第一位愛情結晶，特地委託常常跑單幫的在滬買了一件純毛紅披風，一頂三角絨帽，一個挺著肚皮的洋娃娃，確實令同事們的全家羨慕不已。

戰俘敵諜境遇悽涼

抗戰敵後，軍民敵愾心強，保密防諜工作也很重視。對戰俘與敵諜的處置和待遇，自與如今眼光距離很遠，若就現時衡量，基本人權是否存在不無疑問，那時視爲當然。例如，七位日本戰俘不分階級官職大小，一律關在戰俘收容所內，土屋木柵，稻草鋪滿地面，膝地坐臥，日食兩餐，同我們官兵一樣待遇，只是戰俘不能任意走動，唯一例外的，有一軍曹他會吹號，個性也較開朗，隨同我們部隊作息，較比其他六個算是有限度的自由和幸福。至於敵諜，詭詐狡猾，對國軍有形與無形破壞力很大，尤其來策反的兵運工作，散毒縱火的，還有蒐集情報的，經審問查有實據而不能爲我們所用的，若公開處死有著諸多不便，多利用暗夜活埋處決。女性敵諜偶而採用化學藥劑令其於飲食中失水死亡。戰時的我敵誓不兩立的現實觀念，誰能具有婦人之仁的存心？偶而採用「以其人之道，還治其人之身」，正驗證了高爾基所說過的話：「唯有用墳墓來解決他們」！

公僕生活雜感

公僕生涯，慣常早出晚歸，幾乎是年如一日。偶一念及投筆從戎的那段日子，足跡十二省，家是可望而不可及，妻子兒女更是會少離多，相與今日相比，眞是不可同日而語。

清晨離家，坐火車到車站，轉公車往辦公室。家、車站，辦公室；下得車，辦公室、車站、家，如斯而已。週而復始，循環未止，這種三點式的生活，有時感覺到，它未免機械一點，有時也覺得呆板一點。

從此我體會到人生的樂趣，更嘗試到人生是變化無端，就在現實的生活當中。

我每天坐的火車，是從臺北到淡水線，有時只到北投爲止。深夜還有一個車箱的柴油車，從屋前急馳而過，那是〇〇一由臺北開向北投的。只有一段寧靜的時間，直到五點差一分，火車又開始它活躍的全天。

記得初初遷到石牌，這是北投的轄區，談到石牌，那在二百三十五年前，在清代乾隆十一年間（一七四六）有著一塊高五臺尺，寬一點四臺尺，刻著「奉憲分府曾批斷東勢南勢園歸蕃管業界」的巨型石碑，使漢人與蕃人分界而居。民國三十五年，石牌火車站仍名「唭哩岸」，石碑在派出所的門前庭院中。如今，石牌和天母同樣聞名，一屬士林、一屬北投，前曾爲洋人聚居之所，後有榮民總醫院之設，交通發達，路道平坦，大戶林立，空氣新鮮。原來是車輛不多行人稀少，那已是十年前的舊事。目前，中山北路、文林北路兩條幹線，私家車，公共汽車絡繹不絕，介乎中間的淡水線，掛著五節車廂，班班客滿，石牌旅客的上下，捨臺北、淡水以外，超越了北投、雙連的旅客，成了淡水線的第一大站。

我是淡水線火車的老主顧，持用月票，星期假日也不例外。臺北到石牌，要經過三站就到，其間需時二十分鐘，假如能夠改成「捷運」，車廂能有東京地下鐵那麼漂亮，那眞是臺北市民有福了，希望有實現的一天！每次我站的時候多，坐的機會少，從上午七時半到八點，下午回程五點到六時半，都是旅客顚峯狀態。石牌站的月臺，黑壓壓地一片人潮，簡直是重疊得無一空隙，臺北的第五月臺又何嘗不然？逢年過節，星期例假，爭先恐後的老老少少，無秩序，無管理，使你爲之傷心短氣。再看看車廂裏行行色色罷，賣花卉的，賣草藥的，賣蜜餞的，賣水果的，賣海鮮的，五味俱全，擠在車廂的中間，更使旅客動彈不得。一年復一年的，一些老臉色，變成新面孔，尤其小姐們變化最大，十年前的小女生，如今成了三個孩子的媽媽。較有改進現象的，一些來去淡水的大學生，似乎早我一班，打鬧、搶位子，自作多情留空座給女學生獻殷懃的，已不復見。但是，一些小蘿蔔頭的中學男女，依然還是不肯安靜，這些孩子，也包括幾個數得出來的工商職業學校在內。我們國人修養到家，只掃門前雪，不管瓦上霜，頂多縐縐眉頭，誰也不肯也不敢勸阻一下，好在，二十分鐘迅即來到，誰又願意嘔那一種閒氣？我每次擠上車，找個容身之處一站，沉思靜觀。窗外遠處的陽明山、大屯山、觀音山，菁菁郁郁，在朝我不斷地微笑，嫵媚多姿，引人入勝。近處層層林立的大廈，那麼灰暗的，把整個臺北的空間，越變越小，壓迫得使人有一種窒息的感受。只有圓山與士林間，一片蒼翠，路樹長年青綠，枝葉迎風飄搖，帶來清涼，也帶來大自然裏的生趣盎然。

車站是我日常生活的第二點。走前站，我譬喻是登高山，下大海，因爲要經過陸橋，要穿越長長的地下道，人潮洶湧不必說，各種攤販，順應季節出賣吃的用的，也竭盡手段來和警察作游擊戰。可是這個根據點，似乎很難掃蕩得徹底的退卻。你來我往，你去我來，巧妙運用，使警察無法施以鐵腕，後站面臨馬路，無天橋，也無地下道，行人穿越道是等於虛設，黃燈雖在不停的閃躍，車輛穿梭，視若無睹，苦的就是不斷要穿越馬路出站旅客，我將這一段路，視之爲「火網」，爲「虎口」，要衝鋒、要冒險，說句老實話，欠缺安全。何況，更有黃牛盤據拉客，計程車停滯等待，使得車站的「後窗」，暴露著社會的表象——擁擠、髒亂。

坐公車是我的日課之一。臺北市政府經營的公車，無論是大巴士、冷氣中型、大型車，車況、車容，駕駛的技術，隨車服務員的儀容態度，較前都有長足的進步。近年有女駕駛、起步、剎車、停靠，有板有眼，一絲不苟。有些人常常爲「吃票」替市府耽心，我認爲這倒不是公車的癥結所在。最主要的防弊須在加強管理著手，而方法的妥善選擇，尤該多多研究，去杜塞一些漏洞。我是堅決主張採用

「投幣」的方式；中型的，大型的冷氣公車不是運用得很好嗎？一張薄紙條，需用玉手去撕，費時費事，而且製造髒亂，還得牢牢拿著那張紙票，用剪「格」也比較方便得多。其他私人或某一機構經營的公車，依然令人失望，車輛既差，服務態度乏善可陳，剪票撕票方式各異，硬是將化錢搭車的顧客，當做坐霸王車的大天二，殊不知，顧客永遠是對的生意經，早被一些橫蠻的司機老爺，和那些不願敬業的驕女車掌，破壞得面目全非。有人說：少見多怪，因為我已司空見慣，所以，我也就不敢有所奢望。我只希望主管的建設局，能夠組團到日本、韓國等國家，多去考察公車經營的現況，他山之石，可以攻錯，未始，不可以使聯營的臺北市公車，做得更好更妙。

我的辦公室在四樓。每日上上下下，絕不氣喘。推窗外望，鱗次櫛比的屋舍，橫亘遠處的華岡，歷歷在目。樓下有池，一泓塘水，浮萍裏露著田田荷葉，小島上的柳樹已在吐著嫩芽，這些就是又復一年的信號。滿園林樹，處處如黛，我終日伏案，依人作嫁，做一個碌碌草人。

家是安樂窩，放浪形骸，還我自由。我非文士，喜愛讀書、宋詞、唐詩、漢文章。我非音樂家，聽一首陳芬蘭的歌，或是包娜娜的，迴腸盪氣，其樂融融。我不是創造藝術品的藝術家，但我願做一個美的欣賞者，使我的心靈，沐浴在美的環境中。一杯清茶在握，我慢慢評鑑畫家的作品；靜聆歌手們圓潤動人心弦的如訴底唱腔；有時一卷在手，散文、小品、詩歌，咀嚼再帶回味，往往不知東方之既白。

想著，想著，將又是一個新的明天，等待著開始！

（七十四年四月）

闔家歡樂共遊時

骨肉分離的悲苦，身爲父母的人都會有著刻骨銘心的感受，而家人父子的歡聚，其中的喜悅卻是令人難以忘懷。但是，世間悲歡離合的事實，誰又能控制裕如？

今年暑假期間，天氣燠熱，總覺得有異往年。唯一的炎夏樂事，莫如那遠離膝下的兒女，卻由於中兒一家從美東返國探親，多年未見的兄弟姊妹們得以相聚一堂，而做父母的，更是心花怒放，有著一種特別的欣慰。

我們考慮的，讓難得相聚的兒女們有著輕鬆的歡聚，就選擇旅遊列爲重點。其次，找不同口味的館子進餐。事先有著籌備，所獲的結果，老少俱有著滿意的讚許。

中正國際機場接人，無論晨昏深夜，當你所要接的人出現在接客大廳的刹那，在渴望中得以實現你的希望，那份溫馨和甜美，實非言辭所能形容的，不僅是精神滿足而已。接到中兒一家的翌日，我們先到臺中住留二夜，在大度山下幽靜涼爽的短暫生活中，畢竟勝過繁華臺北市的煩囂、悶熱。高雄市左營，那潔淨的軍區，那巨艦泊滿的軍港，寧謐而肅穆的環境，在感覺上它具有蓬勃和年青人的氣息，和一些年輕人相聚相處，似乎自己也恢復從前。

沿著靠海的寬廣平坦的大道南駛，經過很多工業區就駛進果園、林樹、村野相伴的屏東縣境。這是一個多麼美好的農村，幾乎遠離群山，最鄰近的就是碧海白浪，我們就在海濤偎依中，行行重行行，林邊、枋寮，恒春，一些我曾經舊識的村鎮，如今，已經丕換著新的風姿。我記憶中的古老事物，早經不復存在，只有原已存在的地形地貌，似乎依然別來無恙。尤其，我印象最爲深刻的大鵬，相見幾乎不敢相認，蕉林，木瓜樹均已稀落，而道路的舖設也都煥然一新，僅是大鵬灣的湛藍海水，還是泛著粼粼微波，似在相與老友談古。

一行投宿海濱的墾丁賓館，它與去年宿在山間的墾丁賓館大有不同。尤其夏季在此佇留，所接觸到的風兒吹拂，令人忘卻此時正是暑天。窗外，海天一色，藍藍地一片無盡的碧波，遠處還緩緩駛經的軍艦、商輪，雖再也不是風帆點點，但足以解除大海的寂寥。白雲、雪浪，使得天與海的單調色彩中反增添著無限生機。高聳的椰子林，低矮叢茂的熱帶雜樹，圍繞著賓館的三面，將一座游泳池屏障猶如一道自然的牆壁，好使男女老幼置身其中有著盡情的歡樂。

墾丁國家公園，在臺灣的最南端，地理環境上有著特殊的形勢，珊瑚礁岩所疊堆的群峰，與其他林木不相同類的熱帶植物，更構成奇異的景觀。衆所喜愛的海水浴場，遼闊的白沙海灘，水波不興的彎曲有緻碧波，在遮陽傘下，一椅橫臥，看悠悠海天，聽潮聲低低細語，如夢似醉的裸袒於大自然中無拘無束，這才是難得的享受。

社頂公園是墾丁臨近海濱的一處坡地。進去芳草如茵，置放朱銘雕塑一座巨大的「太極」，它的背後正是鵝鑾鼻白色燈塔，我們特選這兒共攝一影。再進去是林木森森，沿著石板步道行走，不少礁岩形成的山峰，怪狀奇突，或爲洞穴，或有滲透形成的涓涓細流。我們曲曲折折的在走，忽然發現一座高峯，特別用木梯架構任人攀登，竟是開闊的平檯和六角亭榭，題名「蒼海亭」，附近綠葉扶疏，稍遠處就是南灣的岡巒，再展望下去，大海波濤洶湧，藍底襯著白花，看來美麗極了，但是湧與浪的威猛，不是我們這群旅客所能體會的。再從海邊爬到高處，潔白的燈塔，潔白的房舍，相與藍天、碧海、綠地相互輝映，中間還有一面青天白日滿地紅的國旗，在高桿上迎風招展，非常耀眼。我們挺立高處，放眼海天，它正好掌握著巴士海峽、臺灣海峽，以及東海與南海銜接處，身在墾丁半島尖端的我們，目力所及國家河山如此壯麗，怎不教人有孺慕之思，尤其生長在異國的康孫，更爲此間景色震攝，他說：「深深愛戀著這塊屬於中國人的土地！」

在這兒一些尚未開放的土地，我們坐著車子去瀏覽。從海底慢慢昇起的珊瑚礁岩，有的形成峯嶺，有的形成洞穴，高高低低，坎坷怪奇，潮水退後的小小白珊瑚，是孩子們撿拾的寶藏，一些不知名的植物，簇簇叢叢，點綴在灘頭。

我們朝向面海的草原，距離佳樂水不遠處，居高臨下，峭壁懸岩。眼看太平洋的風高浪急，黑潮處處，日已西斜將近黃昏，本來想再趕往另一個地方去看落日的，但海角廣漠的草原，晚風蕭蕭，鳥還人稀，遙想故園已無覓處，只有踏著荒原斜日奔回宿地，我的心境卻引起微微鄉愁。

遍植熱帶林木的墾丁公園，我們藉著晨光匆匆一遊。龐大的茄冬樹，深入地層的洞穴，遮著驕陽的林蔭，高處眺望層次迤邐的山丘和茫茫與天相接的海洋，讓每一位旅客享受晨光的清涼，也把自己溶解於大自然中贏得心胸擴展的爽快。

南臺灣之旅，別具情調，全家大小歡歡樂樂。北返以後，再到陽明山的松園，還有烏來稍作遊覽。墾丁行脚，海洋最能舒暢情懷，那滔滔巨浪翻騰，晦暝變化，動人無限遐思。北部山水的秀雅，也會引人入勝。松園偏在陽明山的一隅，它是開發未久的私人園林。以松名園，實際培育的黑松，若是成林還須待諸他日，而它環境清幽，卻有迷人的佳趣。谷間建園。有花有樹，亭榭分布，小道四通。林木深處有瀑，潺潺成溪，風吹葉響，與水聲唱和，獨坐靜聽，眞是一闋好的音樂，擡頭遠望，迎面的七星山，峙立似屛，環繞左右的，俱是蒼翠滿山的林木，人們置身在這綠色世界裏，品茗閒談，任碧峯清溪常伴身邊，坐享一股沁人肺腑的爽涼空氣輕輕掠過，眞是忙碌生涯中的片斷神仙時光。

烏來是環山傍水的盡頭所在，清水涓涓長流，蜿蜒青山綿綿不絕，陡峭的峯勢，頗有陽朔的幾分神似。碧綠常青，概括這兒的天然景色。截斷奔馳溪水的攔水堤，使之成爲泓泓的澄碧湖面，沿途的直潭、翡翠湖等具有詩意的美名，的確，去烏來途中的山山水水，在我來看，它不僅富有詩情，也有著無窮畫意。穿過「天開奇景」的石坊，就已抵達烏來，綠樹蔭濃中有蟬唧唧，爲大地解破些許寂寞，來自群山裏的數條靛藍的水流，深情款款的，發出親切的辭語無日無夜的消逝。大大小小的一家人，有的注目青峯，有的移情水濱，有的徘徊街頭欣賞民俗藝品，有的眼看著被微風吹曳的樹上繁茂枝葉。

在山間野外，唯有享受寧靜、安詳的氣氛中，方能獨獲一分清新自然之美。我們的感覺中，烏來這幾年來的最大變化，就是清潔而不再似過去那般髒亂。山與水的剛柔多姿，更加助長遊人對他的留戀。烏來，在我們一家人的心目裏，畢竟有著夏日蒞臨遊覽的紀念價值存在。

短暫的時日，卻那麼美好的令人回味，我們幾將酷熱的煎熬置諸腦後。共遊的喜樂，乃是一種心理上的凝聚，青山秀水堪吟處，正是說明環境對人生活影響的重大。可是，歡聚的時間有限，兒女長大成人，當然是留不住的。天下父母心，誰不期許自己的兒女，鵬程萬里，前途似錦呢？比如雛雀羽翼長滿，自會離開舊巢，自由飛翔牠們各自的天地，萬物之靈的人們，追逐人生的過程也就莫不如此。

「八、八」那一天晚上，我們選擇天母有著較大庭院的餐館，來一次合家歡的饗宴，特別準備一席家鄉菜，既說且笑，有吃有喝，充滿愉快，就此遮飾人情之常的別離在即的苦澀！

歡敍短暫，兒女們將永難忘懷家人的團聚，在我心靈深處，雖然稍稍沾著一點孤寂，必須強顏興起歡樂。

因爲，代代相傳，總是層層相因的，我的青春年少的時代，又何嘗會體會昔日長輩的情懷？

（民國七十七年爸爸節作）

此地，再也沒有火車的聲音

從零時開始，淡水線的火車將永遠和沿線依賴它的人們告別。我們在晨昏，午夜，也將永遠再也聽不到列車隆隆啓動的聲響，那拖著長長急馳而過的悠然尾音，也將消失無蹤。

民國十一年前興建完成，直至民國七十七年七月十六日停駛。漫長的歲月，它已經是過八十七個年頭，親近過的人怎麼不寄予懷念，又怎麼能夠忘卻它所背載過的時光。

在四十年的時間裏，淡水線和我最有緣分，我和它之間有著一段密不可分的感情存在。這一段線路上，最最使我難以忘情的，莫若臺北、石牌、北投、淡水這幾站，它留給我許多許多的記憶，它也曾給我很多很多的快慰，當然，也有多多少少的幾許愁悵。當它決定停馳的當天，我和妻曾經作一次短短的懷念之旅，冒著熾熱的炎暑，從石牌登上擁擠著男女老幼的車廂，經過王家廟、北投、忠義，到達關渡。這麼衆多的旅客，有的是對它作最後巡禮的懷念之旅，有的卻利用運載得人多的列車，趕赴淡水海濱，去圖享受一個夏日海水的清涼。

往年由石牌到關渡，沿途綠野平疇，完全是一派鄉村景色。如今，高樓巨宅夾峙在鐵路線的兩側，使那些紅牆紅瓦的古老住宅，不僅黯然無光，甚至隱藏在高樓林立的深處，難得讓人一見，有的，早經失去了踪跡。代之而起的，不是工廠，就是公寓，就連那原是耕種的田地，如今，也就變成不是寬廣的道路，就是改爲建築用地，自然而然的，到處是挺立著的一幢幢的水泥、鋼筋的樓房。

三十八年，我住在北投公館路山坡上一棟獨立巨廈裏，那是公家分配的眷舍。六十一年，我又搬到北投，卻住在距離士林較近的石牌，那四層樓的公寓，其中一家是屬於我私人所有，而我的長女一家就住在我家的隔壁，並且還同一扇門戶出入。

我三十五年二月初到臺灣，那時的臺北市人烟稀少，是一個非常寧靜的城市，住在一座日本式的房子裏，雖然稍有不慣，但很清閒安寧，幾乎沒有市聲。星期假日，全家遊憩的地方，大概都選北投。由臺北搭火車到北投，換車到新北投，時間不到三十分鐘。旅客不多，又能把握時間，認爲是舒適又安全的近郊旅行既快捷又方便的交通工具。在我飽經戰火洗禮的憂患遍嘗的人來說，能在臺灣的一家大小有著假日的休閒活動，覺得非常的滿足。新北投的三面環繞山丘的谷地，有著一座公園，地面高低有致，種植著花草樹木，滿眼青翠，小徑通幽，淺溪清澄，浴後分坐亭中，孩子們結伴嬉戲林間，鳥鳴啾啾在枝頭跳躍爭逐，覺得那是人生一樂。遷居北投山邊後，很少再到新北投，交通車上下班，偶爾晚歸坐車只到所謂「老北投」，帶著孩子沿路走回去，人稀路黑，用說故事方式，將故事故作神秘，引動孩子好奇心理，不知不覺的，沒有感到疲累就已到了家。

那時的石牌車站，名稱「唭哩岸」，就像忠義站附近稱之「嗄嘮別」一般，俱是蕃人遺留下來的歷史遺痕，改叫石牌。因爲有一塊石碑稱做「唭哩岸漢蕃田園界碑」，清乾隆十一年（一七四六）立的，正面刻有「奉憲分府曾批斷東勢田南勢園歸蕃管業界」字樣，遏止漢蕃的爭鬥。

淡水線上我算是一位常客。買定期票早晚坐車，臺北淡水間就有三年半，石牌臺北間竟長達十五個年頭。見過許多形形色色的旅客，如神經漢在找人吵鬧，肩挑負販的擠滿車廂，還有成群結隊的男女學生，佔座抽烟，擠軋笑謔的。也由於日日準時搭車，認得一些不知名姓的朋友。而給我印象最深到難忘的舊事，一次我匆忙中由石牌上車，忘掉車票也忘掉是身無分文。這樣尷尬的糗事，我曾經爲他人解除困境，但一次卻輪到的是我，那位查票員拉長面孔損我幾句，在他認爲是一種幽默，在我無言以對，幸好一位好心小姐爲我付給五元補了一張票，使我訴說不盡的感激。

一次去淡水，車過石牌，那時站名還是唭哩岸，榮民總醫院還沒有在那附近建立，十次有九次都沒有旅客上下，和我對坐窗邊的翔兒，忽然發現一隻大烏龜在月臺上徘徊，六歲多的孩子如獲至寶似的，下車捉來，喜不自勝的帶在身邊，竟然在海濱又捉到一隻，在他小心眼中認爲是暑假期間隨我旅行的最大奇遇。有時，我們父子對話，幾十年的陳跡，他仍然並未遺忘的在津津樂道。

風光綺麗，淡水沿線眞是景色不殊。過士林雙溪，已經進入鄉野，橫亙的陽明山，青峯蜿蜒，一片碧翠，遠遠的觀音山，雲淡飄遙，活似沉睡中的美女仙姿，愈益向著車廂接近。穿越關渡隧道另是一番開濶景象。淡水河上奔流滾滾，向著大海逝去，漁舟往還輕輕點破細波，車傍岸行，左右有著巍峨的群山相依相伴，在這大自然中瀏覽著眼簾所及的景物，全長只有二十二公里的途程中，卻有著意想不到的美趣，那些岡巒，林木，流水，扁舟，無一不是生動靈活常掛心懷。

在淡水。一望無際的海灘，潮汐的起落，擊破無數的寧靜。渡船頭的渡船緩緩駛向八里，逆水送走一批過客，又是一批，當落日餘暉潑灑在河口的波濤上時，彩霞萬道，無數金光，眼看將要落入海峽對岸的夕陽，常常引動我無限的鄉思。有時貪戀著這抹晚景夕照，常常誤了班車。

如今，青山依舊，淡江還是日夜悠悠長流，而時光老去，歷經無數滄桑。曾經載過不知數旅客的淡水線火車，它背負著近一世紀的重載，已卸仔肩，代之而起的，將是更新的捷運系統。老的，舊的，畢竟會宣告落伍身退的，而嶄新的接替繼之傳承。無須悲切，也不容一味的概嘆、動變的天下事物，本就是如此這般的，我們只有放開胸襟坦然收受。只是，那隆隆的晨昏午夜火車發出的聲響，從此匿跡銷聲，徒然偶增一番懷念的追思。

從此，那一分熟悉的聲音，那一分物事，將隨風而逝，永不復在。但深厚的情誼，不會從此消失。臺北、士林、石牌、北投、關渡、淡水，依然活躍在今天明日的人們心中，呈現著愈趨繁華錦繡。而這淡水線上的站牌，卻已凋零斑剝，一個小小售票口，一道小小的栅欄，甚至一棵榕樹，一株杜鵑花，……它將縈迴在曾經往來旅客的腦中。

（民國七十七年七月十六日）

附錄

附錄

成長中的翔弟

夏雲玲

【軍聞社海軍南部基地四日電】我國海軍六四敦陸艦隊，在海上航行了八千海浬六百多個小時後，圓滿達成敦睦任務，定明天上午返抵國門接受各界的盛大歡迎。

小弟永翔，在八月份將從海軍官校畢業，成爲一位允文允武的理學士，也將正式擔負起捍衞海疆的責任；曾經隨著敦睦艦隊出國訪問，將中華民國友愛的種子，散播在同一陣線上的友好國家；更宣慰了那些熱愛祖國的僑胞們。

前些日子他放假回家，穿着一身雪白筆挺的海軍官校制服，肩上掛着代表四年級四條槓的標幟，由於制服剪裁合身，愈益顯出英俊挺拔，發達的胸肌，顯示强壯的體魄，晒得發紅的皮膚，證明足以接受一切的擔當；彬彬有禮的態度，表現操守上的磨練成果，連以前我們取笑他小時獅子鼻，也變得筆直了。

想起他小的時候，頑皮和堅强，在親友中是聞名的。如今，似乎一眨眼的時辰，由一個打滾撒賴蠻不講理的小淘氣，竟一變而爲溫文有禮的大男生了。孰不知在官校的七年中，教官師長對他下了多少功夫，朝朝暮暮的教誨，時時刻刻的叮嚀，全心全意的照顧，才培養出這樣一位英武的標準軍官。

打從三歲開始，翔弟就處處表現他的好動，和有領導力的天性，經常背後跟著一群小朋友，呼進呼出；他似乎永遠是個頭兒。那時在眷村每兩個星期，有一位業餘專替小孩們理髮的師傅，別的孩子們都是乖乖的，很快就理完，唯有輪到他時，坐立不安，一會要小便，一會叫頭髮扎人癢死了，又叫理的什麼狗啃頭，還要人家邊理邊講故事，重覆的還不要聽，所以那位理髮師對母親說：

「太太！我是服了你這小兒子，每次來眞要我的老命！」

他三歲進入着村的幼稚園，讀了三年已經老資格了，天天要準備一條掛在衣服上的手帕，白的變花的，花的變黑的，乾脆沒有了；老師說他聰明外向，唱歌跳舞他領先，嗓門也數他最大，問題也是他最多；眷村管理員太太在園內幫忙打掃，別的孩子都喊他老師，祇有他大不以爲然，「哼！她才不是老師，是管理員太太！」

帶他上街是最頭痛的事，在玩具店門口，如果不買給他要的那一樣的話，那就有得瞧的了，不管是大街小巷的，不管有行人來往與否，會躺在地上像個「大」字，幸虧那時車輛沒有現在多，非得如願方得罷休。有時母親和他講得好好的帶姐姐們上街，留他和爸在家，雖然點頭答應好，等我們坐的三輪車蹬走了，他會在後面窮追，停下車來等他，他又不動了，我們再走他又追，眞淘氣呵！直到爸也叫部車子在後面跟上來爲止。

入學年齡還差半歲，爸媽送他進小學，跟教務主任商量試讀看看，還得讓校長決定，帶他在校長室等候時，他閒得無聊，爬在校長辦公桌子下打彈珠，正好校長進來，對着滿臉尷尬的爸說：「我看還是明年再來唸吧！」

正式進國校了，老師也是師範剛畢業的大孩子，師生倆在操場上合放風箏斷了線，哭得在地上滾叫老師賠，母親的縫衣線遭了殃，通通飛上天了。附近田野裡的番薯，點燃野草烤得半生不熟，和小朋友吃得津津有味，用彈弓打下麻雀，拔毛剖腹，用醬油烹烤來吃，更用線綁一團棉花，沾上自己的尿，到田邊，水溝邊釣青蛙，都是他想出來的主意，那年田野蛙鳴，幾乎就聽不見了。他除開做功課睡覺外，是沒有一刻停止的，那時沒有電視，家又住在鄉下，正是他們頑童的天下，整日在外面跑跳，非把全身精力發洩光，精疲力盡，才會回家。整個暑假，游泳、爬樹、捉魚、挖蚯蚓、鬪蟋蟀，扔紙牌、打棒球，都是他們的節目，後面永遠跟着七八個小嘍囉，一會兒衝進來喝水，一會兒衝進廚房烤小鳥，不管他白天頑得多麼累，傍晚一定記得媽媽交待他的：要把家裡餵的鴨子，還在屋傍河溝悠遊趕回窩來，這點他從來沒有錯失過。逢年過節，媽媽請人殺雞鴨時，他會哭喊着不要，等到搬上桌來，又肥又香的大腿，一定是屬於他的。

過年是他最快樂的辰光，吃過團圓飯，穿着新衣，拿了壓歲錢，能放一整夜的鞭炮，年初一早上回來，混身上下雙手污黑，只看見兩隻大眼睛眨呀眨呀的；母親叫他洗洗手臉，一轉身已倒在床上呼呼睡着了。元宵節玩燈籠，買來的兔子燈他不愛，偏要自己創造用奶粉空罐點蠟燭，或用木棍沾煤油燃燒，那時家裡燒煤油爐，弄得廚房滿是煤油味，急得媽直叫小心火燭。

有一次，爸爸的好友高伯伯介紹一位朋友來家，衣着不太整潔，恰巧爸媽都不在，祇有七歲的大弟和五歲的翔弟在家，那位先生見沒大人在，也不說什麼，大模大樣往籐椅上一躺，弟弟們認不識這位陌生人，趕緊商量對策，一個說去叫警察，一個說去告訴管理員，兄弟倆商量結果，留下一個看牢他，一個去找管理員了，等客人明白後，沉不住氣冲走了，過幾天寫了一封信來，挖苦媽媽「教子有方」，「勢利眼」；弄得媽媽莫明其妙，啼笑皆非。事後聽管理員說，才知有這麼一回事，因爲管理員也很緊張，準備來我家捉小偷呢。

八七水災，家裡淹水眼看漸漸升漲，弟妹們都安頓在雙層床上，我和爸媽忙着搬東搬西，翔弟却做好跳水姿勢說：「差不多可以跳水了吧！」家中喂的一隻黑貓，倒一直抱在他懷裡。拍着它說：「不要怕，我知道貓兒最怕水了。」

翔弟身體健康，從沒生過大病，可是身上的外傷，諸如碰傷、割傷、擦傷，少說也有十幾處，我讀高一那年暑假，爸媽去台北，叮嚀我好好管家照顧弟妹；一天傍晚，正在廚房炒菜，大妹說：「姐：翔翔爬上屋了」！

「快叫他下來」！趕忙跑去，他已進來了，雙手摀着鮮血直滴的下巴，我嚇得直發抖，抓了一個藥棉堵住他下巴的傷口，大妹已叫來了三輪車直奔醫院，我又怕又急，忍不住哭了，他却說：「你哭什麼？我又不會死」。

「媽會怪我沒看好你！」

「怪你幹嗎？只怪那竹籬笆太老爺了，我爬上屋頂去撿風箏，上去還沒什麼，下來時就斷了。跌在石頭上方碰破的。」醫生說起碼縫三針，他問要不要打麻藥針？醫生點點頭，很快就縫好了，他咬着牙叫：「你騙人！根本沒打麻藥針！」

「小弟！你眞勇敢！也很幸運，差一點喉嚨就通了！」

再一次，赤着脚在水裡跑，被玻璃割得小脚指頭只連點皮，醫生見到他會說又是你，這一次定打麻藥針，他却昂著頭說：不要！」

初中時，迷上了籃球，家裡的菜籃、垃圾桶、米桶、紙簍等，都成了他投射的籃網，一冲進門就來個遠射，嘴裡還嚷着：「嗨！黃國揚來也！」最痛恨非律賓的雷諾沙，說球打得好有什麼用，小動作欺人，差勁！

下課時有位體型嬌小的女老師從教室走過，有同學輕聲喊：「小妹妹！」老師聽見了，進來問誰叫的？全班不吭聲，老師說告訴訓導主任全班罰站，翔弟馬上說：「是我！」結果記一小過，其實老師知道不是他叫的，在校中是活躍份子，凡是各種活動，都少不了他的份。球隊、鼓樂隊、班級代表等等，功課雖不名列前茅，但也不會落後。

考取高中，五專也榜上有名，只因天性好動，堅强不屈，具有英雄的本色，再受到外子的鼓勵，步入姐夫的後塵，考入海軍官校預備班，在幼校三年中，也曾意志動搖過，經過爸媽的說服，終於欣然返校，當然，倔强的個性，吃了一些苦頭，爲着要擔當國家重責大任，要成爲一個典型的軍官；在體力上，在氣質變化上，都該忍受這些磨練的。俗語說：「玉不琢，不成器」，「久煉成鋼」，就是這個道理了。

爸媽從未在言行上表露出絲毫捨不得的樣子，雖然翔弟上有姐姐哥哥，但從小就培養他獨立、堅强的性格，在他幼校升上官校，自己也成爲學長時，才了解學長制的許多優點，自己本身的體驗，使得他在管教學弟的作風上；明朗、誠懇，獲得低年班同學的愛戴，與同班同學或學弟們，相處融洽，祇要一放假，同學們都聚在我們家，儘情歡笑，儘量吃喝，眼看這些大男孩，個個儀表端莊，英俊威武，待人接物，彬彬有禮，精神飽滿，體力充沛，而且樂於助人。眞爲國家前途慶幸，又多了這麼一批英武的年輕軍官。

翔弟始終是快樂的，從不訴苦，從不叫屈，沒有心眼，熱情友善，放假回來像一陣旋風，充滿了年輕人的朝氣，唯獨今年四月十日那天悄悄的回家來，失去了往日的歡樂活躍，當然正値國喪期間，誰知他還有更遺憾的事呢，原來是臨時集合來遲了一點，沒被選上擔任偉大故　總統護靈的榮譽任務。只分派了協助聯絡的工作，這給他是個不小的刺激，那幾天他總是眼睛紅紅的，痴痴的注視着電視報導全國悲痛實況。

翔弟畢竟是成長了，小時候曾經令我的母親傷透了腦筋，我這比他大十歲的姐姐，也關起門來處罰過他。如今，看到他卽將成爲一位優秀的海軍軍官，心中說不盡的感觸，孩子當然從小就要管教；決不能養成依賴成性，及過份的依順溺愛，尤其是外向好動的孩子，應多多激勵，更不能一味的壓制，那才會使孩子在身心上獲得均衡發展，翔弟的童年，該是值得回憶的；可是目前我那五歲的兒子，就沒有小舅幼時那份自由自在，享受大自然薰陶的更多機會；雖說外甥多像舅，頑皮個性都像極了；可是，樹上的鳴蟬，池中的青蛙，泥土裡的蚯蚓，花叢中的螢火蟲，都祇能在圖畫中去辨認了，這一代都市中孩子的童年，除了幼稚園那有限的小操場上活動外，居住在公寓的樓房中，跳一跳都會引起鄰居的不滿呢。

我爲翔弟祝福；也爲我們的國家慶幸；更爲自己驕傲；因爲在優秀的青年軍官行列中；有着我的翔弟。

洶湧巨浪話遠航

夏永強

三十二個白天和黑夜，七千八百四十四海浬航程，這是我親身經歷的海上旅行。學生生涯就此結束，從事保衞海疆的神聖任務正在開端。

六十四年班，是多麼令人回味的名辭。我們這一羣年輕小伙子，汗水的結晶，志節的陶冶，終於成了六十四年班的應屆畢業生。大簷帽，雪白制服，左袖的四條金色斜線，加上抖擻的精神，挺拔的英姿，自覺既威風而又帥，乘長風破萬里浪，四海一家，男兒志在四方。

記得我爸常說，家鄉臨海靠江，是一個水鄉地區，港汊分歧，非舟莫渡，綠波漣漪，涓涓長流，河海江湖的故國風光，刻刻在我腦中想像著。我出生在台灣的新竹，客雅溪，南寮港，是我幼年弄波的所在，我愛大海，也愛淺流，它似乎從童年開始，已與我結了不解之緣。

官校七年。雖然先後參加金門等地的運補，也曾航行澎湖、花蓮、基隆之間，還有近海的小艇訓練，從實際體驗的海上生活中，給了我很多的新知，增加許多技術和兵學的磨練，這次遠航訓練中，又完成了敦睦邦交，宣慰僑胞的任務，是我有生以來最新鮮，最有意義的人生紀錄。

國內航訓，我們訪問花蓮、基隆、澎湖和金門，那藍海青山，曉月疏星，伴著我們巨艦破浪前進，使得我們將理論與實際相互印證，不僅熟悉艦艇的典範規程，操作運用既有的裝備，還有艙面見習與輪機航行。最令人鼓舞興奮的事，莫過於在星光滿佈的黑夜裏值更，以及和文武青年們交誼聯歡。花蓮港口亞士都飯店小憩，無邊無涯的太平洋，湛藍一片，永遠朝著我們招手。基隆港口觀音菩薩的輕拂楊枝，眯眼含笑，似在祝福慈航普渡。澎湖通海大橋，綠葉遮蔭的大榕樹，還有林投公園的森森樹木，以及金門那鬼斧神工的「擎天廳」石室，眺望大陸最眞切的馬山喊話站，這些令人流連徘徊的地方，我都留下了難忘的懷念。

我國海疆最南端的海域，是我們遠航訓練必經的所在。南海諸島中的南沙，先民在秦漢時代就曾留有他們辛勤的史跡，元明納入我國的版圖，自卅四年迄至今日，由我國軍健兒在固守著。其中較大的太平島，我的叔祖曾經擔任駐軍指揮官，是讓我有特別親切地感受。在他的閒談中，得知南海諸島中有南沙羣島，中沙羣島，東沙羣島，西沙羣島，約有一百五十多個小島和淺灘，它們都是珊瑚礁，由於缺乏淡水，大都是無人島。在南沙太平島駐節期間，官兵捉玳瑁，找龜蛋，做肉鬆的趣聞笑話，聽得津津有味；他特地送我一隻海螺，如今還好端端地放在我臥室的書櫥中。當我們航向我國最遙遠的南疆，碧波無際，長風萬里，夜晚星辰，朝日曉霧，那開闊奇麗的海洋變幻，我有著過深的迷戀。惜我不是畫家，也不是詩人，我如能以彩筆描繪，以典雅的文辭吟詠，這一帶的史蹟風物，將會留下更多不朽的畫幅和詩篇。

南沙羣島羅列著一綴綴的小島、礁、灘與數不盡的暗沙。在這一帶航行得特別謹愼，由於接近太平島時的風浪特大，不便靠岸，使我們失去飽覽島上風光的良機，只有遙向這綠蔭遍地的自由之島致一個最虔誠的敬禮。太平島附近有鄭和羣礁，伏波礁、孔明礁、東波礁等，以人名礁，使我們這羣航海者永難忘記歷史上功在國家的偉人，而先聖先賢的豐功偉績，也足以爲千秋萬世所景仰。

此次航行的廣大海域，是東南亞航海的十字路口，我們的航向是西南，難得一見普通船隻的行踪，只見浩瀚的汪洋中沙鷗點點，在海濶天空裏遨遊，海豚隨著波濤翻騰，偶爾結伴掠舷而過，更有飛魚穿梭其間，破除我們遠程航行的寂寥。

我艦鼓浪前行，朝著預定泊地航進。當我們到達了新加坡的港口，那是位於歐、亞、澳航線的要衝，一向有著「東方直布羅陀」之稱的。這裏的華僑人口占百分之七十五，爲中國境外最大的華人港埠。僑胞們如迎接親人似地齊聚碼頭等待著，我青天白日滿地紅的國旗，在桅桿上高高地迎風招展，他們的歡呼，愈益加深感人的情景。訪問期間，我們獲得當地的熱誠款待，在街頭漫步，到處都充滿了友誼的溫馨，市區裏一座座高樓大廈，還有那整潔的市容，處處表現中華民族的一分光榮。當我艦啟錨歸航的那天，泊在港面的一艘與我國没有邦交的軍艦，竟也按照國際禮儀先降半旗向我艦表示敬意，可見四海之內皆兄弟，人心趨向自由是不分國界的。

回航沿著馬來西亞的所謂「東馬」沙勞越，沙巴轉向東北方，靠近菲律賓的巴拉望島北進。越巴士海峽，駛向東東南的蘭島。沿途海波不興，風平浪靜，微拂的和風，令人心曠神怡，不自覺的想起六百多浬外的雙親，再計算這時大哥的船期，該是正由印尼航向日本九州的鹿兒島。爲人子的我們，此刻俱在海上，遠離膝下未能承歡，令我湧起一縷淡淡地相思，匆匆寫下數語內心的惦記，急著泊岸投郵，讓父母釋懷，也讓姐妹們分享我在海上遠航的一些樂趣，還記得那天是六十四年的七月二十八日。

當我艦駛抵關島艾普拉軍港時，美國海軍樂隊奏着悠揚的樂曲，土著女郎大跳草裙舞，搖曳生風，款擺自如，僑胞紛紛雲集，萬頭攢動，我駐關島總領事，美國海軍基地指揮官，中華商會會長等千餘人，都鵠立碼頭歡迎我們這支敦睦艦隊——它載着中華民國海軍官校的應屆畢業生，從我們內心也帶來珍貴的友情。

關島位於太平洋羣島中靠近的有帛琉羣島，土魯克羣島，加羅林羣島，馬里亞納羣島。地在東經一四〇度·北緯二〇度，鄰近赤道，國際日線，北回歸線，它不僅是一個令人愛戀的小島，也是美軍在遠東保有强大戰力及現代化裝備的軍事重地，那熱帶叢林的風光，給我留下極爲深刻的印象。在歡送人羣裏，每人手上都揮舞著中美兩國國旗，高呼「中美友誼萬歲」聲中駛離，那些熱情的關島女郎，隨著軍艦的漸漸遠去消失在椰林碧波之中。

在我們返航途中，巧遇「妮娜」强烈颱風來襲，却給我獲致一次最大的艱險考驗。我艦是怒海孤舟，在惡劣的天候下，在洶湧巨浪裏，雨勁風狂的作了五天四夜的苦撐惡鬥；由於全艦發揮了高度團結合作的精神，顯示堅忍不拔，同舟共濟的毅力，終於人定勝天，使大自然的風雨復趨於平靜。至今想來，還是一段恐怖的追憶：在船舷值更時，用手就可掬起海水，浪花有時竟超越整個的艦身，晃盪不已。若是留在艙裏，就像坐在電梯中倏忽上下，甚至桌上的杯盤，不斷地從這端滑向那一端去，一忽兒艦首埋進海水中，而艦尾却又是高高的翹起，搖擺震撼，恍如一位酗酒的醉漢，身不由主。床位上躺著一些不能適應的人，在堅忍掙扎著，備嘗辛酸。同艦三位美國學生麥考富，史旺根，卜查德，也歷盡暈船之苦，我的好友「玻璃」暈得最慘，「阿答」和「朱舜」雖還能支持，但也非常的難受，唯有我，得感謝雙親給我這副健壯的體格，在狂風巨浪中，如履平地的吃、喝、睡、玩，照常執行我應該負的任務；有時，我還可給予同學們必要的照料。當我們一眼看見綠島時，就像是看到久違的親人一般，欣喜若狂，這時太平洋上依舊惡浪排空，艦體搖盪，而那些暈艦的同學，却聞訊一躍而起，紛紛走上甲板，任風在吹，浪在奔騰，內心的舒暢，頓時忘懷那五天四夜的苦難煎熬，我們終於又回到這可愛的鄉邦，就如童年投入母親懷抱的萬分歡愉。

狂風暴雨不終朝，驚濤駭浪更搖撼不動我們絲毫，潑辣的「妮娜」，惡劣的天候，終在我們堅強奮鬥中消失，又是萬里晴空。我們這一羣海上健兒，響起了笑語歌聲，雄偉的巨艦，破碎海上寧靜，冉冉前進，無邊無際的海洋，緩緩後退。翠色的原野朝著我們逼近，半屏山的秀美，西子灣的幽靜，這是我們慣常熟悉的一切，是那麼溫存，是那麼動人，是那麼親熱，都在歡迎著我們萬里遠航歸來。

（民國六十四年九月一日）

海天一色南沙行

夏永強

離却南沙已夕暉，隨潮小艇快如飛；
多情最是波心月，一路相隨伴我歸。

——龔詡

十二年的海上生涯中，在我國南疆海域的東沙、中沙、西沙、南沙群島，我只曾經數次巡弋東沙，而南沙常入夢魂中終於相晤，算是一項樂事。歸來後獲得數日清閒，陪伴妻小，幷北上探視雙親，每以南沙之行相詢，乃不顧辭陋筆拙，拉雜記述經過，用以告慰關心的親朋好友。

身爲軍人的我，不僅自己限制我個人的自由，有時，我的自由也操縱在我的長官手裡，但這種限制是完全本諸理性與合法的要求，我深深體認它的意義必需遵守。

出海是海軍官兵領受任務遂行的前奏。有時預先妥爲整備一切，有時緊急的，就連放假外出官兵都等不及返艦，那就得解纜離港，爲著任務去徹頭徹尾的去執行。軍人以服從爲天職，站在保國衞民的立場，任務執行就是命令的貫徹，顯示著軍紀的嚴肅性。

南疆巡弋和運補，有異於近海、離島和遠航。當我奉悉這一項任務指派本艦與友艦來共同擔負，由我也特別有著光榮的感受。歷年對我國南疆最南端的南沙群島有著定期與不定期的巡弋和運補，由我也來肩負此一任務，就此時來說，實在有異於平常。因此，我是以戒愼的心情迎接這一任務的來臨。所幸、官兵心理與我一致，總覺良機難再，都那麼遵守指示，旣不張揚也不與親友談論，默默地做好自己應該做的準備，切實作好行前的訓練，將裝備一再的妥切檢查，對於遙遙長途應該補給的水、油、彈藥、主副食、罐頭、水果等，無不充分的備妥，就連官兵應備的服裝，行前都給予規定。

南沙群島在國人心目中是相當陌生的。實際就歷史淵源來說，遠在秦漢時代就有我國漁民捕撈事跡而納入版圖。宋代國人在海上活動更加頻繁，航程遠至印度洋，元朝由海道遠征爪哇及日本，明代鄭和七下西洋，足以說明中國海洋事業的發達與成就。再從地下史料以及島上的碑記、墳墓、廟宇與國軍始終駐守，掌握著活生生的歷史記錄，這都是先民與國人不斷跟海洋搏鬥所獲的結果，符合誰能控制海洋，它就顯示具有海權的理論正確。

瀕臨世界最大海洋的北太平洋西岸我國，南疆的南沙群島，又稱團沙群島，它由一百零二個島嶼、沙洲、礁灘組成，散佈在北緯四度至十一度三十分，東經一百零九度三十分至一百一十七度五十分間。由於密布暗礁和淺灘，航行不易，使得航海家將它列爲「危險區」。在二次世界大戰後，我國海軍派遣太平、中業兩艦前往南沙，接收太平島上日軍曾經作爲軍事監聽站的所有設施，重立國碑，測繪詳圖，派兵駐守，迄於今日，青天白日滿地紅的國旗，始終飄盪在藍天白雲與碧波盪漾之間。

暮春三月，復興基地臺灣還籠罩在寒風細雨的天候之下。我們這一支巡弋與運補支隊，在靜悄悄中，沒有親人話別，沒有友好相送，解纜南行，駛經巴士海峽風浪險惡，少數戰士不耐這種狂風急浪將艦體震撼得搖搖晃晃，頭暈嘔吐的痛苦，迥非陸地生活能夠想像的。我似乎天生註定吃海上這碗飯的人，飲食照常，睡眠依舊，習慣自然的磨練中，一切如故，隨艦的視導官吳少將，他有著長者的風範，淵博的學術，雅緻的談吐，老到的經驗，在枯燥無味漫漫長途航行中，相與接觸傾談，眞是獲益豐厚。而領導我們這一支隊航向南沙的高支隊長勤懇負責，沉著穩健，是我做人處事最佳的榜樣。

距離高雄千海浬以上的太平島，我們這支巡弋補給艦隻，就朝向面積一百二十八公頃的南沙群島最大島嶼破浪前行。越過巴士海峽就感覺這汪洋無際的水域是一片寧靜，白晝暗夜，偶而會有雨雨風風，卻帶來利那的涼爽，實在愈走愈感到炙人的炎熱，官兵隨著換穿短袖的夏服，官兵原還白白淨淨的，逐漸逐漸看到他們肌膚變赤轉成黝黑，自不免彼此調侃成爲一名「黑人」，有的竟然晒脫表皮，不得不塗上護膚膏，笑稱「男人女性化」。

白雲、藍波、輕風、小浪，從日影中欣賞南疆海上，排遣航行長途。間或白鷗隨波翱翔，悠遊終日，遠處桅影飄然從地平線上消逝，在動變中自找情趣。入夜，海洋就似一面瑩徹的玻璃，艦上馬達節奏的響動，長剪一般刺破深色的絲綢，就永遠剪不斷的在撕裂這恒常由仙人玉手織成的神布。星星聚疏和大小不一的閃爍，我們航行不再依賴天文，利用衞星和雷達導航，將星星冷落一旁。但它還可解除旅人內心的寂寞，彼此對語，訴說茫茫海洋中的感受。有時月色皎潔輕纖，陪伴著我們駛向萬里征程，像苦渴的人獲飲一杯甘泉，稍稍得到一點慰藉。軍人生活本就是寂寞的，耐得住寂寞的年青人，才足以擔當今日軍人的寂寞，又何況我是海軍的一員？

老一輩海軍軍官常常談及緯度越高，天氣變化越大，台灣海峽的陰陽怪氣的天候，航行途中勢必領受這種惡劣的態度。南沙群島接近赤道，燠熱難以避免，但却天朗氣清的。太平島又名長島，是在鄭和群礁的南端，自始沒有山丘，要找它的位置，據說要派人爬到桅杆頂端極目瞭望尋覓的，如今電子通信的進步發達、海圖的精細詳實，很輕易的找到卽將臨近想念已久的太平島。因爲，它是我國的「南疆屏障」，有我海軍陸戰隊弟兄們常年的駐守，爲捍衞國家領土海域而付出他們的血汗和寶貴的青春。

堂叔祖鵬飛先生當年曾經是島上的指揮官，他所談的島上往事已是陳蹟，眼見駐守官兵群集碼頭兩邊，行列整齊，精神健旺，熱烈歡迎我們這一群遠道而來的訪客。我們帶來有物質補給，也帶給他們殷切的慰問。我個人對島上事物，對島上官兵，有著一股特別的親切，在我心理上，加强戒備的心情，也稍稍放寬一點。二次搶登，把握著潮汐，完成運補與艦首尾的加水加油，小艇駁運。艦體停妥帶纜後，萬般OK，親人一般的晤敍，展開官兵的聯誼。島上指揮官贈我一幅沙畫，那是官兵在島上精心的藝術創作，幷用黑的沙粒，黏著「一帆風順」四字。眞的，我們此行確實做到了一帆風順，完成任務，甚至隨艦南行棲止的麻雀，牠們也依戀著隨同歸來。

俗稱大烏龜的玳瑁，目前沙灘上已經少見，大概是軍民駐留日漸增多，鷗鷺相對的也在減少，原來堆積在這兒的鳥糞，只可少許用以蒔花，並沒有大量的開挖。散佈的貝殼，還是來者撿拾的對象，玩賞作爲消遣。拖釣魚產是官兵的一樂，有旗魚、鬼頭刀、石斑、桂魚，連帶的打牙祭努力加餐。

屏東縣政府贈送島上的椰子樹，行行列列，高聳挺拔，已是蒼翠成林，指揮官將它編號維護，一些雜樹野花茂密，點綴島畔，蔚爲優美的景觀。加之，營房、碼頭、寺廟建築物的修建，氣象觀測站、紀念石碑等的保有，使得太平島充滿活力和生氣蓬勃，不再孤獨。有人說，島上沒有女人，生活未免有點單調。可是，收音機可以接收電台的廣播、錄影帶權充電影的放映，來促進心理的康樂。另外，文藝、音樂、美術以及宗教信仰任人自選，還有體育活動爲：射擊、操舟、國術、游泳等技藝倡導，是在永保身體的健壯。只是書籍、報章、雜誌的遲與少，倒是官兵所盼望的支援。

南沙群島重要資源有漁產、磷礦，它早就是我們的漁場，亦爲我國的領土、由於蘊藏豐富石油，成爲鄰近海域各國爭取的焦點。無論從歷史與地理、地質學上證據，南沙群島是中華民國所有，我們堅決維護它的屬權。軍人的我們，唯有誓死保衞它的安全，海軍不斷巡弋與運補島上海軍陸戰隊的健兒，就在顯示國軍捍疆衞土的盡其職責。祝福島上弟兄夥伴們幸福，我們自當依據需求來作實力的支援。

附帶一筆：我們南巡官兵謹向梁周等將軍致謝，感激長官在碼頭邊歡迎我們任務既畢歸來。

（夏永强作於民國六十七年四月）

我做了「接待家庭」

夏雲俐

七月初學校剛放暑假，教務處通知我及另外兩位英文老師擔任「接待家庭」的工作。這個名稱，雖然不是第一次聽到，但也未曾深入去了解它的內涵，這回要身入其境地參與實際活動，內心不免有些忐忑不安，幸好學校轉來一份教育廳的會議紀錄，研讀之後，得知接待的對象，是美國高中學生大使訪問團的團員。我們三位老師，負責接待兩團的五位領隊老師，我接待其中的兩位女老師。這個訪問團的人員是由美國當局遴選優秀的高中學生，且曾參加過六週的講習。訪問的目的，在於增加見聞，訓練學生瞭解各國不同的文化傳統、學習適應不同的環境。訪問的國家，包括日本、韓國、中華民國，以及中國大陸。

很快地，又接到教育廳最速件書函，通知各校擔任家庭接待者，要在七月十二日的下午四時卅分，到達臺中市教師會館舉行家庭接待座談會，會後由教育廳安排與外賓同進晚餐，餐後即將外賓接回家中，至七月十五日下午二時前再將外賓送至教師會館。在這以前，我已經爲準備接待工作而忙碌起來，首先空出兩個女兒的臥室，安置兩張單人床；將床單、枕套、毛巾被等重新洗滌，又清除書桌抽屜、衣櫃，準備好浴巾、拖鞋等日常用品；接下來便是跑菜市場、食品店，選購各式肉類、蔬菜、水果、飲料、鮮乳等裝滿冰箱，還買了黑、白瓜子、各種蜜餞。忙碌之餘，又研讀由臺中市政府編印的中英文對照手册、對臺中市各方面的現況與未來發展，做更深入的了解，以便於隨時向外賓介紹這個我已居住三十年，並深受我所喜愛的城市。

記得那是星期六的下午四時，準時駕車前往距家十公里的教師會館。出發前先砌上半壺香片，餐桌上置妥一盆盛開的玫瑰、茶几上放著裝有瓜子、蜜餞的果盒。我做了這樣的安排，是希望外賓們能一進門，就直接感受到中國人「好客」的習性，以及備受「接待家庭」的禮遇。座談會中，承辦人謝視察交待一些注意事項，留下聯絡電話，並分發訪問團日程表及團員名單；同時，也發了兩仟元的補助費。

兩團外賓五十五人於下午六時許進入會場，按照分配名單，一一唱名，然後由家庭接待者領往餐廳共進晚餐。我招呼領隊的兩位女老師坐定，略爲寒喧後，她們就搶著述說來華兩天的行程。原來，他們已經參觀過救國團總團部，國父紀念館、中正紀念堂，並在復興劇校觀賞了國劇。這天還遠赴中興新村、拜會省府邱主席、聽取省政簡報、參觀南崗國中及省議會。他們眞是利用有限時間，到過不少地方。

晚餐後，外賓們隨著每一位家庭接待者回到家中，親身體驗中國家庭的生活。我領著兩位客人回到家，此時，外子也已帶著渡假的兩個女兒從臺北回到家中，熱烈地直嚷著「歡迎」，女兒們更幫著提拿行李。我考慮到客人勞累了一天，就直接領她們到樓上臥房，請她們先洗澡、更衣，再到客廳喝茶。半個鐘頭後，兩位客人各自帶著一包東西下樓來，分送給家裏每個人一份小禮物；幸好，我也準備兩份國畫花卉餐墊，作爲回報。

她們兩位，一位是來自紐約州、羅徹斯特城的泰麗莎，任職公立高中，教歷史和社會課程。淺棕色覆額的短髮、碧藍的眼珠、身材高大，是位典型的美國婦女。她告訴我她的祖先來自愛爾蘭，已有四個孩子。其中第三個女兒十七歲，也參加了訪問團，被接待到曉明女中的學生家中。她甚至拿出地圖，讓我了解羅城的地理位置，那是紐約州西北部邊界靠湖的城市，離水牛城、尼加拉瀑布不遠，離紐約市有兩百英里，人口超過十萬，是一個輕工業發達、在五月間盛開紫丁香花的美麗都市。

另一位是來自華盛頓州、西雅圖近郊的艾琳，黑髮、黃膚、嬌小的東方身材，說著一口道地的美語；祖先是韓國人，她是移民到夏威夷州的第三代。在高齡祖母的安排下，不到二十歲，就嫁給一位門當戶對的韓裔青年。他們唯一的女兒，今年二十四歲，剛從華盛頓州立大學畢業，即將離開家去獨立生活。艾琳任職一所小型的私立小學，專門教移民美國的學童啓蒙英語，她的學生來自世界各地，其中也有兩位是來自我國的。

兩位外賓都是第一次光臨臺灣。艾琳在二年前曾經訪問大陸，參觀過不少名勝古蹟。例如：北平的故宮、北海公園、昆明湖、山西的恒山懸空寺、萬里長城等地，她也提到中共政權的文化大革命，帶給了大陸人民的空前浩刼。

第二天星期日，我陪同兩位客人走訪離住處不遠的東海大學。沿途的甘蔗田、結實纍纍的荔枝樹木，是她們未曾見過的景物；因此，她們頻頻拍照，準備帶回去作教學媒體。東海校園裏，一幢幢仿古唐代建築，以及那座傑出華人貝聿銘設計的教堂，更是她們注目的焦點。下午到文化中心，分別欣賞國畫、書法、版畫、陶壺、以及雕刻葫蘆的展出。又到孔廟，經我解說，艾琳才了解孔廟是由政府管理的，絕不同於一般民間由於宗教信仰而燒香膜拜的廟宇；從孔廟拿到的英文刊物中，她們約略明白孔子誕辰的隆重釋奠大典。身爲教師的我們，不論中外，都崇敬至聖先師，也都秉持著孔子「有教無類」的精神，在做著「誨人不倦」的工作。

翌日，本校三位「接待家庭」的主人，帶著五位外賓一位男老師、四位女老師，參觀我們任教的學校。田校長派邱秘書領著大家逐一參觀藏書二萬五千册的開架式圖書館，以及明亮寬敞的閱覽室、設備完善新穎的電腦教室，並由學生當場操作示範，電腦教師一旁解說。外賓們興趣濃厚地觀賞每一樣設備，久久不肯離去。田校長並在校長室做了數分鐘口頭簡報，由周老師即席翻譯，使外賓們對我們學校留下了深刻的印象。

從學校出來，劉老師提議：大家到她家中晚餐。她先回去準備，而由我和周老師帶領外賓，南下參觀鹿港民俗文物館、田尾公路花園、以及彰化八卦山大佛。我們駕車通過貫穿城鎭的縱貫公路，走過鄉間幽靜的小道，在夏日的晴空下，一睹怡人的田園風光，這也是難得的享受。外賓對使用收割機在田間收割稻子的農夫，以及在空地曬穀粒的農婦，也感到十分的好奇，忙著獵取鏡頭。

歸程，一位外賓提及美國人對日本知道得較多，但到臺灣後，才知道日本向中國「借」走不少東西，例如繪畫、書法、插花、盆景等等。住在我家的泰麗莎尤其欣賞花鳥國畫，艾琳則對旗袍情有所鍾，陪著她去「來來」百貨公司走了兩趟，她才以簽帳卡一次買下兩件改良式旗袍。到了劉老師家，她們一致承認臺灣的確是一個水果王國，嚐遍了各種新鮮水果，尤其愛吃荔枝，更驚訝於黃肉的小玉西瓜。她們也入鄉隨俗地，吃了燒餅油條、北方水餃、川菜、廣式茶點、臺式炒飯、炒麵。而劉老師親手做的南瓜稀飯，更令她們開了眼界，連聲叫好。

十五日下午，將兩位客人送回教師會館。道別的時刻，她們除了一再地表示感謝，還誠意的邀請我，下次再去美國時，一定要去看望她們。揮別之後，心中雖有依依別情，但頓時也感到輕鬆不少，因爲，我終於卸下一項任務——圓滿地完成了國民外交的使命。

念念難忘的姑姑

夏雲婷

我是在姑姑身邊長大的。

姑姑是個典型的鄉村女子，她沒有唸過書，沒有到過大都市，更不懂得交際，但她的賢惠和純樸足以彌補這些。姑姑把她又黑又亮的頭髮，在腦後梳個髮髻，從來沒有亂過，姑姑的衣著一直是暗色，姑姑繡的畫永遠是那麼逼眞而工整，做的菜永遠是那麼香，她唇邊的微笑也是永遠那麼可親和令人懷念。

姑姑是祖父母最小的女兒，也是最能幹的女兒。曾聽大人們說過姑姑的事：姑姑奉父母之命嫁給姑父，姑父是個大學生，在唸書時就有很好的女朋友，當時他也極反對這門親事，但拗不過父母的意思，在非常不樂意之下娶了姑姑，這段勉強的婚姻不到兩年就告吹了，姑父進城後一直沒有回來，從此以後，姑姑也就搬回家來住。

本來就不愛多說話的姑姑，變得更沉默了。

當我稍解人事時，我就發覺姑姑的微笑中帶著憂鬱，姑姑的眼睛中含著企盼。

母親生長在上海，她對家務完全外行，隨著父親回到鄉下後，處處不習慣，多虧姑姑的幫忙，母親跟著姑姑學做菜，學女紅，母親也經常告訴她一些新的知識，她們的感情處的非常融洽。

父親的家是個大家庭，在鄉下說來也算很有地位的，祖父是個很嚴謹的人，祖母卻是位慈愛的母親，但他們的思想卻和年青人有段距離，他們反對母親僱用奶媽，反對嬰兒睡搖籃，更不許喝牛乳，所以母親和祖父母之間也鬧得很不愉快，這之間多虧姑姑在祖父母面前解說，不然這誤會將愈來愈深的。

雖然厨房裏的事不用母親操心，但母親爲了照顧哥哥和我這對雙胞弟兄，白天和夜裏都忙得不能休息，尤其是我，夜裏總愛哭鬧，怎麼哄都不行，只有和父親輪流的抱著我走來走去，姑姑見到母親疲倦的面容，及一付莫可奈何的樣子，她自動的把我抱回她屋裏，說也奇怪，自從我和姑姑睡，一直就很乖，媽說我和姑姑有緣，就這樣我跟在姑姑身邊了。

由於外婆對母親和孫子非常的思念，所以父母親帶著哥哥回上海去。

後來姑姑告訴我，因爲祖父母堅持留個小孫子在身邊，認爲雙胞胎一定要分開養才會長大，又因爲姑姑捨不得我離開，才請求母親把我留在鄉下。姑姑撫養我長大，也給了我全部的愛。

姑姑每天有著做不完的事，晚上她坐在煤油燈旁，一針一針的繡著，一線一線的縫著日子在多彩的絲線中滑掉，也在花布的裁剪下渡過。她黑色的衣裳，愈發映照著她那蒼白的面容，她黯淡的眼中，似乎徘徊著憧憬、記憶和歡樂，那唇邊的笑影，浮漾著的像是帶有一絲憂戚。

等到我上學的年齡時，也跟著哥。姑怕我走不動，每天要長工背我來回，後來因同學笑我，我也不好意思再讓人背著我了。放學後，在桌上一定有我愛吃的點心，上學時鉛筆一定是削得好好的，姑姑對我照顧得無微不至，一會擔心我冷，一會又擔心我熱，我若稍微吃少了點，姑姑就會以爲我不舒服，有一次我出疹子，姑姑一直陪在床邊，眼看著她瓜子型的臉更長了。

記得有一天我穿上新棉褲上學，在學校時和人打架弄破了棉褲，嚇得不敢回家，結果還是堂兄告訴姑姑，才牽著我回去，路上姑姑沒有罵我，我卻怕被祖父母看見急得一路走一路哭，姑姑很溫和的勸我，並用她那很潔白的手帕替我擦眼淚擦鼻涕。直到姑姑帶我從後門走回家時，我才停止了眼淚。回家後姑姑連忙替我換了衣褲，替我洗乾淨臉，才領我上飯桌，那頓飯中間，我一直不敢擡頭，菜也吃得很斯文，祖父還說我學乖了，我羞得更低下了頭。好不容易等祖父吃完才准許下飯桌，我如獲重釋地趕快溜開了。

晚上做完功課，姑姑拉著我的手，很柔的問：

「爲什麼和別人打架呢？」

我氣嘟嘟的告訴她：

「他們說我爸媽不要我了，才給姑姑養的！」

姑姑微笑著摸摸我的頭。

「傻孩子！別人說著玩的，前些天你爸還帶信來說要接你回去，你肯不肯呢？」

我望望姑姑，姑姑的眼中充滿了慈祥，使我剛才所受的委屈全消逝了，我投進姑姑懷裏，緊緊的抱著她，我對她說：「姑姑！我不離開你！」

她無言的撫著我的頭。

學校放假時，爸爸總會接我回上海，對那繁華的都市我充滿了好奇心，什麼都要問，結果哥哥笑我是土包子，我氣得再也不願回上海。爸媽雖然給我同等的愛，但他們也必須愛哥哥和弟妹，而且吃的玩的都必須平分，不像在姑姑身邊，什麼都是完整的，又何況我對姑姑的依戀竟比母親深。

我寧願在鄉下，這樣我可無拘無束的玩，有一次和堂兄爬到屋簷上去捉痲雀蛋，差點跌斷了腿，還有一次爬到樹上去搗蜜蜂窩，被蜜蜂叮得滿臉滿頭的疤，痛得直叫姑姑，那天晚上姑姑不停的用冷毛巾敷我的傷處，雖然這樣並沒有減低我的頑皮。依然偷偷的去挖蕃薯，在小溪裏洗一洗就吃了，有時和堂兄們到荷塘去採蓮蓬，回來變成了個泥人只剩一雙眼珠在閃耀，還常常去田裏捉田鷄，回來時赤著雙脚，一手提著鞋子，一手抓著田鷄，把堂妹們嚇得嘰哩哇啦亂叫，我可樂得裂開嘴大笑。

由於貪玩也常常被祖父罰跪，要不是姑姑來講情，不然是有得跪的，姑姑每次都很溫和的告訴我，要好好唸書，長大了孝順父母，她從來沒有打過我，更沒有大聲對我吼過，她頂多緊蹙了眉頭。偏偏那時的我，正是「七歲八歲狗都嫌」的時候，把姑姑的話當作耳邊風，一下就忘記了。

三十八年大陸掀起了離亂的浪潮。

父親奉命調往臺灣，他的勸說無法動搖老人家的意志，祖父母堅持不肯離開故鄉，但答應父親把我帶走。

姑姑似乎早就知道父親會來接我，那幾天夜裏一直替我趕做棉衣棉鞋，她常常望著我一言不發，然後長嘆一聲轉過頭去，家裏也聽不到吵鬧聲了，每個人的臉色都是那麼黯淡，那時我也像懂得一些憂傷，不再出去胡鬧了。

爸爸來接我時，姑姑遞給爸爸早就準備好的包袱，一邊替我整理衣服，一邊還說要好好讀書聽爸媽的話，我也不停的點著頭，當爸爸牽著我的手向祖父母告別時，老人家的眼也紅了起來，祖父摸著我的頭，說我「什麼都好，就是太頑皮了」，祖母在旁邊哽咽著對爸爸說，過些時再送我回來，只見爸爸緊閉雙唇，眼睛紅紅的點著頭，直到跨出大門時，爸爸才回轉過身說請祖父母多珍重，我揚起了手向姑姑搖搖，姑姑強噙著淚水，露出苦澀的笑容，當我說：

「姑姑！過些天我就回來看你，你等我唷！」

她聽了這話，淚水就像斷了線的珍珠，一顆顆的落下，淚珠掛滿她的腮邊，她依然不動的站在那兒，直到我看不見她。

父親帶著我黯然的向我生長的地方告別了。

沒有想到童年的夢是那麼短暫，更沒有想到這麼多年了竟還沒有回去。

但我想在最近的日子裏我就可以回去，當姑姑見到我比她還高時，她會什麼感覺呢？

我不知道姑姑是否會等著我？

跋

夏美馴

人生猶似江湖行舟，如遇下水風順，則是一帆遠颺，頗有「千里江陵一日還」的快捷便利。假若逆水而上，又遇頂風，就會嘗盡辛勞，飽受困厄，方可到達預定的泊地。

這四十年來海峽兩岸的暌違，在我個人來說，從艱難裡過著安定與幸福的生活，兒女們也跟我在平凡中過著悠遊自在的歲月。稍一回顧，我的國家，我的民族，我的故園，我的親人，均是在衝擊支離與殘破分崩中，顯現著國破、家亡、親人離散的令人怵目心傷，已是無根可尋的事實，擺在眼前。（宗祠被毀，族譜遭焚，祖墳俱已刨平。）

我何不幸生於這一個大動亂、大變化的時代。又何幸生於這一個見多識廣，否極泰來的歷經憂患的日月？

縱然，「興亡自古男兒責，俊逸從戎訝白頭」。（借邵父學長詩句）我無愧無悔，盡其職責，成盛衰毀的歷程，是人生本乎自然的常態。而精神寄託有所，日常生活又那麼無虞匱乏，夫復何求？將我近年積存文稿選輯一〇〇篇，另加兒女們的習作五篇，定名：「消遙到處思鄉無」。俗說：「藉題發揮」，我只是以我這本拙作的書名，來涵蓋我多篇文稿內容而已。因此，我只能以我現實的生活背景，稍稍表達我一點懷國念鄉的情感罷了。當然，其中也有許多陳年往事，堪資記述的一些點點滴滴鴻飛泥爪。自不免牽涉到令我永遠追憶，不克或忘的，我所刻骨銘心愛敬的人們和一些如棋的世事。

李白「長相思」詩中有言：「天長路遠魂飛苦，夢魂不到關山難」。有時，我會陷入此一境界的深淵而不知自拔。非僅僅於：「獨在異鄉爲異客，每逢佳節倍思親」的淡淡思親鄉愁。這些，無關於個人的得失，也非是一家的得失，而我最最在乎的是：國家的分離破碎，山河失色。我是如何地渴望著金甌無缺，青天白日照耀下一片光潔。至於，我在此時此地，只希望享有的是：空靈虛靜的山水，樸質厚實的田園。雖是白雲親舍魂夢爲勞，但我毋聽子規有所情動。因爲，徒思無益的。

我在嚮往，我在追尋，這是我消遙到處的眞實所在。

我在奮勉，我在堅信，不顧時空的懷想，將流於虛無。畢竟，去鄉日遠，只將它當著滿腔思鄉情緒的一種抒發，我在這第二故鄉的臺灣，依舊留著無窮生的展望。

這裡，我有溫馨的家庭，這裡有著和諧親人，這裡留有很多勤勞的記憶，這兒也刻記著甜酸的紀錄。何況，許多知己友好共同生活在這美好的天地，爲著創造美好的明天而在毫不懈怠的努力。樂毋忘憂，憂中有樂。

不忍視若無睹，也不甘願逃避這安身立命之地的安康與否，還得投注一分智慧，一分心力，與我親朋好友心手相連，爲自由、幸福作繼續的爭持，搏鬥！

人不能游離於社會，正如人人都該有一個屬於自己的家，愛家纔會去愛社會和偉大的中華。愛個我纔會去愛群人、民族。

我就根源這點原始的動機，纔有消遙到處思鄉無的拙著應世。出版這一本書，內容與校對，我自負責，難免舛訛。友好們的多方協助，衷心感謝熱忱援手，尤其，敦促鼓勵的，更是念念難忘。家人的期盼，也是促成我有勇氣出書的一大動力。最後，希望讀者們於讀後賜予批評指正，並對文史哲出版社的同人表示謝忱。

中華民國七十七年除夕